Nelles Verlag

Égypte

Offert par
TOURISME
POURTOUS

D1082293

LISTE DES CARTES

Alexandrie 60
Basse-Égypte / Delta du Nil . . . 64 / 65
Le Caire 78
Musée Égyptien 80
Vieille ville du Caire 89
La région du Caire 101
Pyramides de Gizeh 103
Nécropole de Saqqarah 106
Moyenne-Égypte 120
Temple de Abydos 132
Temple de Denderah 134
Les oasis de l'ouest du désert . . 136
Louqsor (Louxor) . . . . . . 144 / 145
Temple de Louqsor 146
Temple de Karnak. . . . . . . 150 / 151
Vallée des Rois 164
Temples de Deir el-Bahari 174
Temple de Ramsès III
  à Medinet Habu 178
Haute- Égypte 187
Temple d'Horus à Edfou 188
Assouan (Aswân). 192
Île de Philae. 200
Abou Simbel 203
Le Sinaï et la mer Rouge 208

Note : dans certains cas, l'orthographe des noms de villes utilisée pour les cartes peut être différente de celle des transcriptions phonétiques habituelles en Égypte. Dans ce cas, les deux orthographes sont indiquées. Les plans de ville ont été généralement réalisés dans le souci de respecter les dialectes locaux.

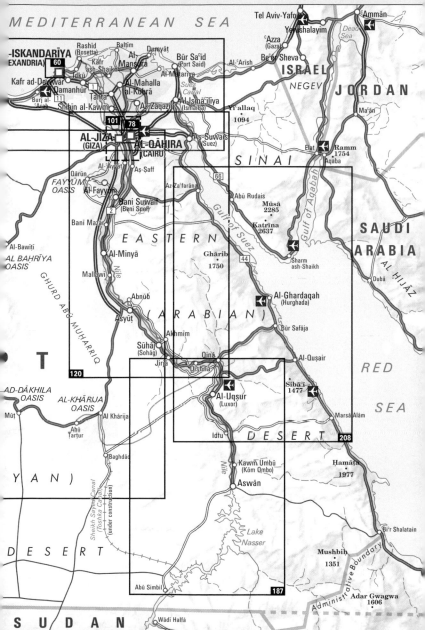

Chère lectrice, cher lecteur,

Être constamment à jour est l'objectif principal des Guides Nelles. Afin d'y parvenir, nos correspondants nous informent continuellement des dernières nouveautés dans le domaine du voyage et nos cartographes réactualisent nos cartes en permanence. Le monde du voyage évoluant sans cesse, les erreurs ou omissions involontaires qui auraient pu subsister dans cet ouvrage ne sauraient engager la responsabilité de l'éditeur. Nous vous serions toutefois reconnaissants de bien vouloir nous faire part de vos remarques à : Nelles Verlag, Munich, tél. : 00 49 89 357 194-0, fax : 00 49 89 357 194 30, e-mail : info@nelles-verlag.de, internet : www.nelles-verlag.de

LÉGENDE

★★ ★★	À ne pas manquer (sur la carte) (dans le texte)	**Ad-Dair**(lieu) Kalābsha (curiosité, monument)	Lieu mentionné dans le texte
★ ★	Très intéressant (sur la carte) (dans le texte)		Aéroport international / Aéroport national
❽	Numéro correspondant dans le texte et sur la carte	**Alfabia** 1067	Sommet (altitude en mètres)
■●	Bâtiment public ou important, monument	Sharira Pass 650	Col (altitude en mètres)
■●	Hôtel, restaurant		Parc national
■○	Centre commercial, marché	☀	Plage
✚	Hôpital	⌣	Point d'eau, puits
❼	Office de tourisme	☥	Monastère
✚☪ ✡	Église, mosquée, synagogue	▲∴	Pyramide, site archéologique
		✕	Mine, carrière

Autoroute, voie rapide
Grand itinéraire
Route principale
Route secondaire
Autre route, voie carossable, piste
Chemin de fer
44 Numérotation des routes
⚑13 Distance en kilomètres

ÉGYPTE

Édition 2007
Distributeur exclusif pour la France :
EDITOUR
Z.I. Bois des Lots
B.P. 24
26131 Saint-Paul-Trois-Châteaux
info@editour.fr, www.editour.fr

Éditeur :	Günter Nelles	**Sélection quadri** :	Priegnitz
Rédacteur en chef :	Berthold Schwarz	**Traduction** :	Anne Madec-Zwipf
Responsable Projet :	Jürgen Bergmann		Anouk Charlier
Iconographie :	K. Bärmann-Thümmel	**Actualisation** :	Catherine Marsaud
Cartographie :	Nelles Verlag GmbH	**Imprimé par** :	Farbdrucke Bayerlein

- N15 -

Liste des cartes 2
Achevé d'imprimé / Légende des cartes 4

1 HISTOIRE ET CULTURE

Aperçu historique 14
Un don du Nil 16
Les royaumes des pharaons 20
Culte des dieux et croyance en l'au-delà 30
Les principaux dieux égyptiens 36
Des images pour l'éternité 38
Antiquité et christianisme 40
Sous la bannière de l'Islam 45
Du sultan Selim à Moubarak 50

2 LA BASSE-ÉGYPTE ET LE DELTA DU NIL

Alexandrie 59
D'Alexandrie à l'oasis de Siwah 64
Le Delta 68
Le canal de Suez 68
FICHE PRATIQUE : restaurants, curiosités 70

3 LE CAIRE

Le Caire 75
Promenades à travers Le Caire 79
Le centre ville moderne 79
Le Musée Égyptien 80
La vieille ville 83
Les vieux quartiers musulmans 87
Les pyramides de Gizeh 101
La nécropole de Saqqarah 106
Memphis 112
FICHE PRATIQUE : restaurants, curiosités 114

4 LA MOYENNE-ÉGYPTE

Les provinces de Gizeh (Giza) et de Beni Suef 119
L'oasis du Fayoum (Fayyûm) 122
La province de Minia 124
Les provinces d'Assiout (Asyut) et Sohag 130

La province de Qena 134
Les oasis de l'ouest 135
FICHE PRATIQUE : restaurants, curiosités 138

5 **LOUQSOR ET THÈBES**

Louqsor (Louxor) 143
Karnak 150
Thèbes-Ouest 159
FICHE PRATIQUE : restaurants, curiosités 180

6 **LA HAUTE-ÉGYPTE**

Esna 185
El-Kab 186
Edfou 186
Kôm Ombo 188
Assouan (Aswân) 190
Les temples nubiens 198
FICHE PRATIQUE : restaurants, curiosités 205

7 **LA MER ROUGE**

La mer Rouge 207
Le Sinaï 210
Le couvent Sainte-Catherine 213
FICHE PRATIQUE : restaurants, curiosités 215

8 **ASPECTS DE LA CIVILISATION**

À la recherche de l'Égypte ancienne 218

Le secret des hiéroglyphes 222

Allah akbar 223

Vers un État de droit divin ? 224

La pyramide de Nasser (Assouan) 226

Peu de terre pour beaucoup d'enfants 228

Le matin du jasmin 231

Le prix Nobel pour Naguib Mahfouz 232

Plaisirs culinaires 234

9 GUIDE PRATIQUE

Préparatifs 236
   Climat / Saison favorable 236
   Choix des vêtements 236
   Conditions d'entrée / Visas 236
   Entrée avec véhicule personnel / Douanes 237
   Monnaie / Change / Devises 238
   Précautions sanitaires 238
Comment se rendre en Égypte 238
   En avion 238
   En bateau 239
   Par la route 239
Comment se déplacer en Égypte 239
   La sécurité 239
   Chemins de fer 240
   Liaisons aériennes 240
   Liaisons fluviales 240
   Autocars et taxis collectifs 240
   En voiture 241
   Voitures de location et taxis urbains 241
   Excursions 242
Renseignements pratiques 242
   Alcool 242
   Achats 243
   Bakshish / Banques 243
   Caméras et appareils photos 243
   Décalage horaire / Électricité 243
   Fêtes / Calendrier / Jours fériés 243
   Guides 244
   Heures d'ouverture 244
   Informations 245
   Nourriture et boissons 245
   Pharmacie 245
   Poste 245
   Prix 246
   Sport / Télécommunications 246

L'Égypte en chiffres 246

Adresses 246
   Ambassades / Consulats 246
   Compagnies aériennes 247

Lexique 247
Auteur / Crédits photographiques 249
Index 250

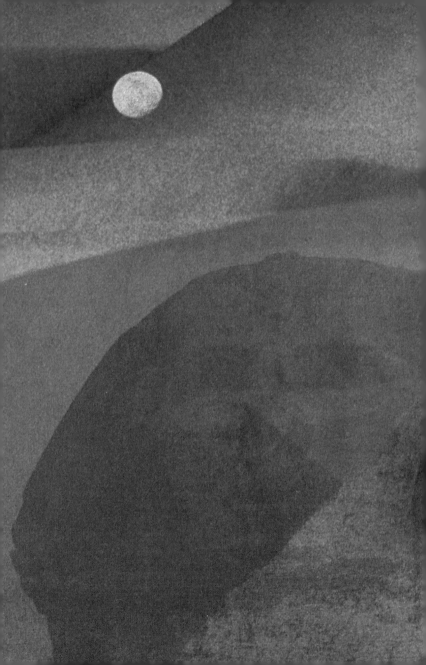

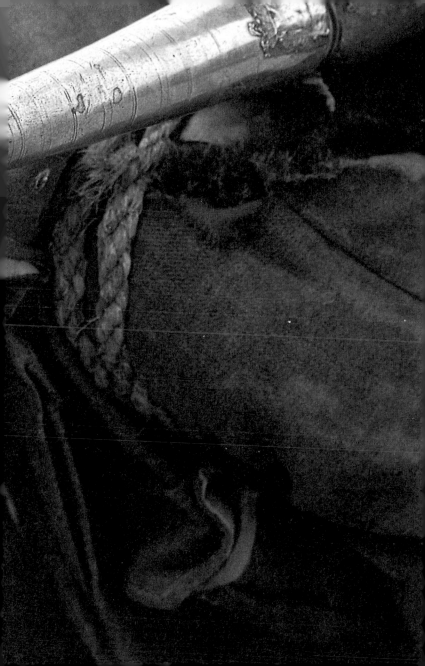

Les royaumes des Pharaons

VIe s. av. J.-C. L'assèchement du Sahara favorise la sédentarisation des peuples autour des oasis, de la vallée du Nil et de son delta.

3500 Une seule civilisation s'étend de Nubie jusqu'au delta du Nil ; les échanges sont intenses entre les principales cités, vraisemblablement des villes-États, qui gèrent en commun les systèmes d'irrigation.

3050 Ménès, le fondateur de la I^e dynastie, unifie l'Égypte.

Ancien Empire (2715-2192) Première apogée culturelle sous les souverains de la IIIe à la VIe dynastie, installés à Memphis.

2697-2677 Le roi Djéser (IIIe dynastie) fait construire une pyramide à degrés par son architecte Imhotep près de l'actuel Saqqarah.

2641-2521 Les pyramides de Khéops, Khéphren et Mykerinus (IVe dyn.) sont érigées près de Gizeh .

2521-2359 Montée du culte du soleil (V^e dyn.).

2259-2195 Début du déclin pendant les 66 ans de règne de Pépi II (VIe dyn.).

Première période intermédiaire (2192-2040) Famines et guerres civiles ; l'État se fracture.

Moyen Empire (2040-1781) Le roi Mentouhotep II (XIe dyn.) rétablit l'union politique ; début d'une ère brillante, considérée comme la période classique de la civilisation égyptienne.

1991-1781 La XIIe dynastie, avec les rois Amenemhat et Sésostris, consolide la centralisation de l'État et étend ses frontières au-delà de la deuxième cataracte du Nil. Premières avancées en Palestine.

Seconde période intermédiaire (1781-1550) À côté de la XIIIe dynastie affaiblie, de petits royaumes (14e dyn.) peuvent s'établir dans le delta. Vers 1650, invasion des Hyksos (15e/16e dyn.), venus d'Asie dans le nord du pays. Les princes thébains de la XVIIe dyn. parviennent à les repousser.

Nouvel Empire (1550-1080) Avec la réunification de l'Empire, l'Égypte devient une grande puissance entre les XVIIIe et XXe dynasties. Thoutmosis Ier (1504-1492) et Thoutmosis III (1479-1425) étendent les frontières impériales jusqu'à l'Euphrate et jusqu'à l'intérieur de l'actuel Soudan. La capitale de l'Empire est Thèbes, le temple d'Amon-Rê à Karnak est son principal centre religieux, alors que la vallée des Rois accueille les tombeaux des Pharaons.

1479-1457 Hatshepsout assume la régence de son beau-fils Thoutmosis III, immature, puis se déclare lui-même Pharaon.

1392-1353 Période de paix et de prospérité sous le règne d'Aménophis III ; l'armée et le clergé s'opposent de plus en plus souvent.

1353-1337 Aménophis IV (Akhénaton) rompt les liens avec la religion traditionnelle et instaure le culte du dieu unique Aton ; la nouvelle capitale est Amarna.

1333-1324 Toutânkhamon rétablit le culte du dieu Amon et réhabilite les prêtres.

Le masque en or de Toutânkhamon au Musée Égyptien (Le Caire).

1279-1213 Ramsès II résiste aux Hittites et engage de grands travaux.

1189-1158 Ramsès III arrête l'invasion des Peuples de la Mer.

Troisième période intermédiaire (1080-713) L'Égypte est de nouveau divisée, en un État religieux au sud et en un empire autour du delta, qui se fracture en diverses principautés.

Basse Époque (713-332) Sous les XXVe et XXVIe dyn., l'Égypte réunifiée par des princes nubiens connaît un dernier essor.

525-404 L'Égypte est une province perse.

Antiquité et christianisme

332 Alexandre le Grand conquiert l'Égypte.

323 À la mort d'Alexandre, Ptolémée prend la tête de l'Égypte et fonde la dynastie des Lagides.

51 Cléopâtre VII accède au trône.

31 Octavien vainc Cléopâtre et Antoine lors de la bataille navale d'Actium.

30 av. J.-C.-395 ap. J.-C. L'Égypte est une province romaine et sert de grenier à blé à Rome.

451 Concile de Chalcédoine : les chrétiens forment l'Église copte.

La medresa du sultan Hassan, construite en 1363, à l'âge d'or du Caire.

Sous la bannière de l'Islam

639-642 Mouvances byzantines le long du Nil.

750-868 Intégration du pays à l'Empire musulman des Abbassides de Bagdad.

868-905 Affranchie de la tutelle abasside, l'Égypte est dirigée par les Tulunides et Ahmad Ibn Tulun.

969 Les Fatimides, du nord de l'Afrique, prennent le pouvoir et fondent Le Caire.

1171 Saladin met fin au règne des Fatimides.

1250-1517 Sous les Mamelouks, Le Caire devient le centre du monde arabo-musulman.

Égypte moderne et contemporaine

1517 L'Égypte ottomane connaît la période la plus sombre de son histoire ; luttes incessantes pour le pouvoir.

1798-1801 Bonaparte occupe l'Égypte. L'étude du pays par des chercheurs français aboutit à la création de l'égyptologie.

1805-1848 Méhémet Ali, gouverneur ottoman et vice-roi (khédive), gouverne et réorganise l'Égypte.

1822 Jean-François Champollion déchiffre les hiéroglyphes égyptiens.

1863-1879 Ismaïl Pacha, le petit-fils de Méhémet Ali, endette le pays pour financer ses grands travaux et son train de vie luxueux.

1869 Inauguration du canal de Suez.

1875 Les dettes obligent Ismaïl à vendre les actions du canal de Suez à l'Angleterre.

1882 Révolte du commandant Orabis. Les troupes britanniques interviennent pour protéger le vice-roi.

1914 Le protectorat britannique est établi.

1922 Sous le roi Fouad Ier, l'Égypte obtient une relative indépendance.

1952 Les officiers libres de Nasser prennent le pouvoir. Nasser devient président de la République en 1953. Priorité est donnée à la réforme agraire, à l'intensification des cultures et à l'industrialisation

1956 Nationalisation du canal de Suez pour assurer le financement du haut barrage d'Assouan ; l'Angleterre, la France et Israël occupent la zone du canal.

1967 Défaite contre Israël lors de la guerre des Six-Jours.

1970 Sadate prend la succesion de Nasser.

1971 Inauguration du haut barrage d'Assouan.

1973 L'Égypte reprend le contrôle du canal de Suez.

1979 Traité de Camp David avec Israël, qui isole l'Égypte au sein du monde arabe.

1981 Sadate est assassiné ; Moubarak lui succède.

1989 Retour au sein de la Ligue arabe.

1991 Participation à la force multinationale contre l'Iraq.

1997 Attentat d'extrémistes islamistes à Louqsor, plus de 60 touristes sont tués.

2002 Après les attentats du 11 sept. 2001, Moubarak soutient la coalition anti-terroriste.

2005 Attentats au Caire.

UN DON DU NIL

Vue d'avion, l'Égypte offre un panorama tout à fait saisissant, rappelant irrésistiblement la célèbre métaphore d'Hérodote. Oui, l'Égypte est bien un "don du Nil", une oasis fluviale luxuriante de 35 000 km², longue bande de verdure arrachée au désert qui recouvre par ailleurs la presque totalité de cet Etat d'une superficie de plus d'un million de kilomètres carrés.

Sur près de la moitié de ses 6671 kilomètres de longueur, le "grand fleuve", tel que l'avaient baptisé les Égyptiens de l'Ancien Empire, se fraye un chemin vers la Méditerranée à travers la plus grande région désertique du monde : la zone subtropicale aride qui ceinture la terre depuis la côte atlantique jusqu'à l'Asie Centrale.

Pages précédentes : le sphinx de Gizeh devant la pyramide de Khéphren. Jeunes femmes au banquet (peinture du tombeau de Nakht à Thèbes-Ouest). Vendeur d'eau. Ci-dessus : le Nil, artère vitale de l'Égypte. Ci-contre : des canaux parcourent les villages.

Bordé par le massif de collines calcaires du désert lybien et le plateau gréseux de Nubie, le Sahara s'étend à l'ouest jusqu'à la vallée du Nil ; à l'est, le désert d'Arabie se relève à la lisière orientale du continent africain, formant un massif granitique qui enjambe la mer Rouge et se prolonge jusque dans le Sud-Sinaï. C'est dans cet immense plateau de 400 m d'altitude que le Nil creuse sa vallée depuis des millénaires, donnant naissance, en plein désert, à un véritable jardin d'Eden.

Cette oasis fluviale cultivée de manière intensive n'est en fait qu'une mince bande de terre fertile dont la largeur n'excède jamais 20 kilomètres, et qui s'étend sur 900 kilomètres, depuis Le Caire jusqu'à Assouan. Il faut arriver dans la région du Delta, autrefois irriguée par cinq bras différents – contre trois aujourd'hui – pour que la surface cultivable atteigne une surperficie de 25 000 km².

Le deuxième fleuve de la planète en longueur naît au cœur de l'Afrique dans la région des pluies tropicales, au Burundi, où il recueille les eaux du Kagera

qui traverse les lacs Albert et Victoria, avant d'arroser les marais du Soudan sous le nom de "fleuve de la montagne" *(Bahr-al-Jabal)*.

Avant d'arriver au Soudan, il reçoit d'abord les eaux du "fleuve des gazelles" *(Bahr al-Ghazâl)* et du "fleuve des girafes" *(Bahr az-Zarâfa)*, puis du Sobat, et commence alors, sensiblement grossi, son voyage vers Khartoum sous le nom de Nil Blanc.

Là, dans la capitale du Soudan, il rencontre le Nil Bleu puis l'Atbarah avant d'affronter le Sahara qu'il traverse sur 3 000 kilomètres. Entre Khartoum et Assouan, il se heurte à d'énormes barrières de granit : ce sont les six cataractes dont deux ont disparu sous les eaux du gigantesque barrage d'Assouan, au sud de la ville.

Le pouls de cette artère si vitale pour l'Égypte est rythmé par la crue annuelle qui se produit chaque été, conséquence des pluies diluviennes qui s'abattent alors sur le plateau abyssin. Elles ont tôt fait de transformer le Nil Bleu et l'Atbarah en masses d'eau fangeuses et chargées d'alluvions, qui dévalent vers le fleuve principal qu'elles rejoignent dans le sud du Soudan.

Cependant, depuis la construction du Grand barrage, la crue ne s'étend plus au sein de l'Égypte, au-delà de l'immense lac de retenue aménagé au sud d'Assouan. Jusqu'en 1968, le niveau de l'eau commençait à monter au mois de juillet, puis le fleuve sortait de son lit et inondait toutes les terres cultivables, d'où seuls émergeaient les villages construits sur des hauteurs. L'eau atteignait son niveau maximal en septembre, après quoi la décrue s'amorçait, découvrant peu à peu les champs, et les semailles se faisaient aussitôt, dans le sol encore humide.

Partout où la crue du Nil a déposé siècle après siècle son limon fertile, on retrouve la même "terre noire", terme employé par les pharaons pour désigner l'Égypte : une couche de terre fertile dont l'épaisseur varie entre 10 et 12 mètres et qui fait place, sans transition, à un désert aride où il ne pleut presque jamais.

Ces deux conditions géographiques réunies, la fertilité des rives du Nil et la

protection du désert, ont permis l'épanouissement de l'une des plus grandes civilisations de l'histoire de l'humanité.

Pendant des millénaires, le destin du pays est resté suspendu à la crue du Nil, toujours impatiemment attendue, attente aussi teintée de crainte ; nul ne pouvait en effet savoir si elle ne se révèlerait pas insuffisante ou trop violente. Pour régulière qu'elle fût, l'ampleur en était, il est vrai, très variable et déterminait le rendement de la future récolte.

Jusqu'au XXᵉ siècle, le système d'irrigation par bassins, mis au point sous l'ère des pharaons, prédomina. On divisait les terres en autant de bassins, séparés par des digues et alimentés durant les 45 jours de crue par tout un réseau de canaux. Après le retrait de l'eau, on semait dans la terre encore boueuse qui ne nécessitait alors plus aucun apport d'eau jusqu'aux récoltes. L'irrigation des terres hautes, hors d'atteinte de la

Ci-dessus : la charrue de bois a aujourd'hui presque disparu. Ci-contre : l'âne demeure un moyen de transport important pour les fellahs.

crue du Nil ou de l'irrigation pérenne, n'était possible qu'à l'aide d'outils de puisage à levier encore en usage, notamment en Haute-Égypte. Le plus vieil appareil de ce type est le *chadouf*, un puits à balancier composé d'une longue flèche en équilibre sur un portant et équipée d'un seau à une extrémité et d'un bloc de glaise faisant contrepoids à l'autre.

Le *saquiéh*, probablement d'origine perse, est une roue horizontale tirée par un attelage actionnant une roue hydraulique verticale. Les *fellahs* utilisent aussi le *tanbour*, un conduit cylindrique transbordant l'eau d'un niveau à l'autre au moyen d'une grosse vis fixée à l'intérieur.

Les débuts de la modernisation

En 1820 seulement, Méhémet Ali introduisit la culture du coton en Égypte, entraînant la création de techniques d'irrigation novatrices. L'irrigation par bassins ne permettant qu'une seule récolte annuelle, on construisit toute une série de barrages, canaux et installa-

tions de puisage, dont celle du premier barrage d'Assouan, en 1902, pour obtenir plusieurs récoltes par an. Mais le point d'orgue de cette évolution fut l'édification du Grand barrage d'Assouan, qui libéra définitivement l'Egypte de son assujétissement millénaire à la crue du Nil.

En voyageant à travers le pays, on peut y voir, en toutes saisons, des champs verdoyants cultivés selon un plan défini en coopérative et en fonction du cycle de la nature. Depuis que la réforme agraire de l'ère Nasser a été officiellement levée par Moubarak (de fait, elle n'était plus respectée depuis longtemps), la grande propriété est réapparue, dépassant de loin la superficie maximale autorisée fixée à l'origine à 100 *feddàn* (42 ha). La majorité des *fellahs* sont organisés en coopératives – on en dénombre cinq mille au total – qui s'occupent de l'achat des semences, des machines et des engrais, mais aussi de la commercialisation de la récolte.

La totalité des terres fertiles, agglomérations mises à part, est cultivée. Les cultures principales sont les céréales (blé, mil, riz et maïs), le trèfle fourrager, les produits maraîchers, la canne à sucre et le coton. Les plantations d'arbres fruitiers et d'oliviers se concentrent au Fayoum et dans le Delta, tandis que "l'arbre nourricier" de l'Égypte, le palmier-dattier, pousse à peu près partout. Un palmier produit chaque année entre 60 et 100 kg de dattes, et les palmes, une fois sèches, sont utilisées pour la fabrication de meubles bon marché, de cagettes et de clôtures pour le bétail.

De même que la végétation de l'Égypte se compose surtout de plantes utiles à l'homme, les animaux domestiques constituent l'essentiel de la faune. Dans la vallée du Nil, les tracteurs sont encore loin d'avoir remplacé les bêtes de somme traditionnelles, dromadaires, ânes et buffles d'eau.

Les prairies étant rares, l'élevage ne joue qu'un rôle secondaire. C'est donc la poule qui constitue la base de l'alimentation carnée de l'Égypte, avec les pigeons pour lesquels on construit partout de magnifiques pigeonniers, pains de sucre couleur d'argile ou superbes colombiers blanchis à la chaux.

LES ROYAUMES DES PHARAONS

"De tous les peuples que j'ai rencontrés au cours de mes voyages, les Égyptiens sont les plus attachés aux souvenirs du passé et les plus férus d'histoire". C'est le Grec Hérodote qui fait cette observation dans ses *Histoires*. Celui qu'on appelle volontiers "le père de l'Histoire" visita l'Égypte au Ve siècle av. J.-C. et rapporta à ses contemporains tout ce qu'il avait appris sur la culture, l'histoire et la géographie du pays. Hérodote avait toutes les raisons d'être impressionné par les connaissances historiques des Égyptiens, puisqu'ils étaient capables, non seulement d'énumérer tous les noms de leurs rois et la durée de chaque règne depuis Ménès, le premier souverain égyptien d'essence humaine, mais de lui fournir également force détails sur leur longue histoire ; histoire longue s'il en fût, puisqu'à l'époque d'Hérodote, deux mille cinq cents ans s'étaient déjà écoulés depuis le règne de Ménès.

Mais d'où ces prêtres des grands temples, qu'Hérodote cite comme sources dignes de foi, tenaient-ils donc leur savoir ? Il n'existait pas, dans l'Égypte ancienne, d'historiographie au sens moderne du terme, mais on conservait, parmi les archives des temples, des annales et des listes où tous les événements historiques, les noms, la durée des règnes et même les dates de naissance et de mort des différents pharaons, étaient consignés par ordre chronologique. C'est d'ailleurs dans ces papyrus royaux que Manethon, grand-prêtre d'Héliopolis, puisa l'essentiel de ses informations lorsqu'il rédigea ses *Aiguptiaka* (chroniques des pharaons et souverains d'Égypte) de l'Égypte en trois volumes, au IIIe siècle av. J.-C. Il n'en subsiste malheureusement aujourd'hui que quelques passages, mais qui n'en sont pas moins extrêmement précieux pour la recherche historique. C'est à Manethon que l'on doit notamment la répartition des pharaons en 30 dynasties, toujours en usage actuellement.

Cette tenue d'archives quasi-bureaucratique n'a cependant jamais altéré l'aura mythique entourant l'histoire de l'Égypte selon laquelle, à l'origine, aurait régné une dynastie d'essence divine, subordonnant tout le destin du pays à une loi éternelle, la *maat*. L'ordre cosmique, la justice, la vérité sont des valeurs fondamentales de cette *maat*, le souverain étant le seul garant de la pérennité de ce concept. Lui seul connaît les lois de la *maat* ainsi que les rites qui s'y rapportent et permettent de maintenir l'ordre de l'univers. Ainsi la royauté divine devient-elle le centre de la création pour le peuple de l'ancienne Égypte, une conception qui s'est exprimée d'une manière encore visible aujourd'hui dans les gigantesques pyramides de l'Ancien Empire.

L'Égypte avant les pyramides

Si les listes des rois font de Ménès (environ 3050 av. J.-C.) le premier souverain de la première dynastie et le fondateur de ses structures étatiques, cette vision des choses apparaît comme très arbitraire à la lumière de la recherche moderne. Une longue période de maturation, même si elle n'a pas laissé de témoignages écrits, a précédé l'avènement de la I[e] dynastie et jeté les bases de la grande civilisation égyptienne.

Les premières traces de colonisation humaine sur les pentes de la vallée du Nil et dans les déserts alentours remontent au cœur de l'âge de pierre, mais il fallut attendre le VIe millénaire pour que s'effectue la mutation fondamentale d'une civilisation de chasseurs et de cueilleurs vers un mode de vie plus sédentaire. L'assèchement progressif du Sahara, où les conditions climatiques

Ci-contre : le sourire énigmatique de Ramsès II figé dans la pierre (temple de Louksor).

étaient autrefois beaucoup plus favorables à la vie, eut pour conséquence de sédentariser, dans la vallée du Nil et les oasis fertiles, les populations nomades d'Afrique du Nord. Sur une période couvrant plus de 2 000 ans, les études archéologiques n'ont mis à jour que quelques points de colonisation, quelques cimetières et artefacts. Mais il est certain que, vers 3500 av. J.-C., une civilisation homogène se développa dans toute la vallée du Nil, depuis le Delta jusqu'à la Nubie, dont les principaux centres étaient sans doute des villes "libres", indépendantes mais entretenant des relations commerciales suivies, entre elles dans un premier temps, puis avec l'Asie Mineure et la Mésopotamie.

Si l'unification dut se produire vers 3050 av. J.-C., on ne sait pas encore très bien selon quel processus. La théorie des deux royaumes, selon laquelle une fédération de tribus nomades de Haute-Égypte aurait soumis les agriculteurs sédentarisés du royaume du Delta, est satisfaisante à deux égards : elle explique bon nombre d'éléments de la civilisation égyptienne et elle corrobore

les dires des Égyptiens eux-mêmes, qui parlent de la naissance de leur État comme de la "réunification des deux pays" en attribuant cet événement au roi fondateur Ménès. Il est pratiquement impossible de savoir ce qui s'est passé réellement, mais il semblerait que ce mythe soit la projection d'un long processus d'évolution sur un héros historique incarnant le prologue étincelant de la civilisation égyptienne.

Si le mythe présente l'émergence d'une structure étatique centralisée comme la réunion de deux parties du royaume, il éclaire également un trait caractéristique de la pensée des anciens Égyptiens : l'appréhension binaire du monde et de ses phénomènes, ces éléments fusionnant en un tout organisé. On rencontre cette dualité aussi bien dans le domaine mythologique et religieux que politique, comme en témoignent les emblèmes de la royauté qui obéissent aussi au chiffre deux : que ce soient les deux couronnes différentes pour les deux parties du royaume – la mitre blanche de la Haute-Égypte et la coiffe plate du Delta, les deux sceptres,

la crosse et le fouet, le titre de roi de Haute- et de Basse-Égypte que le pharaon porta jusqu'à la fin de l'histoire de l'Égypte ancienne, ou les dieux royaux qui réunissent les plantes emblématiques des deux pays, le lotus et le papyrus.

Toutefois, le véritable "père du royaume des pharaons" était le Nil qui, sur ses rives, fit du désert un jardin d'Eden et offrit aux hommes tout ce dont ils avaient besoin. L'utilisation rationnelle des eaux du fleuve demandait néanmoins une minutieuse organisation. Il fallait des digues et des canaux pour irriguer les champs et protéger les villages des crues excessives, prévoir des réserves d'eau lorsque la crue était trop faible. En fait, la réunification politique naquit d'une gestion commune de l'eau, ce qui, étant données les conditions géographiques de la vallée du Nil, exigeait une organisation centrale. Les besoins de cette administration furent à l'origine de l'invention de l'écriture et

Ci-dessus : la pyramide de Mykérinos. Ci-contre : le sphinx d'albâtre à Memphis.

de l'introduction d'un calendrier schématisé, divisant l'année en 365 jours.

Le temps des pyramides

La situation protégée de l'Égypte et la circonstance heureuse qu'aucun Etat de même envergure n'ait existé en même temps dans un voisinage immédiat, ont permis au pays du Nil de vivre pratiquement en paix pendant 1500 ans. Les deux premières dynasties (de 3050 environ jusqu'à 2715 av. J.-C.) virent la consolidation du royaume ; le terrain était préparé pour la première apogée culturelle, la période de l'Ancien Empire (vers 2715-2192). Ce fut le temps des bâtisseurs de pyramides, des dieux-rois, immortalisés à jamais dans leurs gigantesques tombeaux de pierre.

Le fondateur de l'Ancien Empire, et le premier pharaon à avoir donné à son tombeau des dimensions monumentales, serait le roi Djéser (entre 2697 et 2677) qui fit édifier la pyramide à degrés de Saqqarah. Même si peu d'événements historiques nous sont parvenus des deux décennies que dura son règne, sa puissante pyramide à degrés demeure le symbole de pierre d'un Etat fort et puissant, reposant entièrement sur un roi à caractère divin. Le centre de l'empire était alors Memphis, la ville aux murs blancs, à la limite de la vallée du Nil et du Delta, et dont la fondation est attribuée à Ménès. Non loin de la ville s'élève la pyramide à degrés, dont les pèlerins, jusqu'aux derniers moments de l'histoire de l'Egypte, ont toujours vanté la beauté et la perfection. Mais on admirait encore plus son génial architecte Imhotep qui, aux yeux de la postérité, ne demeura pas seulement "celui qui ouvrit la voie de la pierre" mais passa de surcroît pour un médecin et un sage avant de devenir un demi-dieu.

C'est avec la IVe dynastie (entre 2641 et 2521) que débuta vraiment l'ère des bâtisseurs de pyramides, dont les tombeaux se dressent près du Caire, à la limite du désert occidental, semblables à la représentation abstraite d'une montagne. Les plus célèbres sont celles des rois Khéops, Khéphren et Mykerinos près de Gizeh, mais la première pyramide authentique remonte déjà à Snéfrou, le fondateur de la dynastie.

Le passé est très avare de documents sur la IVe dynastie, mais si l'on en croit Hérodote, Khéops et Khéphren auraient été d'affreux despotes, d'une extrême cruauté, et la construction des pyramides le fruit d'impitoyables travaux forcés imposés au peuple. "Khéops était", nous dit-il, "un homme si infâme qu'il aurait, par besoin d'argent, obligé sa fille à se prostituer dans une maison close".

Et cette réputation désastreuse a résisté au temps et poursuivi Khéops jusqu'à notre époque, sans doute à cause du caractère monumental et presque surhumain des deux grandes pyramides. Alors que la construction de ces gigantesques tombeaux répondait au contraire à l'aspiration et à la raison d'être de tout un peuple, qui associait l'immortalité de leur roi divin à leur propre

espérance en une vie éternelle. Le culte funéraire en souvenir du roi disparu était le culte officiel d'une époque à laquelle les hommes voyaient dans leur pharaon l'incarnation du maître de l'univers. Les pyramides ne sont donc pas les témoins d'une période de tyrannie, mais bien plus l'expression du sentiment religieux d'un État fort et à l'unisson de son peuple.

Mais au zénith de cet absolutisme sacré, on pouvait déjà discerner les prémices d'un changement dans la conception du monde, qui, sans démystifier le dieu-roi, le plaçait toutefois dans l'ombre des autres dieux. Le tout puissant pharaon, le *grand Dieu* s'appelait désormais le *fils de Rê*, montrant ainsi clairement qu'il se soumettait lui aussi à la volonté de son père divin Rê, le dieu-soleil.

Ce culte du soleil ne cessa de se développer jusqu'au début de la Ve dynastie (2521-2359 environ). Non loin des pyramides royales qui, avec le temps, avaient revêtu des dimensions plus modestes, on élevait maintenant des temples au dieu-soleil : cours entourées de murs avec, en leur milieu, une sorte de flèche de pierres ajustées, symbole solaire en forme d'obélisque. C'est là qu'on apportait au dieu-soleil Rê, créateur de toute vie, les animaux à sacrifier en plein air afin qu'ils puissent parvenir au dieu sur les rayons du soleil. Les érudits ont beaucoup réfléchi sur les raisons de cette évolution religieuse qui s'explique peut-être par l'influence croissante prise par les prêtres du culte solaire. Mais quoiqu'il ait pu se passer, cette évolution s'accompagnait d'une profonde mutation dans la conscience collective, que l'on a qualifiée très justement de *naissance de l'individu*. Le pharaon apparaît dès lors comme un être humain, bienveillant et soucieux de son peuple. Les fonctionnaires aussi deviennent des personnages physiquement palpables qui, dans leur biographie, parlent avec fierté de leur carrière.

Mais cette émergence de la conscience individuelle portait en soi les germes de la décadence politique : la volonté de puissance des hauts-fonctionnaires, qui commençaient à régner en maîtres sur leurs fiefs héréditaires, paralysait l'administration centrale. Et lorsque, sortant des 64 ans de règne de Pépi II (environ 2259-2195), le pays eut à subir une effroyable disette qui dura près de 20 ans, le pouvoir central déliquescent laissa peu à peu la place à une structure féodale, où les gouverneurs se comportaient en roitelets indépendants dans leurs provinces.

Malheureusement, c'était aussi la conception du monde de tout un peuple qui s'effondrait avec l'État. Et l'on perçoit combien cette perte a été ressentie douloureusement par l'individu, au travers de la littérature remarquable qui se développa à cette époque, qu'on appelle la Première Période Intermédiaire (environ 2192-2040). Devant l'anarchie et le chaos, la famine et la misère, on n'hé-

sitait pas à adresser les reproches les plus amers au dieu-créateur et on s'abandonnait, fataliste, aux aspirations morbides. On s'interrogeait sur le sens de la vie, allant même jusqu'à mettre en doute l'existence de l'au-delà. Attitude tout à fait nouvelle, on appelait désormais à profiter autant que possible des plaisirs de ce monde : "jouis de ta journée et ne ten lasse pas ! Regarde, personne ne peut emporter son bien avec soi ! Regarde, personne n'est jamais revenu de l'au-delà".

Le Moyen Empire (2040-1781)

Aux alentours de l'an 2040, le gouverneur de Thèbes, Mentouhotep II, parvint à rétablir l'unité du pays. Son gouvernement fut le prélude à une nouvelle apogée de la civilisation égyptienne, la période du Moyen-Empire que les anciens Égyptiens, eux-mêmes, considéraient comme l'époque classique de leur histoire. C'est également là que commença l'ascension de Thèbes, qui allait devenir une des villes les plus célèbres de l'Antiquité, lorsque Mentouhotep II fit de sa résidence située sur le territoire de l'actuelle Louqsor, la nouvelle capitale de l'Empire. C'est à Karnak que l'on dressa les premiers autels au dieu Amon, prémices de l'immense sanctuaire voué à un dieu qui, après sa fusion avec le dieu-soleil Rê, devint la principale divinité du panthéon égyptien. En face, dans la cuvette de Deir el-Bahari, le fondateur du Moyen Empire se fit construire un tombeau de conception nouvelle : un temple en terrasses au-dessus d'une profonde anfractuosité naturelle de la montagne.

Et même après qu'Amenemhat Ier (1991-1965), premier roi de la XIIe dynastie, eût à nouveau fait de la région de Memphis le centre de l'Empire, Thèbes conserva son importance religieuse et Amon-Rê resta le dieu tutélaire de la dynastie. Amenemhat parvint à s'assurer définitivement la loyauté des puis-

Ci-contre : le roi Sésostris Ier coiffé de la couronne de Basse-Égypte.

sants gouverneurs et à établir un pouvoir central fort, comme au temps des pyramides.

La Première Période Intermédiaire avait amené une rupture dans le domaine spirituel et intellectuel, comparable, par son ampleur, à la Renaissance en Occident. L'initiative personnelle, la prise en charge individuelle avaient remplacé l'abnégation sans réserve envers le pharaon, dieu vivant. La piété de la bourgeoisie naissante s'adressait maintenant aux dieux eux-mêmes et non plus au pharaon. Aussi était-ce à Osiris que l'on exprimait ses espoirs en une résurrection après la mort, et Abydos, le principal lieu du culte de ce dieu, était devenu un but de pèlerinage. Chacun, et non plus seulement Pharaon, pouvait désormais s'identifier au dieu et participer à sa résurrection, que l'on célébrait chaque année en Abydos, en jouant ce qu'on pourrait appeler des "mystères". Les souverains qui suivirent, et qui s'appelaient tous Amenemhat ou Sésostris, tinrent plus serrées les rênes de l'Etat. Le pouvoir central se fit absolu, voire totalitaire. Plus aucun domaine n'échappait au contrôle d'une bureaucratie omniprésente qui étendait son réseau serré de lois et de réglements sur tout le pays. Malheur à celui qui tentait de lui échapper en allant chercher refuge dans le désert ou les oasis. La "Grande Prison" ou les travaux forcés l'attendaient. L'opposition croissante contre un pouvoir central aussi répressif devait fatalement conduire à la chute de l'Empire, ce qui arriva sous la XIIIe dynastie.

Les pharaons de la XIIe dynastie manifestèrent pour la première fois des ambitions impérialistes, repoussant les frontières méridionales de l'Égypte au-delà de la 2e Cataracte. Si les premières expéditions militaires en Palestine avaient pour but de protéger les villes liées à l'Empire par des échanges commerciaux, l'Asie Mineure s'imposait progressivement sur la scène internationale, comme en témoigne le récit saisissant de Sinouhé – familier de la cour d'Ammenémès – qui livra l'une des œuvres littéraires les plus populaires du Moyen Empire, présentant une description très vivante de la Syrie.

25

C'est également d'Asie Mineure que vinrent les premiers étrangers à monter sur le trône d'Égypte, les *Hyksôs*. Aux environs de 1650 av. J.-C., alors que le pays du Nil était affaibli par les turbulences continuelles qui secouèrent le trône sous la XIIIᵉ dynastie, les Hyksôs fondirent soudain sur le Delta, écrasant tout sous leurs armes nouvelles, chevaux et chars de guerre. Ils établirent un empire qui, au sommet de leur puissance, s'étendait de la Nubie à la Palestine. Depuis leur capitale Avaris, à l'est du Delta, ils maintinrent pendant 108 ans leur domination sur l'Égypte, administrée par des petits rois et des vassaux. Une fois encore, le salut devait venir de princes thébains qui refirent l'unité de l'Empire et le guidèrent vers un nouvel âge d'or.

Le Nouvel-Empire
– l'âge d'or –

Avec Ahmosis, le vainqueur des Hyksôs, commença une période d'épanouissement culturel sans précédent, comme en témoignent, bien sûr, les temples grandioses de Louksor, mais aussi l'art raffiné et la littérature de la XVIIIᵉ dynastie (vers 1550-1292). Malheureusement, la domination étrangère avait laissé des traces dans le pays : si l'effondrement, à la fin de l'époque des pyramides, avait surtout touché, et profondément, l'individu, c'était maintenant la société tout entière qui était en pleine mutation. Le contexte politique, les contingences du moment permettent seuls d'expliquer comment le dieu-roi se mua soudain en héros guerrier campé sur son char, à la tête d'une colossale armée de métier : le seul moyen d'empêcher que se renouvelle la catastrophe des Hyksôs consistait à affirmer sa supériorité militaire en Asie Mineure.

C'est donc dans un cliquetis d'armes que l'Égypte, sous Thoutmosis Iᵉʳ

Ci-contre : Aménophis, fils dHapou, grand architecte du roi Aménophis III.

(1504-1492), fit son entrée sur la scène internationale. Le théâtre des opérations était la Syrie et la Palestine, l'adversaire le royaume de Mitanni, sur le cours supérieur de l'Euphrate, et ses vassaux. Ce qui commença comme une simple démonstration de force au début de la XVIIIᵉ dynastie se transforma en guerre de conquête avec le belliqueux Thoutmosis III (1479-1425) qui, en 17 campagnes, assura l'hégémonie de l'Égypte en Orient.

C'était maintenant un empire immense qui s'étendait *"sous les sandales de Pharaon"*, depuis le fin fond du Soudan jusqu'à la Syrie. Le pays fut inondé de richesses inestimables : prises de guerre, tributs, marchandises de commerce. De Nubie, les caravanes lourdement chargées, escortées d'animaux exotiques, apportaient de l'or, de l'ivoire, des bois précieux. De Syrie-Palestine arrivaient le bois de cèdre si recherché, les chevaux, les armes et des matières premières comme l'argent, le lapis-lazuli et le cristal de roche. Le légendaire Royaume de Pount, que l'on situe aujourd'hui entre le Soudan et l'Ethiopie, fournissait l'encens et la myrrhe. Les marchands crêtois livraient à l'Égypte des armes et des tonneaux de leur pays. Beaucoup de produits étrangers et exotiques pénétrèrent ainsi en Égypte, jusqu'à certains dieux littéralement "importés" d'Asie.

La capitale de l'Empire était maintenant Thèbes, et son centre spirituel le temple d'Amon-Rê à Karnak, car c'était ce dieu qui avait accordé la victoire à Pharaon ; pour le remercier, on lui consacra de nouveaux temples, de nouvelles terres et de précieuses offrandes. C'est d'ailleurs à proximité d'Amon, à l'abri d'une vallée dans les montagnes de l'Ouest que les pharaons édifiaient désormais leurs tombeaux, et leurs temples funéraires étaient d'abord voués au culte d'Amon. Et bien que le pharaon fût maintenant plus homme que dieu, il soulignait plus que jamais son origine divine.

En réalité, le premier roi qui fit représenter sur une paroi de son temple sa conception charnelle par Amon était une femme. Hatchepsout était la fille de Thoutmosis Ier et l'épouse de Thoutmosis II. À sa mort, elle assura la régence pour son gendre mineur, mais coiffa bientôt elle-même la double couronne et régna sur d'Égypte pendant 20 ans (1479-1457), intermède de paix auquel son successeur, le roi-guerrier Thoutmosis III mit fin brutalement. Celui-ci accumula les glorieuses campagnes militaires, mais poursuivit partout de sa haine la mémoire de cette belle-mère qui l'avait si longtemps privé du trône. Non content d'effacer son nom de tous ses temples et monuments, il alla même jusqu'à emmurer ses grands obélisques de Karnak.

Lorsqu'enfin les armes se turent en Asie, vers le milieu de la XVIIIe dynastie, une opposition qui allait être lourde de conséquences, se dessinait de plus en plus nettement entre les prêtres d'Amon et la maison du roi. Les années de guerre avaient amené les pharaons à s'appuyer davantage sur des officiers et des conseillers au fait des problèmes internationaux que sur les prêtres et certains fonctionnaires trop conservateurs. Et quand Aménophis III (1392-1353) prit pour épouse Tijy, qui était issue de la bourgeoisie, ceux-là ressentirent cette union comme un sacrilège envers le dogme et la religion. Toutefois, la rupture ne devint effective que sous le règne de son fils Aménophis IV (1353-1337) qui voulut transformer le pays de fond en comble par une révolution religieuse.

La croyance en un dieu unique, le dieu du soleil Aton, qui excluait la présence de tout autre dieu à ses côtés : telle était la profession de foi radicale du nouveau roi, qui ne portait plus désormais le nom d'Aménophis (*"Amon est satisfait"*) mais celui d'Akhénaton (*"la lumière d'Aton"*). Le roi ne sacrifiait bien sûr pas seulement tous les anciens dieux et leurs prêtres sur l'autel de sa nouvelle religion, mais aussi toutes les traditions vénérables et les valeurs héritées du passé. Dans le domaine de la statuaire, les traits presque bouffons des visages d'un nouveau style sont l'ex-

pression de son rejet absolu des conventions.

Loin de Thèbes et d'Amon, Akhénaton fonda une nouvelle capitale pour son dieu, où les temples et les monuments, les villas et les palais, surgirent rapidement du sol. Mais la ville d'Akhet-Aton, littéralement *horizon d'Aton*, ne survécut pas plus longtemps à son fondateur que la nouvelle doctrine monothéiste.

À la mort d'Akhénaton, les prêtres d'Amon recouvrèrent leur influence passée, et sous le règne de Toutânkhamon (1333-1324), le pays revint à l'ordre ancien. Dans l'ombre de l'enfant-roi, couronné à l'âge de neuf ans, se tenaient ses deux généraux, Aï et Horemheb qui, à la mort précoce et sans doute violente de Toutânkhamon, ainsi que les blessures visibles sur son crâne laissent à penser, lui succédèrent et parachevèrent la restauration. Des hommes issus de l'armée accédaient ainsi au

Ci-dessus : Néfertari, épouse de Ramsès II. Ci-contre : les ruines de Tanis, résidence du Delta des rois de la 21e dynastie.

28

pouvoir suprême et sonnaient l'avènement de la XIXe dynastie qui allait donner à l'Égypte le plus célèbre de ses pharaons : Ramsès le Grand (1279-1213), un roi dont on ne parle qu'avec des superlatifs, et qui, tout au long de ses 67 années de règne, allait littéralement couvrir l'Égypte de monuments et de statues, alors que l'Histoire n'a retenu finalement que très peu de choses de lui. Dans tous ses temples, il se fit représenter comme un grand héros de guerre. Pourtant la fameuse bataille de Kadech contre la nouvelle puissance en Asie Mineure, le peuple indo-germanique des Hittites, bataille tant célébrée dans les épopées, fut davantage un triomphe poétique que militaire. Elle se mua plus tard en succès diplomatique, lors de la signature d'un traité de paix et d'alliance, qui entérinait la domination de l'Égypte sur les villes marchandes de la Méditerranée orientale.

La capitale prestigieuse de l'est du Delta, Piramsès, le *Ramsès* biblique, demeura le centre politique tout au long de la XXe dynastie, qui vit le déclin de l'ère brillante du Nouvel-Empire. À l'extérieur, les grandes invasions menaçaient l'Égypte : les tribus lybiennes à l'Est et indo-germaniques à l'Ouest. À l'intérieur, les luttes pour le pouvoir et les crises économiques affaiblissaient le pays. L'Empire connut encore un grand pharaon avec l'avènement de Ramsès III (1189-1158), mais ses successeurs, qui portaient tous le nom de Ramsès, amenèrent l'effondrement définitif du pouvoir central.

Et le pays devait être à nouveau divisé, avec en Haute-Égypte "l'État divin d'Amon" établi par les grand-prêtres de Thèbes au sommet de leur puissance, et un royaume du Delta à l'ouest, sur lequel régnaient les souverains de la XXIe dynastie depuis leur capitale de Tanis (1080-946). Lorsqu'enfin le nord de l'Égypte ne fut plus qu'une mosaïque de principautés dirigées par des Lybiens, les temps étaient venus d'instaurer un nouvel ordre politique. Une nou-

velle fois, les réunificateurs allaient venir du Sud, non plus de Thèbes mais de la lointaine Napata, située en Nubie.

La Basse-Époque (713-525)

Avec les souverains nubiens de la XXVe dynastie débute le brillant final de la Basse-Époque. C'est une période tournée vers lla splendeur passée et qui tente de la faire revivre en ranimant les anciennes valeurs dans tous les domaines, religieux, artistique, voire "existentialiste". On a souvent, avec mépris, qualifié d'archaïsme ou d'imitation ce qui était peut-être en réalité le fondement indispensable qui permit à la Basse-Époque de réaliser une dernière fois des œuvres remarquables et d'une perfection technique sans précédent.

Les siècles de domination coloniale égyptienne avaient tellement "égyptiannisé" la Nubie, que les nouveaux souverains furent accueillis comme des libérateurs plus que comme des conquérants. Cependant les jours glorieux de la splendeur de l'Égypte étaient révolus. Les invasions des Assy-

riens, évoluant de victoire en victoire, tout en n'étant qu'un épisode sanglant dans l'histoire du pays, provoquèrent l'avènement de la XXVIe dynastie (664-525) – elles sonnaient le glas de l'empire des pharaons.

Psammétique Ier (664-610), établi dans la ville de Saïs, dans le Delta, parvint à assurer une dernière fois l'autonomie du pays. Mais le tourbillon des grands bouleversements politiques qui secouaient le Proche-Orient ne tarda pas à atteindre l'Égypte. En faisant de l'Égypte une province de son royaume (525-404), Cambyse, roi des Perses, lui infligea un coup mortel. La guerre entre Athènes et la Perse, à laquelle l'Égypte se trouva donc mêlée, marqua une nouvelle orientation. L'Empire darda les derniers rayons d'un faste révolu pendant la courte période d'indépendance sous le règne des souverains égyptiens des XVIIIe, XXIVe et XXXe dynasties (404-342), mais après la deuxième occupation perse, le pays du Nil affaibli accueillit en l'an 332 le conquérant macédonien Alexandre le Grand comme un libérateur.

LE CULTE DES DIEUX ET LA CROYANCE EN l'AU-DELÀ

L'Antiquité classique considérait les Égyptiens comme "les plus pieux d'entre les peuples" et le pays du Nil comme le "temple du monde". Cette impression était réellement fondée. Les temples recouvraient en effet pratiquement tout le sol égyptien. Depuis l'époque du Nouvel Empire, c'étaient de véritables châteaux qui dominaient les villes telles des forteresses médiévales. Généralement entouré de hauts murs de briques blanchis à la chaux, le temple de pierre était lui-même soustrait aux regards du peuple. L'enceinte sacrée était une zone taboue chargée de pouvoirs, où seuls le roi et les prêtres pouvaient pénétrer. Les grands pylônes, tours de pierre massives qui flanquaient un lourd portail de bronze ou de bois martelé de métal, en interdisaient l'entrée aux simples croyants. L'espace qui s'étendait devant le pylône, aménagé en jardin, était le seul endroit où l'on pouvait approcher le dieu au quotidien.

Les jours de cérémonie cependant, les lourds vantaux s'ouvraient et les dieux partaient en procession dans des barques portées par les prêtres. Le défilé avec l'effigie du dieu, caché généralement dans un petit *naos* de bois, comportait la visite solennelle d'autres sanctuaires et chapelles. On parcourait parfois de longues distances, comme, par exemple, la déesse Hathor qui se rendait chaque année, avec toute une suite, de Dendera au temple de son époux Horus, situé à Edfou, cent soixante kilomètres plus au sud.

Des flots de pèlerins venaient de toute l'Égypte assister aux grandes cérémonies officielles comme la fête d'Opet à Thèbes. Les croyants se pressaient alors par milliers le long des berges du Nil, où ils attendaient le convoi des barques divines, et le long des routes où passait la procession. Lorsqu'apparaissaient les barques sacrées portant les effigies des dieux, la foule se jetait à terre, priant et louant les mérites de la divinité, et beaucoup attendaient un oracle. En effet, chacun pouvait espérer en cette occasion obtenir conseils et assistance divine s'il avait répandu, à côté du chemin, des *ostraka* (éclats d'argile ou de calcaire) sur lesquelles étaient écrites ses questions les plus pressantes concernant le passé ou l'avenir.

La réponse du dieu se traduisait par certains mouvements de l'effigie du culte qui pouvait ainsi lever le mystère sur un cambriolage, approuver un mariage ou déconseiller un voyage prévu. De cette manière, ces dieux aux temples inaccessibles devenaient présents pour tous et intervenaient directement dans la vie de chacun. Les fêtes représentaient pour le peuple le grand événement liturgique, aussi étaient-elles très fréquentes tout au long de l'année.

Les rites complexes, accomplis trois fois par jour dans tous les temples du pays, ne consistaient donc pas en une cérémonie où l'on se recueillait en commun, et ne célébraient pas non plus la rencontre du dieu et des hommes ; ils constituaient uniquement le service du dieu, assurant son bien-être et, de ce fait, garantissent ses bonnes dispositions envers le monde.

Dès l'aube, le grand-prêtre réveillait la divinité, la saluait, la lavait, l'habillait et la parfumait, tout en chantant des hymnes et des prières. Puis on lui apportait de riches offrandes de nourriture et des fumigations. On invitait ainsi le dieu à accepter ses diverses effigies – des reliefs sur les murs des temples ou des statues, souvent réalisées en métal précieux – et à les considérer comme ses enveloppes terrestres pour les emprunter.

La présence des dieux dans les temples assurait donc à l'Égypte la bénédiction divine, protégeant et renouve-

Ci-contre : au pied des montagnes de Thèbes, le Temple des Morts de Ramsès III.

lant une création sans cesse menacée. Elle seule en effet pouvait assurer une issue favorable à l'éternel combat entre le Bien et le Mal, la Vérité et le Mensonge, la Justice et l'Iniquité, entre l'ordre cosmique créé par le démiurge, *maat*, et par l'influence des forces du chaos.

Le temple, représentation du cosmos

Le culte officiel pratiqué dans les temples garantissait donc, par la magie, la pérennité du monde, dont l'architecture de chaque temple était par ailleurs la représentation symbolique. Si, au commencement de l'histoire de l'Égypte, on construisait les temples en matériaux périssables, bois, paillons et briques séchées, l'époque des pyramides marque un tournant vers l'usage exclusif de la pierre. Le langage symbolique de l'architecture, faisant du temple un cosmos miniature, se devait de résister au temps, d'où la nécessité d'utiliser des matériaux indestructibles. Les colonnades représentent autant de

forêts pétrifiées ; le plafond symbolisant le ciel est quant à lui décoré de motifs astronomiques ou d'étoiles ; le sol, d'où monte la végétation des colonnes, figure la terre, ou l'eau s'il est recouvert d'argent, tel que le précisent des inscriptions datant de la vieille Égypte. D'innombrables séries de reliefs apposés sur les murs confèrent la vie à cet univers cosmique de pierre, non pas en reproduisant fidèlement et par le menu des scènes de la vie entre ciel et terre, mais en présentant des scènes d'offrandes et de cérémonies rituelles essentielles.

Selon le dogme en vigueur, seul le roi était habilité à accomplir ces rites, du fait de sa fonction divine. Cependant, étant donné le grand nombre de temples, sa présence magique se devait naturellement de suffir dans la plupart des cas. Là où le Pharaon était représenté sur les parois du temple en train de pratiquer diverses offrandes, c'était en général le clergé qui remplissait à sa place les devoirs liés au culte et qui célébrait le service divin nécessaire à assurer l'équilibre du monde.

Des mythes qui expliquent le monde

L'une des tâches que le pharaon ne pouvait déléguer à ses prêtres était la fondation d'un temple, celle-ci équivalant en effet à la création du monde. Dans la pensée égyptienne, chaque temple incarnait le lieu mythique de la naissance du monde, la fameuse butte originelle qui surgit de l'étendue d'eau informe et inerte, *noun,* quintessence même du chaos originel, et où commença ensuite l'histoire de la création. La nature confirmait chaque année ce mythe, lorsque des eaux du Nil en crue émergeaient seuls les quelques îlots des buttes et des villages.

Quant à la suite de la création, elle est racontée avec des variantes dans presque chaque temple d'Égypte. À Hermopolis, c'est Thot, le dieu de la sagesse à tête d'ibis, qui aurait pondu le premier œuf d'où est éclos le dieu-soleil.

Ci-dessus : le roi salue la barque divine d'Amon. Ci-contre : le défunt et son épouse à la chasse aux oiseaux.

À Héliopolis, principal lieu de culte du dieu du Soleil, Rê, c'est un démiurge du nom d'Atoum qui est à l'origine de la création. Les premiers dieux qu'il créa à partir de lui-même furent Shou, l'espace aérien, et Tefnout, le principe humide. Ces deux divinités engendrèrent Geb et Nout, la terre et le ciel, que leur père Shou sépara en maintenant la déesse du ciel Nout à bout de bras au-dessus du corps allongé de Geb, dieu de la terre.

Contrairement à tous les mythes cosmogoniques des autres peuples de la terre, les Égyptiens avaient donné un caractère féminin au ciel et masculin à la terre. Cela permettait d'expliquer par les mythes pourquoi le soleil se lève chaque matin à l'horizon : il renaît chaque jour du sein de la déesse du ciel, où il se réfugie pour sa migration nocturne.

C'est autour des quatre enfants de la "mère céleste" Nout, les couples divins Isis et Osiris, Nephthys et Jeth, que s'articule le mythe le plus important de l'époque des pharaons : le mythe d'Osiris, que l'écrivain grec Plutarque fut le

seul à nous livrer dans son ensemble au Ier siècle apr. J.-C. Dans des temps très anciens, Osiris était un souverain bienfaisant qui régnait sur l'Égypte. Il donna au peuple ses lois, il lui apprit à cultiver les champs et à honorer les dieux. Mais son frère Seth, qui était jaloux du trône, ourdit une conspiration. Le complot contre Osiris réussit et la victime fut jetée dans le Nil. Après une longue quête et de nombreuses errances, Isis découvrit la dépouille de son époux à Byblos, colonie égyptienne au Liban, où elle avait été rejetée par les flots. De là, elle ramena le corps en Égypte. Osiris fut rappelé à la vie par les plaintes et les incantations magiques d'Isis, et ils conçurent alors Horus qui devait succéder à son père sur le trône. Osiris, lui, régnait désormais sur le royaume des Morts.

La vengeance d'Horus à l'encontre de Seth, personnification du combat entre l'ordre et le chaos, est le sujet de nombreux mythes qui se terminent tous, naturellement, par la victoire d'Horus. De même que le mythe de la genèse du monde trouvait chaque année

confirmation dans la crue du Nil, la royauté d'Horus était aussi pour les Égyptiens une réalité tangible : chaque pharaon passait de son vivant pour l'incarnation du dieu Horus, et ce n'est qu'après sa mort qu'on l'identifiait à Osiris, maître de l'au-delà.

La vie après la mort

Il semble que deux phénomènes naturels soient à l'origine de la croyance en la vie après la mort chez les Égyptiens : le cycle de la végétation où les plantes naissent, arrivent à maturité et "meurent" avant de renaître au printemps suivant, et la course du soleil, qui disparaît chaque soir au ponant pour se lever chaque matin, plus brillant que jamais.

Devant ces exemples, il devenait logique de concevoir la mort de l'être humain comme un seuil à franchir pour accéder à une nouvelle vie, comme une situation transitoire certes, mais qui n'était pas, pour autant, exempte de nombreux dangers. Aussi fallait-il accumuler les rites funéraires et les prépa-

ratifs afin que le défunt, dans son ultime voyage vers l'au-delà, ne tombe pas victime de la damnation éternelle ou ne meure pas une seconde fois, soit définitivement.

La construction du tombeau et sa décoration intérieure aux vertus magiques ont toujours été au premier rang des préoccupations. Les scènes représentées sur les parois, destinées à s'animer d'une vie surnaturelle grâce aux rites et aux incantations, les inscriptions diverses, avaient pour but de garantir au maître des lieux qu'il ne manquerait de rien jusqu'à la nuit des temps. Toutes les offrandes placées dans la tombe n'avaient qu'une fonction : procurer au mort tout ce que son cœur pouvait désirer. Or ce mort voulait manger, boire, se distraire au jeu et à la chasse, vivre entouré de sa famille. Il souhaitait également conserver dans l'au-delà sa position sociale, et se faisait volontiers re-

Ci-dessus : le dieu Anubis et les gestes rituels sur une momie. Ci-contre : scène funéraire (Tombeau de Ramose/ Thèbes-Ouest).

présenter dans l'exercice de ses fonctions avec tous les insignes et attributs s'y rattachant.

À partir du moment où la vie dans l'au-delà était considérée comme un prolongement de l'existence terrestre, il devenait logique de préserver la dépouille du mort de la décomposition. On procédait à la momification du cadavre dans une tente dite d'embaumement, dressée tout exprès à proximité du tombeau. On commençait par prélever le cerveau et les viscères, que l'on conservait à part dans des vases conçus à cet effet, les *canopes*, placés dans la tombe. Le cœur demeurait en général dans le corps que l'on laissait macérer soixante-dix jours dans un bain de natron avant de l'envelopper de bandelettes de lin imprégnées de résine. La cérémonie des funérailles pouvait alors commencer, rituel complexe débutant par le rite symbolique de l'*Ouverture de la bouche*, destiné à ramener la momie à la vie en lui rendant ses fonctions vitales.

Le service des morts était à la charge du fils aîné ou d'un prêtre engagé par contrat, et ressemblait au culte pratiqué dans les temples. On brûlait de l'encens, récitait des prières et déposait des offrandes devant la statue du défunt. Le *ka* du mort pouvait venir habiter la statue et recevoir les offrandes. Il est difficile de rendre avec les mots de nos langues modernes ce que les Égyptiens entendaient par cette notion abstraite. Le *ka* est une manifestation de l'énergie vitale, qu'elle soit physique ou psychique, un principe élémentaire de l'être, commun aux dieux et aux hommes. Il en va de même pour le *ba* qui se rapprocherait de notre concept de l'âme en tant qu'essence immatérielle et immortelle de l'être humain. Représenté par un oiseau à tête humaine, le *ba* symbolise l'aspiration du défunt à se mouvoir librement entre ciel et terre.

Le troisième de ces concepts abstraits et difficiles à appréhender est le *ach*. Pour les Égyptiens, il désigne

l'homme dans sa totalité et non pas seulement dans ce qu'il a de spirituel et d'immatériel ; c'est l'esprit du mort sublimé, comblé, dans lequel chaque défunt souhaitait se voir transfiguré et dont les vivants eux-mêmes craignaient encore la puissance.

Mais auparavant, le défunt devait comparaître devant le tribunal présidé par Osiris et lui rendre compte de tous les actes de sa vie. Devant lui, le mort accomplit la *confession négative* afin de convaincre le dieu de sa probité morale. Le 125ᵉ chapitre du *Livre des Morts*, un recueil de formules sur papyrus qui accompagnait le défunt dans la tombe, contenait un catalogue de toutes les fautes que le mort devait affirmer n'avoir pas commises. Sa sincérité était ensuite vérifiée à l'aide de la balance divine, le cœur étant placé sur l'un des plateaux, une petite figurine symbolisant la *maat* sur l'autre. Selon la sentence, le mort était livré à la *Dévoreuse*, horrible démon à tête de crocodile, ou accédait aux Elysées.

Quels étaient donc ces Elysées, où les morts continuaient à vivre ? À cette question apparemment si simple, les Égyptiens apportent une réponse des plus complexes. Si certaines époques ont préféré telle ou telle représentation de l'au-delà, les différentes conceptions n'ont jamais revêtu de caractère exclusif. La croyance selon laquelle le mort continuait à vivre dans son tombeau mais parmi les vivants, coexistait avec celle en un autre monde, que l'on situait tantôt au ciel, tantôt dans les profondeurs de la terre. Le royaume des Morts, c'était simplement l'"Ouest radieux", où le soleil se couche chaque soir, ou encore la *dat*, une immense grotte souterraine, que Rê, le dieu du Soleil, traversait chaque nuit dans sa barque.

Sous le Nouvel Empire, les *livres royaux sur le monde souterrain* décrivent le périple nocturne sur le grand fleuve de la Dat, aux habitants duquel le dieu du Soleil apporte lumière et nourriture. Le paradis céleste était personnifié par la déesse Nout, dont l'étreinte permettait aux morts de renaître à la vie, de même que le soleil et les étoiles renaissaient de son sein chaque jour et chaque nuit.

LES PRINCIPAUX DIEUX ÉGYPTIENS

Le panthéon égyptien possède des centaines de dieux et de déesses, adorés sous forme de fétiches, d'animaux, de plantes, d'êtres humains et d'hybrides. Si, dans les temps préhistoriques, les hommes voyaient surtout la puissance divine dans la force ou les aptitudes particulières des animaux, (le courage au combat ou la grande rapidité des uns, le fait de voler pour d'autres), on assiste à partir du IIIᵉ millénaire av. J.-C., qui marque le début des temps historiques, à une évolution anthropomorphique, mais sans qu'il y ait pour autant rejet de la symbolique existante. Ceci nous explique pourquoi le dieu du ciel Horus est représenté tantôt comme un faucon, tantôt avec un corps d'homme et une tête de faucon. Toutefois, cette kyrielle de divinités n'excluait pas la conception abstraite d'un dieu unique et sans nom, créateur du monde.

AMON – Son nom signifie *"celui qui est caché"*, en référence à son origine, lorsqu'il n'était que le dieu du vent, invisible mais omniprésent. La couleur bleue de son corps et la haute couronne de plumes sont les symboles de l'éther. Représenté souvent comme un être humain, il peut aussi prendre la forme de ses animaux sacrés, le bélier et l'oie. À Thèbes, haut lieu du culte d'Amon, on l'adorait comme le *roi des dieux*. On y vénérait également son épouse *Mout* et son fils, le dieu de la lune *Khonsou*.

ANUBIS – Le dieu-chacal, on l'appelait souvent aussi *"celui qui est dans les bandelettes des momies"* ; c'est lui qui veille sur les rites de la momification.

KHNOUM – Le dieu à tête de bélier est le maître des sources du Nil qui, dans la cosmographie de la mythologie égyptienne, jaillissent de la Première Cataracte. Comme démiurge, il façonne les hommes avec de l'argile sur un tour de potier. Son principal lieu de culte est l'île Éléphantine où il est associé aux deux divinités féminines *Satis* et *Anoukis*.

HATHOR – Les Grecs l'identifiaient à Aphrodite comme déesse de l'amour, de la danse et de la musique. Pour les Égyptiens elle était la *Maîtresse du Ciel* et aussi la *Mère*. c'est d'ailleurs en référence à cette qualité qu'ils la représentaient sous la forme d'une vache ou d'une femme portant les attributs de la vache (oreilles et cornes). Dans la nécropole thébaine, on la vénère en tant que déesse de la mort ou déesse-arbre qui dispense la nourriture et l'ombre.

HORUS – Il est *le lointain* parce que, tel le faucon qu'il incarne, il peut s'élancer jusqu'au ciel où ses deux ailes déployées servent de voûte céleste à la terre. Les deux grands astres, le soleil et la lune, sont ses deux yeux. Dans la légende d'Osiris, Horus est le fils d'Isis et d'Osiris. Après avoir puni *Seth* pour le meurtre de son père, il devint roi d'Égypte.

ISIS – Sœur et épouse aimante d'Osiris, elle est la mère et la protectrice par excellence. En tant que telles on la représente avec une figure humaine et les cornes d'une vache. Elle porte aussi parfois sur la tête le hiéroglyphe du trône, dont on se sert pour écrire son nom. Représentée en train de donner le sein à son fils Horus, elle passe pour la préfiguration des images de madones chrétiennes. Dans le culte des morts, elle et sa sœur *Nephthys* font office de pleureuses.

NOUT – Déesse du ciel et mère d'Osiris, elle est représentée le plus souvent comme une femme dont le corps recouvert d'étoiles et de soleils s'arrondit au-dessus de la terre pour former le firmament. Chaque soir, elle engloutit le soleil qui disparaît à l'horizon. Après une migration nocturne à travers le corps de la déesse, l'astre renaît inlas-

Ci-contre : la déesse Hathor. Ci-contre droite : Horus, le dieu à tête de faucon.

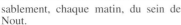

sablement, chaque matin, du sein de Nout.

OSIRIS – Il est assassiné, victime de la jalousie de son frère Seth, mais son épouse Isis le rappelle à la vie. Osiris devient ainsi le symbole de l'espérance en la vie éternelle et en la résurrection. Grand-maître de l'au-delà, il a figure humaine mais revêt la forme d'une momie. Sa couronne de grains et de plumes, de même que la couleur, souvent verte, de son corps, nous montrent que les Égyptiens identifiaient leur destinée au cycle des récoltes, à la mort et à la renaissance de la végétation.

PTAH – Ce dieu de Memphis, patron des artisans et des artistes, atteint une dimension universelle au cours de l'histoire. Selon la légende, il aurait créé le monde *par son cœur et par sa langue*, forces de la raison et du verbe. Ptah a toujours figure humaine ; il est vêtu d'une tunique ajustée et porte une coiffe plate. La lionne *Sekhmet*, déesse de la guerre, mais qui peut aussi guérir après inversion de sa violence sanguinaire, et *Néfertem*, le dieu à la fleur de lotus, forment avec Ptah la triade de Memphis.

RÊ – Le dieu Rê incarne le soleil lui-même ; il illumine le ciel de ses rayons, il est adoré comme le créateur et le préservateur du monde. Après sa fusion avec le dieu Horus, il apparaît souvent sous le nom de *Rê-Harakhthès, Rê-Horus dans l'horizon*, moitié-homme, moitié-faucon, portant le disque du soleil sur la tête. Son principal lieu de culte est Ori, la ville solaire d'*Héliopolis*. À Thèbes, où il ne fait plus qu'un avec Amon, il est le roi des dieux *Amon-Rê*. Durant toute la durée de son règne, le réformateur Akhénaton l'élève au rang de dieu unique de l'Égypte sous le nom d'*Aton*, le disque solaire. Il est alors représenté sous la forme abstraite d'un globe avec des mains figurant les rayons du soleil.

THOT – Il s'agit du dieu de l'écriture et de la sagesse ; c'est en général un homme à tête d'ibis, quand il n'est pas représenté sous la forme d'un babouin ou d'un ibis, ses deux animaux sacrés. Maître du comput du temps, il porte sur la tête le croissant et le disque de la lune, si importante pour le calendrier égyptien.

DES IMAGES POUR l'ÉTERNITÉ

L'immense majorité des chefs-d'œuvre datant des pharaons relèvent du sacré, des tombeaux et des temples. Pour bien comprendre ces témoignages d'un art essentiellement religieux, il faut les aborder dans leur contexte, où ils prennent toute leur signification. Contrairement à l'art de l'Occident chrétien, les fresques et les sculptures égyptiennes n'ont pas été conçues pour être regardées, pour glorifier la foi ou inciter au recueillement ; ni catéchisme, ni souvenirs, ce sont des symboles magiques destinés au culte des dieux et des morts, appelés à vivre et à s'animer grâce à des incantations rituelles.

Ainsi, les tables couvertes de victuailles des fresques murales vont-elles réellement devenir de la nourriture pour le défunt, sur invocation du prêtre, de même que les statues serviront d'enveloppes corporelles aux dieux et aux morts, dans lesquelles ils se glisseront afin de recevoir leurs offrandes et leurs soins rituels.

C'est également ce monde imaginaire qui donne à l'art égyptien son caractère unique. Chaque personnage, chaque objet pris séparément, constitue en même temps le symbole universel de ce qu'il représente, images conçues pour l'éternité, qui expriment l'essence même et le caractère spécifique, permanent, de leurs modèles, et non pas ce qu'ils ont d'individuel et de particulier. Ramenés ainsi à un dénominateur abstrait, les portraits deviennent des pictogrammes, autrement dit des hiéroglyphes. Dans la ronde-bosse comme dans les bas-reliefs naissent alors des figures codifiées aux significations précises. Ainsi le scribe accroupi, les jambes repliées sous lui, représente la classe des fonctionnaires, le roi faisant l'offrande signifie qu'il est le garant de l'ordre divin du monde.

Ci-contre : bas-relief ornant lun des coffres dorés du roi Toutânkhamon.

Même formellement, cette capacité d'abstraction permet de réduire à l'essentiel, d'épurer les lignes du dessin. Cette forme simple, poussée à l'extrême, n'apparait nulle part ailleurs aussi nettement que dans le gigantisme austère des pyramides de l'Ancien Empire, du haut-plateau de Gizeh.

À cette recherche de la norme universelle et éternelle correspond le développement de canons très stricts des proportions pour la reproduction des figures humaines. Pour ce faire, on avait recours à des instruments comme un filet à mailles carrées et une croix axée, dans lesquels le corps était porté sans qu'aucun geste ou mouvement de rotation d'inspiration naturaliste ne puisse s'y glisser. Ce sont surtout les images planes qui révèlent de manière flagrante la volonté de transcrire la réalité en soi, affranchie de ses aspects ponctuels, fortuits, éphémères. Pour exprimer l'essentiel des objets et des personnages, le dessinateur pratique une sorte de "montage" des éléments caractéristiques pour aboutir à un "tout" doté d'une puissance magique. Parfaitement à l'encontre de notre conception du dessin, qui repose sur les règles de la perspective, il résulte de cette technique un assemblage inorganique de lignes horizontales, et de contour, de représentations de face et de profil. Ainsi, une table à sacrifice sera-t-elle toujours reproduite avec son plateau relevé, au-dessus duquel et non sur lequel s'amoncellent les offrandes de victuailles.

Puisque la finalité était de créer les images-symboles des personnes et des objets et non de les reproduire, la représentation du temps et de l'espace était, elle aussi, placée sous le signe de l'éternité. Ainsi, lorsqu'on voit le maître du tombeau figuré en train de harponner un hippopotame, le but n'est pas d'illustrer telle ou telle scène de chasse, mais de créer un schéma valable pour l'éternité, capable de procurer dans l'au-delà le plaisir de la chasse indéfiniment renouvelé. Et si l'on ajoute à cela le fait que le

thème de la chasse englobe également la destruction du mal, on comprend à quel point le monde imaginaire s'exprime dans ces manifestations de l'art.

Ces scènes ne sont pas non plus situées dans l'espace ou dans le temps. Il n'existe ni espace imaginaire, ni arrière-plan reconnaissable. Sur les bandes de dessins qui s'organisent en "registres" sur les parois des tombeaux et les murs des temples, on place les éléments essentiels sur fond uni. Si le sujet évoqué comporte plusieurs motifs, comme c'est le cas pour le cycle des semailles et des récoltes, si important pour le bien-être du mort, la succession dans le temps est exprimée par la simple juxtaposition des différentes scènes.

Cependant, même si ces conventions artistiques rigoureuses sont nées d'une synthèse entre l'inspiration religieuse de la représentation du monde et la description quelque peu enfantine de celle-ci (ce caractère étant d'ailleurs commun à toutes les civilisations anciennes), le fait que l'on s'y soit tenu pendant plus de trois mille ans résulte, lui, d'une décision prise en toute conscience et qui

s'explique sans conteste par l'importance de la foi religieuse.

Sans sortir du cadre de ces canons, on assiste tout de même à une évolution stylistique, qui suit les fluctuations de l'histoire, succession d'apogées et de décadences. C'est toujours dans les scènes annexes que les artistes donnent le plus libre cours à leur imagination. On assiste même, à certaines périodes, à une véritable explosion : sous Akhénaton, avec sa richesse de mouvements, l'irruption du temporel et ses timides tentatives pour rendre la perspective, l'art se rapproche d'une conception du monde plus profane, qui prend conscience de la beauté de l'éphémère.

Les artistes de l'Égypte ancienne s'efforçaient cependant de parvenir à une symbiose entre leurs convictions religieuses et un idéal esthétique qui aspirait à la perfection, à laquelle ils parvinrent souvent. C'est un art qui repose entièrement sur l'unité indissociable de la forme et de son contenu, et c'est probablement la raison pour laquelle il touche autant l'homme des temps modernes.

ANTIQUITÉ ET CHRISTIANISME

Avec Alexandre le Grand, c'est une ère nouvelle qui commence pour l'Égypte et tout le monde antique. Le grand Empire perse, puissance dominante de cette époque, s'effondre sous les attaques des troupes hellènes, or l'Égypte était l'une des premières étapes de cette marche victorieuse et irrésistible des Grecs. Alexandre ne resta pas plus de six mois en Égypte, mais il mit ce court séjour à profit pour réorganiser l'administration, fonder Alexandrie et faire un pèlerinage jusqu'au temple d'Amon dans l'oasis de Sîwas. Là, il se fit reconnaître comme fils d'Amon, une distinction qui conférait une certaine solennité à sa politique d'expansion mondiale et le légitimait en même temps comme pharaon égyptien. Au printemps 331, Alexandre reprit sa marche vers l'est. Il ne devait plus jamais revoir le pays du Nil.

Lorsque l'Empire macédonien fut partagé à la mort d'Alexandre (323 av. J.-C.), c'est le général Ptolémée qui reçut l'Égypte. La dynastie des Ptolémées régna exactement 300 ans sur le pays depuis sa capitale Alexandrie. Les souverains grecs, qui portèrent tous le nom de Ptolémée, se considérèrent comme les véritables héritiers des pharaons, respectant la religion traditionnelle et développant une grande activité architecturale. Cette attitude peut avoir été le résultat d'un simple calcul politique ou encore le désir bien hellénique d'opérer la fusion des éléments grecs et orientaux.

Les figures les plus marquantes de cette époque ont été sans conteste les trois premiers Ptolémée, dont les épouses ne manquèrent pas d'influencer la scène politique. Au cours de leurs règnes, ils réussirent à rendre à l'Égypte son statut d'empire : le royaume des

Ci-contre : dans les ruines du théâtre romain, à Alexandrie.

Ptolémées s'étendait alors de la Lybie à l'Asie Mineure et de l'Éthiopie jusqu'aux îles de la mer Egée. Alexandrie était désormais le centre spirituel de toute la Méditerranée orientale. Le *Museion*, une académie qui réunissait les savants et les érudits les plus célèbres de cette époque, ainsi que la grande bibliothèque sont des créations de cette époque. Le fameux phare, l'une des sept merveilles du monde, fut construit sur l'île de Pharos, et l'on édifia des temples magnifiques à Isis et à Horus entre Philae et Edfou.

Mais le peuple mécontent commençait à gronder : la haute société grecque s'isolait de plus en plus de la population indigène. Les mariages mixtes étaient interdits, le peuple était écrasé d'impôts. Malgré quelques réformes, les tensions accumulées depuis le règne de Ptolémée IV (221-205) explosaient en révoltes de plus en plus fréquentes dans toute l'Égypte.

La situation n'était pas meilleure au sein de la famille royale, déchirée par de sanglantes rivalités. Les luttes fratricides pour le pouvoir affectèrent la politique intérieure du pays jusqu'à la fin de la dynastie des Ptolémées qui tomba de plus en plus sous la dépendance de l'Empire romain, alors en pleine expansion. Mais avant de sombrer complètement dans l'anonymat d'une province romaine, l'Égypte jeta ses derniers feux dans un final grandiose dont l'héroïne n'était pas moins que la "Reine des rois", Cléopâtre IV (51-30 av. J.-C.).

Intelligente, ambitieuse et séduisante, c'est ainsi que l'on qualifie la dernière souveraine ptolémaïque, dont le but à long terme était de redonner à l'Égypte son rang de grande puissance orientale. Ayant besoin, pour cela, de l'appui de Rome, elle s'assura par sa liaison avec César. À la mort de César, elle séduisit le nouvel homme fort de l'Empire romain, Marc-Antoine. Lorsque celui-ci l'épousa en 36 av. J.-C., les rêves impériaux de Cléopâtre semblèrent sur le point de se réaliser.

Mais Rome veillait et commençait à se rendre compte du danger qui couvait en Orient ; Octave, le fils adoptif de César, prit alors les armes contre Marc-Antoine et Cléopâtre. La victoire romaine dans le golfe d'Actium (31 av. J.-C.) fut décisive. Cléopâtre et Marc-Antoine se réfugièrent à Alexandrie, où ils se donnèrent tous deux la mort, un an plus tard. Octave, le futur empereur Auguste, devenait le maître de l'Égypte.

L'Égypte, province romaine

Imitant les Ptolémées, les empereurs romains (30 av. J.-C.- 395 apr. J.-C.) se conduisirent aussi comme les dignes successeurs des pharaons, respectant les traditions religieuses et bâtissant des temples à leur nom dans tout le pays. Mais ce qui pourrait passer pour de la tolérance et de la sollicitude n'était que stratégie pacificatrice dans un but intéressé. Rien ne devait en effet venir troubler l'exploitation systématique de l'Égypte qui, en tant que grenier à grains de Rome, jouait un rôle de pre-

mier plan dans la politique économique de l'Empire.

Un vice-roi administrait la riche province d'Égypte pour le compte de l'empereur, qui la considérait comme sa propriété personnelle, puisqu'aucun sénateur romain ne pouvait fouler le sol égyptien sans son autorisation.

La sévère discrimination raciale, qui avait peu à peu disparu sous les Ptolémées, fut rétablie. Les Romains poursuivirent une inflexible politique d'*apartheid*, interdisant toute ascension sociale aux Égyptiens indigènes, tandis que les populations non-égyptiennes (Grecs, Romains, Levantins) jouissaient d'importants privilèges.

Devant ces injustices flagrantes, auxquelles s'ajoutait la dégradation constante de la situation économique des Égyptiens opprimés et exploités, des émeutes éclatèrent de plus en plus fréquemment sans apporter au peuple d'amélioration véritable de ses conditions de vie. Dans ce climat d'inégalités sociales et de criante iniquité, les paroles de consolation du christianisme se répandirent comme une traînée de

poudre. La vie retrouva soudain un nouveau sens dans la foi en un dieu qui se souciait enfin des pauvres et des opprimés, et qui allait même jusqu'à prendre sur lui tous les péchés de l'humanité pour délivrer le monde.

Les coptes

Les débuts de la christianisation de l'Égypte sont assez obscurs, mais selon la légende, c'est l'évangéliste Marc qui aurait converti les Égyptiens au christianisme. La désignation de "coptes" pour les chrétiens d'Égypte vient du mot arabe *Qubtî* qui signifie tout simplement "Égyptiens" au moment de la conquête arabe. Ce n'est que lorsque la majorité de la population égyptienne eût adopté l'Islam que ce nom fut réservé aux seuls chrétiens.

La capitale, Alexandrie, devint également le centre spirituel du christianisme naissant et aux alentours de l'an 200, les théologiens les plus éminents

Ci-dessus : scènes de la vie de St Antoine.
Ci-contre : église dans le Wadi Natrun.

de l'Église d'Orient y enseignaient déjà. Mais c'est aussi à cette époque que les empereurs romains commencèrent à persécuter les chrétiens. Ces massacres abominables atteignirent leur point culminant sous l'empereur Dioclétien qui fit exécuter des milliers de chrétiens dans les arènes d'Alexandrie. C'est en souvenir de cette époque de martyrs que les coptes ne font pas débuter leur calendrier à la naissance du Christ mais en 284, première année du règne de l'empereur Dioclétien. L'édit de tolérance de l'empereur Constantin (313) amena un tournant. Les chrétiens étaient désormais libres de pratiquer leur religion dans tout l'Empire romain : la grande époque de l'Église d'Égypte commençait. La dimension universelle qu'elle prit alors s'explique par deux facteurs : l'école de théologie d'Alexandrie, qui joua un rôle déterminant dans l'Église impériale, et le monachisme.

Ce mouvement spirituel égyptien trouve son origine dans les difficultés de la situation politique. Beaucoup de personnes se réfugièrent dans la solitude et le milieu inhospitalier du désert, où ils pouvaient, aux prix de privations considérables, pratiquer leur foi librement. Saint Antoine, né vers 250 en Moyenne-Égypte, passe pour être le père du monachisme égyptien, et donc du monachisme chrétien. Le déroulement de sa vie, depuis son existence comme immigrant, où il vivait dans un ascétisme extrême, jusquau moment où il enseigna dans une communauté libre d'ermites, servit de modèle à de nombreux croyants. Les souffrances de sa quête mystique de Dieu, connues sous le nom des *tentations de saint Antoine*, sont devenues l'un des sujets les plus populaires de l'art chrétien.

Au début du IIIᵉ siècle, des colonies d'ermites sur le modèle de celle de saint Antoine, s'étaient établies un peu partout dans le pays ; on ne s'y réunissait qu'à l'occasion, pour le repas du soir ou pour recevoir les enseignements d'un maître. Il faudra attendre saint Pacôme (environ 290-346) pour que naisse l'idée de créer une véritable communauté monastique, pour y mener ensemble une vie conforme aux aspirations chrétiennes. Après être passé lui-même par la dure école de l'ascétisme, Pacôme se trouva très jeune à la tête d'un groupe d'anachorètes. Il fonda avec eux son premier monastère vers 320 apr. J.-C., à Tabbenese, au nord de Thèbes. Prenant pour base sa règle monastique qui régissait la vie communautaire jusque dans le moindre détail, 9 couvents d'hommes et 7 couvents de femmes virent rapidement le jour.

L'une des personnalités les plus brillantes de ce premier ordre monastique fut l'abbé Chenute de Sohâg (333-451). D'une intransigeance fanatique, il exigeait de ses moines comme de lui-même, des exercices de piété d'une dureté extrême et les poussait à des attaques iconoclastes contre les temples "païens". Mais c'est le même Chenute qui fit de la langue du peuple, le copte (le dernier rameau de l'égyptien ancien), la langue officielle de l'Église.

L'ensemble des textes religieux et des œuvres littéraires ne furent plus désormais rédigés en grec mais en copte, mais on conserva toutefois l'alphabet grec en raison de sa simplicité.

C'est aussi au cours de la longue vie de Chenute – il mourut à 118 ans – que commencèrent les premières grandes disputes théologiques du christianisme primitif, qui devaient finalement aboutir au premier grand schisme dans l'Église. Les controverses se mêlaient aux préoccupations politiques, et les arguments théologiques de certains patriarches de l'Église égyptienne prenaient indirectement pour cible la suprématie de Rome.

Depuis la division de l'Empire romain, en 395, l'Égypte appartenait à l'Empire oriental, à Constantinople, mais si les rapports de force avaient changé, l'exploitation par les maîtres étrangers était restée la même.

La création de l'Église copte

La question essentielle qui agitait les esprits, en ces jours de discussions

théologiques, s'accompagne d'une résonance presque moderne : Jésus-Christ était-il un être humain, un ange ou un dieu ? Derrière la volonté de définir la vraie nature, humaine ou divine, de Jésus, se cachait en fait une autre question qui intéressait tout le monde, celle de la rédemption. Les chrétiens des premières communautés vivaient dans la conviction que Jésus-Christ reviendrait rapidement après sa mort pour fonder le royaume de Dieu sur la terre. Ce vœu ne se réalisant pas, on commença à façonner d'autres formes d'espérance : la foi en Jésus serait-elle par exemple à elle seule synonyme de salut ? Mais de nouvelles questions se posaient alors : celui que l'on nommait fils de Dieu était-il soumis au Tout Puissant, ou bien était-il son égal ? Comment expliquer sa nature divine et son caractère humain ? Pouvait-il avoir vécu et souffert comme un simple homme ?

Une série de conciles tenta de répondre à ces interrogations d'ordre

théologique, mais sans succès de longue durée : lors du IVe concile œcuménique de Chalcédoine, en 451, une décision dogmatique lourde de conséquences fut enfin prise. La doctrine de la double nature du Christ, le dyophysisme, devint le dogme officiel de l'Église impériale, affirmant que les natures divine et humaine coexistent en Jésus-Christ. Ces deux natures ont besoin l'une de l'autre pour expliquer à la fois l'existence humaine de Jésus, sa mort sur la croix, sa résurrection et la rédemption, mais ne s'interpénètrent pas.

Cependant, les Alexandrins refusèrent de renoncer à la doctrine du monophysisme à laquelle ils étaient depuis longtemps attachés : la croyance en la nature à la fois humaine et divine, mais une et indivisible, de Jésus. Comment les héritiers de l'Égypte ancienne auraient-ils pu d'ailleurs trouver choquant qu'un dieu adopte une forme humaine ?

Cette divergence consomma le schisme de l'Église d'Orient, et l'année 451 vit la création d'une Église copte indépendante.

Ci-dessus : un moine copte.

SOUS LA BANNIÈRE DE L'ISLAM

C'est en l'an 570 que naquit à La Mecque, dans le fin fond de la péninsule Arabique, l'homme dont la doctrine allait révolutionner tout l'Orient, et donc l'Égypte, en quelques décennies : Muhammad Ibn Abdallah, plus connu en France sous le nom de Mahomet, le prophète de l'islam.

Il ne s'agissait pas à proprement parler d'une religion nouvelle, car le dieu dont parlait Mahomet était en fait le même que celui des juifs et des chrétiens, qu'il avait appris à connaître au cours de ses voyages commerçiaux. Mais la grande nouveauté était que Dieu s'adressât directement aux Arabes par la bouche de Mahomet, et qu'il lui eût révélé, à lui son dernier prophète, le livre sacré du Coran, écrit en arabe.

L'expansion de l'Islam commença en 622, lorsque le Prophète quitta La Mecque (*Hijrah* en arabe) pour se réfugier dans la ville proche de Yathrib qui devint plus tard Médine. Ce n'est qu'alors que le guide religieux se transforma en chef politique, qui, à la tête de ses partisans toujours plus nombreux, parvint à conquérir tout le centre de l'Arabie en moins de 10 ans. Les califes, ses successeurs, devaient faire de ces conquêtes un empire qui s'étendait depuis l'Hindou-Koush jusqu'aux Pyrénées.

Les grands perdants de cette époque furent les anciennes puissances de Byzance et du royaume perse des Sassanides, qui s'étaient épuisées mutuellement en combats interminables et stériles pour la suprématie. Affaiblis, ces États jadis si forts, n'étaient désormais plus en mesure de résister à l'assaut de ces musulmans vibrants de foi, et dès l'année 641 l'Égypte byzantine tomba aux mains des troupes arabes conduites par le chef de guerre Amr Ibn el-As.

La population indigène égyptienne n'avait guère opposé de résistance à ces envahisseurs qui finalement la libéraient du joug byzantin. L'Égypte devint une province du royaume des califes et son destin se décida désormais depuis la lointaine Arabie. À long terme, la conquête arabe opéra une césure profonde dans l'évolution de l'ancien pays des pharaons qui, avec le christianisme, s'était déjà imprégné d'une autre culture. Elle jetait les bases pour l'expansion de l'Islam et de la civilisation arabe en Égypte, même si des siècles devaient encore passer avant que la langue copte cesse d'être la langue du pays et que les coptes eux-mêmes deviennent une minorité.

La dynastie des Omeyyades sortit victorieuse des luttes pour le pouvoir qui avaient divisé la jeune communauté musulmane à la mort de Mahomet (632). Ils élirent Damas comme résidence et la péninsule Arabique retomba dans l'oubli, les villes saintes de La Mecque et de Médine mises à part. Le principal objectif des Omeyyades devait être la consolidation administrative des territoires conquis. Mais comment pouvait-on maîtriser durablement les conflits d'origine sociale, religieuse et ethnique, dans cet immense empire ? La défaite des armées arabes par Charles Martel (732), la première fois que des troupes habituées à vaincre, accrut le mécontentement latent. Une révolte sanglante (750) renversa finalement la dynastie des Omeyyades et Abu al Abbas accéda alors au califat.

Les Abbassides (750-1258)

Le premier siècle du règne des Abbassides coïncide avec l'apogée de la culture et de la science islamiques. Les califes de Bagdad firent de leur nouvelle résidence une ville riche et prospère, symbole de leur nouvelle puissance, tandis que le plus célèbre d'entre eux, Haroun al-Rachid (786-809) reste dans la mémoire des hommes l'image même du souverain bon et juste. Mais déjà à son époque, la centralisation poussée à l'extrême et le train

de vie par trop luxueux des villes, financé à grand renfort d'impôts par les paysans des pays conquis, constituaient un foyer d'agitation, en Egypte notamment, où les coptes se soulevèrent à plusieurs reprises. Leur dernière révolte (830) fut d'ailleurs écrasée dans le sang par un fils d'Haroun al Rachid, le calife Mamun.

Entre-temps, l'Islam avait gagné toute l'Égypte. Des tribus arabes s'étaient installées dans la vallée du Nil et de nombreux chrétiens s'étaient convertis, soit par réelle conviction, soit pour accéder enfin à la classe dominante, ou encore parce qu'on était persuadé à l'époque que Dieu étant toujours du côté des vainqueurs, la victoire de l'Islam ne pouvait être que l'expression de Sa volonté.

Mais des rivalités politiques au sein même de l'Islam aboutirent, sous le

Ci-dessus : niche à prières et chaire (Le Caire, mosquée du sultan Hassan). Ci-contre : peinture évoquant le départ du maître pour la Mecque (près de Kôm Ombo).

successeur de Mamun, El Mutasim, (833-842) à une réorganisation de l'armée qui devait être lourde de conséquences pour la dynastie : le calife possédait désormais sa propre garde, composée non pas de mercenaires mais d'esclaves turcs qui lui étaient dévoués corps et âme. Lorsque toute la cour quitta Bagdad pour la nouvelle résidence de Samarra, les militaires turcs en profitèrent pour prendre, officieusement tout au moins, les rênes du pouvoir.

C'est ainsi que le Turc Ahmad Ibn Tûlûn, venu en Égypte comme gouverneur militaire en 868, profita de la situation difficile du califat pour proclamer l'indépendance du pays et fonder la dynastie des Tulunides (868-905). Mais il devait, pour prix de son autonomie, payer chaque année un fort tribut à la cour des califes.

Toutefois, la situation économique de l'Égypte était alors si florissante, qu'Ibn Tûlûn se fit construire au bord du Nil une superbe ville-palais sur le modèle de Samarra. Hélas, de toutes les réalisations architecturales de la dynastie, seule sa célèbre mosquée devait échapper à la rage destructrice des troupes abbassides qui reconquirent l'Égypte en 905 et y exercèrent de terribles représailles.

Les Fatimides (969-1171)

Les débuts du Xe siècle virent se lever une nouvelle puissance musulmane en Afrique du Nord, qui ne regardait pas seulement vers la riche province égyptienne mais aussi vers le califat. Les Fatimides, qui se nommaient ainsi parce qu'ils se disaient les descendants de Fatima, fille du Prophète, étaient des chiites. Cela signifiait non seulement qu'ils rejetaient l'autorité du calife orthodoxe sunnite, mais aussi qu'ils adhéraient à une conception particulière et mystique de l'Islam.

Après avoir étendu leur domination sur une grande partie du Maghreb à par-

tir de la Tunisie, les troupes du général fatimide Gawhar pénétrèrent en Égypte en 969. La même année, Gawhar commença la construction de sa nouvelle résidence Al-Qâhirah (Le Caire), où son maître, le contre-calife chiite Al-Mu'iz, devait faire son entrée quatre ans plus tard. En 970 fut posée la première pierre de l'université islamique, la grande mosquée d'El-Azhar, où l'on enseigna bientôt non seulement la théologie mais aussi les mathématiques, l'astronomie et la médecine.

Avec les Fatimides, l'Égypte connut une véritable explosion économique et culturelle, et devint ainsi la première puissance du monde arabe. Les traités conclus avec les ambitieuses républiques italiennes et le déplacement des routes maritimes vers la mer Rouge firent du pays du Nil la plaque tournante du commerce international. Les auteurs de l'époque vantaient dans tout l'Orient le luxe qui régnait à la cour des Fatimides et le faste des fêtes officielles. Vous pourrez encore aujourd'hui admirer dans les musées quelques-uns de leurs trésors des mille et une nuits.

Les califes fatimides, profondément convaincus qu'ils avaient une mission à accomplir, envoyaient leurs prédicateurs et leurs missionnaires dans le monde entier, mais leurs tentatives de conversion s'adressaient uniquement à leurs coreligionnaires orthodoxes. C'étaient eux qu'il fallait gagner au chiisme, et non pas les fidèles d'autres religions à l'islam. D'ailleurs, les Juifs et les Chrétiens accédèrent sous leur règne aux plus hautes charges et le calife El-Aziz était lui-même marié à une chrétienne.

Cette ère de tolérance fut brutalement interrompue par l'arrivée au pouvoir d'El-Hakim (996-1021). Fanatiquement croyant, il promulgua quelques lois terriblement répressives et partiellement incompréhensibles, et il alla même jusqu'à persécuter les Chrétiens et les Juifs. Lorsqu'il disparut de manière aussi soudaine que mystérieuse au cours d'une de ses chevauchées nocturnes, beaucoup conclurent à un meurtre. Mais d'autres étaient convaincus qu'il avait été enlevé et reviendrait un jour pour édifier un empire

universel. C'est sous le long gouvernement d'El-Mustansir (1036-1094) que s'amorça le déclin de la dynastie des Fatimides. Des révoltes de mercenaires, l'absence de crues du Nil et des épidémies de peste affaiblirent le pays qui connut cependant un intermède de paix et de prospérité avec un nouvel homme fort, l'Arménien Badr el-Gamali, vizir d'El-Mustansir à partir de 1074.

Mais déjà les frontières de l'Égypte étaient menacées par l'établissement à proximité immédiate de deux ennemis redoutés : les Turcs, qui en tant que sunnites orthodoxes avaient décidé la Guerre Sainte contre les Fatimides hérétiques, et les croisés qui prirent Jérusalem en 1099. La situation devint critique lorsque les croisés marchèrent sur Le Caire en 1168. Dans leur détresse, les Fatimides se tournèrent alors vers les Turcs pour leur demander de l'aide ; l'armée turque pénétra en Égypte... et

Ci-dessus : mosquée du sultan mamelouk El-Mu`ayyad. Ci-contre : vue sur la mosquée du sultan Hassan et la ville moderne du Caire.

elle y resta. L'un de leurs généraux était le Kurde Saladin (en arabe : *Salâh-ad-Dîn*), qui se proclama lui-même sultan en 1171 et fonda sa propre dynastie. L'Égypte retourna ainsi pour toujours dans le sein de l'islam orthodoxe sunnite. Le symbole architectural de cette ère nouvelle est la Citadelle, la nouvelle résidence bâtie par le sultan, qui domine la ville. Il ne tarda pas à réunir l'Égypte et la Syrie et consacra ensuite toutes ses forces à la lutte contre les croisés. En 1187, il parvint à leur reprendre Jérusalem et la Palestine. Il mourut six ans plus tard à Damas sans avoir jamais revu l'Égypte.

Les Croisades ont eu également une influence déterminante sur la politique des héritiers de Saladin, les Ayyubides (1193-1250), qui firent de multiples tentatives pour instaurer une coexistence pacifique avec les croisés. Mais les combats reprenaient toujours de plus belle, même après le traité de paix spectaculaire entre l'empereur Frédéric II de Hohenstaufen et le sultan El-Khamil, et l'Égypte devint alors le champ de bataille des Ve et VIe croisades.

Mais à peine les armées chrétiennes étaient-elles battues et chassées d'Égypte que les militaires intriguaient déjà pour le pouvoir. Ainsi, le dernier sultan ayyubide tomba, victime de ses gardes du corps, les Mamelouks qui, après l'interrègne de la sultane *Shagarat ad-Durr* (le buisson de perles), prirent définitivement le pouvoir.

Les Mamelouks (1250-1517)

Mais qui étaient donc ces Mamelouks qui devaient rester les maîtres de l'Égypte pendant plus de trois cents ans ? Ils furent d'abord des esclaves (*mamlûk* en arabe), d'origine turque ou tcherkesse, achetés enfants pour entrer plus tard dans la garde personnelle d'un souverain. Une fois convertis à l'islam, ils étaient affranchis et recevaient une formation militaire qui leur ouvrait la carrière de l'armée.

Les Mamelouks une fois établis au pouvoir, deux dynasties régnèrent dès lors sur l'Égypte : les Mamelouks-Bahrites (1250-1382), appelés ainsi parce qu'ils étaient cantonnés au bord du Nil (*bahr* : fleuve) et les Burjites, d'origine tcherkesse (1382-1517) de *burj* (tour), parce qu'ils étaient stationnés dans la Citadelle du Caire.

Les sultans mamelouks les plus notoires ont été Baibars Ier (1260-1277) et Qalâ ûn (1279-1290). Il firent de l'Égypte une puissance militaire de premier plan qui parvint à contenir l'invasion mongole et à chasser les croisés de Palestine. Après le déclin de Bagdad, qui avait été détruite par les Mongols en 1258, Le Caire devint le siège du califat et le centre spirituel de l'islam. Le règne des Mamelouks fut aussi une époque de rivalités politiques et de révolutions de palais, une dictature militaire qui ne reculait pas devant le recours à la violence. Toutefois, le royaume lui-même, correctement géré par une administration efficace, vivait uni et en paix ; l'économie et le commerce étaient florissants. Le monopole sur la route maritime vers l'Inde et la Chine remplissait les caisses de l'administration des douanes, et c'est d'ailleurs lui qui est à l'origine de la richesse légendaire des bazars du Caire. L'Égypte était alors le foyer de la culture arabe ; l'art et l'architecture islamiques atteignaient des sommets sans précédent, les mosquées et autres édifices somptueux devant faire de la capitale mamelouke la plus belle ville de l'Orient arabe, pour la plus grande gloire de ses sultans.

C'est la découverte de la route des Indes par la mer, en 1498, qui devait d'abord sonner le déclin de cette époque brillante, en brisant le monopole commercial des Mamelouks. Mais le danger qui allait être mortel pour leur pouvoir venait d'ailleurs.

Une nouvelle puissance était née au nord-est du royaume mamelouk : les Turcs ottomans, qui s'étaient déjà emparés de Constantinople en 1453, et de l'Anatolie. En 1516, les troupes du sultan ottoman Sélim pénétrèrent en Syrie où l'armée mamelouke fut battue. À peine un an plus tard, ils faisaient leur entrée au Caire.

DU SULTAN SÉLIM À MOUBARAK

La conquête de l'Égypte par le sultan Sélim Ier en fit une province de l'empire ottoman – une parmi tant d'autres – puisque cest au XVI^{e}siècle que les Turcs ottomans fondèrent cet immense empire qui, nominalement tout au moins, devait perdurer jusqu'à la Première Guerre mondiale. Pour l'Égypte commença alors la période la plus sombre de son histoire. Les gouverneurs du Sultan ne s'intéressaient guère au pays et les Mamelouks continuaient à occuper des postes importants, d'autant que l'un des clans militaires avait favorisé l'occupation turque. Mais pour éviter qu'ils ne deviennent trop puissants, des régiments de janissaires étaient aussi stationnés en Égypte ; ceux-ci ne tardèrent d'ailleurs pas à prendre part à cette lutte sans fin pour le pouvoir. Lorsque des Bédouins, qui avaient même réussi à s'emparer d'une partie du pouvoir en Haute-Égypte, arrivèrent jusqu'aux portes du Caire, razziant et pillant sur leur passage, et menacèrent la ville au XVIII^{e}siècle, les Mamelouks profitèrent du chaos pour reprendre le pouvoir, puis s'ensuivit une guerre civile entre les factions rivales, manipulées par des agents turcs Telle était la situation en Égypte lorsque la flotte de Napoléon Bonaparte débarqua sur la côte méditerranéenne le 2 juillet 1798.

Lintermède français

Les Français arrivaient avec l'intention de mettre fin au régime de terreur des Mamelouks et d'apporter au peuple égyptien la liberté, l'égalité et la fraternité. Telles étaient tout au moins les raisons d'ordre moral invoquées pour justifier cette campagne, mais derrière ces belles déclarations se cachaient d'au-

tres motifs beaucoup plus terre-à-terre et intéressés : la rivalité anglo-française et le marché indien si convoité, que les Anglais dominaient grâce à la route de l'Égypte.

Le 21 juillet, Napoléon défit "la meilleure cavalerie du monde", comme on appelait alors les cavaliers mamelouks. Mais dès le Ier août, l'amiral Nelson coulait la flotte française dans la baie d'Aboukir, à l'est d'Alexandrie. L'expédition de Napoléon, privée de ses navires, était désormais vouée à l'échec, même si les Français devaient attendre encore trois ans avant de capituler.

Le bref intermède de l'occupation française allait laisser des traces durables en Égypte. Bien que rapidement supprimées, les réformes napoléoniennes avaient cependant indiqué la voie de changements sociaux et économiques qui deviendraient en partie réalité au siècle suivant. C'est aussi à Napoléon que l'on doit la redécouverte de l'Égypte ancienne grâce à l'équipe de savants qui l'avait suivi au bord du Nil et dont la monumentale *Description de l'Égypte* constitue un document géographique unique. Mais surtout, l'intérêt soudain des Français pour ce pays fit prendre conscience de l'importance stratégique de l'Égypte, qui revint au premier plan des préoccupations coloniales européennes.

Les Français furent remplacés par un contingent de troupes anglo-ottomanes qui débarqua en 1801. Avec elles arriva au Caire un jeune homme qui représentait le commandant de l'unité albanaise et qui n'allait pas tarder à faire parler de lui : il s'appelait Méhémet Ali.

L'irruption de l'Égypte dans les temps modernes

Quatre années d'anarchie et de chaos suivirent le départ des Français. L'alliance anglo-turque n'avait pas résisté longtemps aux conflits d'intérêts et aux luttes pour le pouvoir, et tous regardaient maintenant vers le trône

Ci-contre : représentations dépoque de beys mamelouks.

d'Égypte : les beys mamelouks qui se battaient entre eux et avec les Ottomans, les Britanniques, et naturellement les Ottomans qui souhaitaient de nouveau gouverner eux-mêmes leur province. La situation intérieure devenant de plus en plus dangereuse, les chefs religieux musulmans choisirent hâtivement, en 1805, Méhémet Ali comme gouverneur et le sultan d'Istanbul le confirma sans tarder dans cette charge. Le nouveau pacha d'Égypte procéda sans merci à l'élimination successive de ses ennemis : il battit d'abord les Britanniques à la bataille de Rosette (1807). Quatre ans plus tard, il se débarassa des Mamelouks rebelles en leur tendant un piège : il les convia traîtreusement à un dîner à la citadelle et ils eurent le grand tort d'accepter son invitation. Un seul des 480 beys présents aurait échappé au massacre. Plus rien désormais ne faisait obstacle au pouvoir absolu de Méhémet Ali. Mais avant de mener l'Égypte sur la voie de l'indépendance totale, il fallait la doter d'une armée puissante à l'armement moderne et efficace. Et c'est ce projet ambitieux

qui fut à la base de la modernisation et de l'industrialisation du pays.

Il fit venir en Égypte des experts européens et créa, avec leur aide, des écoles et des académies militaires. Il introduisit la culture du coton qui, en permettant une récolte estivale supplémentaire, devait assurer à l'État de nouvelles sources de revenus. L'attribution de terres aux paysans, les travaux d'assainissement, l'amélioration et l'extension du réseau d'irrigation ainsi que la mise en place d'un monopole d'État créaient les conditions nécessaires à la culture et à l'exportation du coton. Les bénéfices des exportations permirent l'implantation d'une industrie nationale destinée avant tout à couvrir les besoins militaires.

Les victoires éclatantes remportées par son fils Ibrahim Pacha à la tête de l'armée égyptienne semblaient donner raison à la politique de Méhémet Ali, mais elles alertèrent aussi les puissances européennes peu enclines à accepter l'éclosion d'un nouvel empire sur le Nil. Elles l'emportèrent finalement et, en 1841, Méhémet Ali dut retirer ses

troupes et réduire considérablement son armée. En compensation, le sultan ottoman lui conféra le titre de vice-roi qui resta dans la famille jusqu'à la suppression de la monarchie, en 1953.

La dynastie de Méhémet Ali

L'expansion économique qui avait commencé sous Méhémet Ali, se poursuivit sous ses fils et leurs successeurs, mais il faudra attendre l'avènement de son petit-fils Ismaïl (1863-1879) pour que l'Égypte remonte enfin sur la scène internationale avec l'ouverture du canal de Suez, célébrée dans les fastes et la pompe en 1869, constituant l'apothéose éblouissante du règne d'Ismaïl. Et pourtant ce projet grandiose, entrepris 10 ans plus tôt sous le règne de son oncle Saïd, devait bientôt ramener l'Égypte dans la plus complète dépen-

Ci-dessus : devant le sabil-kuttab d'Abd ar-Rahmân Kathkûda (XVIIIe s.), quartier musulman du Caire. Ci-contre : Gamal Abdel Nasser fait toujours l'objet d'une profonde vénération.

dance à l'égard des pays étrangers. Mais auparavant, elle connut encore une période brève mais fulgurante de croissance économique grâce au boom sur le coton, conséquence de la guerre de Sécession américaine. Pour rendre l'économie égyptienne encore plus concurrentielle sur le marché international, Ismaïl se consacra aux grands travaux : on créa 13 500 km de canaux d'irrigation, 1 460 km de voies de chemin de fer et 8 000 km de lignes télégraphiques.

Pour financer ces investissements ainsi que le train de vie luxueux et les fastes de sa cour, Ismaïl endetta considérablement son pays, conduisant l'État au bord de la banqueroute, une faillite que les créanciers étrangers semblaient d'ailleurs vouloir provoquer par la dureté de leurs conditions et le taux usuraire des prêts consentis. Acculé, Ismaïl se vit dans l'obligation de vendre les parts que possédait l'Égypte sur le canal de Suez à l'Angleterre, et même d'accepter, en 1876, le contrôle d'une commission franco-britannique sur les finances du pays. Ismaïl fut finalement contraint d'abdiquer, trois ans plus tard, en faveur de son fils Tawfiq.

Dans ce climat politique désastreux, les mouvements nationalistes ne pouvaient que gagner du terrain et accroître leur audience. Des slogans tel "l'Égypte aux Égyptiens" ne témoignent pas seulement de la saturation à l'égard des perpétuelles ingérences de la part d'autres pays et des riches étrangers résidant en Égypte, mais sont aussi une critique envers l'autocratie despotique de la maison régnante. Le mécontentement grandit à vue d'œil dans le pays et fit d'un putsch militaire autour de la personne du colonel Arabi une véritable révolution. Tawfiq, craignant pour sa charge de vice-roi, demanda une aide militaire aux Britanniques, aide que ceux-ci accordèrent immédiatement, peu enclins à renoncer à leurs dettes et au canal de Suez. Les troupes britanniques débarquèrent en 1882 à

Alexandrie pour occuper un temps l'Égypte, à titre de protection. Elles y demeurèrent jusqu'à la révolution des "officiers libres", pas moins de 70 ans plus tard.

Le protectorat britannique

Ce sont maintenant les consuls britanniques qui gouvernent effectivement l'Égypte, se cachant derrière un cabinet fantôme et un vice-roi fantoche. Pratiquant la même politique qu'aux Indes, ils perfectionnent les methodes de culture, le transport et la commercialisation du coton pour le plus grand bien de l'industrie textile anglaise, sans chercher le moins du monde à développer une industrie locale. Certes, la balance commerciale de l'Égypte s'améliorait, mais le capital se concentrait dans les mains des étrangers et d'une petite élite égyptienne.

Au début de la Première Guerre mondiale, l'Angleterre déclara officiellement l'Égypte protectorat britannique, supprimant ainsi les droits ottomans sur le pays. Les cercles nationalistes re-commencèrent à espérer et réunirent une mémorable délégation (wafd en arabe), qui, sous la direction de Sad Zaghlul, se rendit le 13 novembre 1918 chez le haut-commissaire britannique pour exiger l'indépendance de l'Égypte. Il fallut toutefois attendre encore trois ans pour que l'Angleterre, cédant à la pression massive exercée par les nationalistes, concède à l'Égypte un début d'indépendance.

Un arrière-petit-fils de Méhémet Ali accéda au trône en 1922 sous le nom de Fouad Ier. Une nouvelle constitution fut ratifiée un an plus tard, qui accordait au monarque le terrible droit de dissoudre le parlement ; ce paragraphe portait en germe l'instabilité politique de l'Égypte pour les décennies à venir. Le grand adversaire du roi au parlement était le *wafd*, devenu entre-temps le parti le plus important du pays. De ses rangs était issu Sad Zaghlul, qui devint le premier chef du nouveau gouvernement en 1924.

Pendant près de trente ans, la politique égyptienne resta dominée par les rivalités entre le roi, le wafd et le Consulat général. L'avènement du roi Farouk qui succéda en 1936 à son père Fouad sur le trône n'apporta aucun changement.

L'instabilité politique était à son comble, aucun gouvernement ne résistait plus de 18 mois, la corruption et les intrigues sévissaient plus que jamais. Aussi, lorsque le roi et son gouvernement envoyèrent les troupes égyptiennes, mal équipées et insuffisamment préparées, se faire battre à plate couture dans la guerre contre Israël en 1948, la tension fut à son comble. Des troubles éclatèrent au Caire en janvier 1952, d'abord dirigés contre la présence militaire anglaise, puis tout bascula le 23 juillet : les "officiers libres" de Gamal Abdel Nasser s'emparèrent du pouvoir sans verser une goutte de sang.

La révolution et ses fils

La révolution mettait fin à deux millénaires de domination étrangère ininterrompue en Égypte. Le roi Farouk abdiqua le 26 juillet en faveur de son fils, et la république fut proclamée un an plus tard. Après le bref gouvernement du général Nagib, Gamal Abdel Nasser prit la présidence, doté de pouvoirs dictatoriaux et avec un parti unique.

Une fois conclu l'accord sur le retrait des troupes britanniques, l'objectif le plus urgent était la recontruction et la modernisation rationnelle du pays, afin d'améliorer les conditions de vie de tous les Égyptiens. Il fallait d'abord augmenter les rendements agricoles, créer une industrie nationale et mettre en place un système de santé et d'éducation efficace. Pour ce faire, l'Égypte avait besoin de l'aide financière de l'étranger et du savoir-faire d'experts compétents, sans toutefois retomber dans la dépendance d'autres puissances, un problème délicat auquel sont

Ci-contre : les traces de la guerre pour la péninsule du Sinaï, en 1967, sont encore partout visibles.

confrontés tous les pays en voie de développement.

Pour le résoudre, Nasser, comme Tito et Nehru avant lui, plaça sa politique extérieure sous le signe de la "neutralité positive". Mais le rôle dirigeant que joua Nasser dans le mouvement anti-blocs ne pouvait plaire à l'Occident en cette période de guerre froide. C'est ainsi que la Banque mondiale retira les crédits qu'elle lui avait accordés pour la construction du barrage d'Assouan. La réponse de Nasser ne se fit pas attendre : il nationalisa la voie maritime la plus importante sur le plan international, le canal de Suez, afin de financer avec les revenus du péage la construction du barrage.

L'Angleterre et la France, qui possédaient encore la majeure partie des actions de Suez, ripostèrent en occupant, avec Israël, la zone du canal. Mais les deux super-puissances veillaient et leur intimèrent un retrait immédiat ; Nasser fêta là certainement sa belle victoire. Ce triomphe redonnait à l'Égypte et au monde arabe tout entier un sentiment de fierté nationale. Et même après que sa tentative de créer une République Arabe Unie avec le Yémen et la Syrie (1958-1961) eût avorté, Nasser demeura la figure symbole du mouvement pan-arabe.

En politique intérieure, le modèle de Nasser était le "socialisme arabe", sorte de troisième voie "à la Tito" entre le communisme et le capitalisme. Après une période de grande croissance économique, l'Égypte connut des difficultés financières et structurelles, auxquelles s'ajoutèrent une défaite militaire humiliante dans le conflit israëlo-arabe de juin 1967, qui laissa la population profondément désemparée et déçue. En six jours seulement, toutes les forces aériennes de l'Égypte avaient été détruites, et les Israéliens s'étaient emparés de la péninsule du Sinaï ainsi que de la zone du canal de Suez. L'étoile de Nasser s'était brisée même si les Egyptiens avaient refusé sa démission à la fin de la

guerre par des manifestations de masses. Il mourut d'un infarctus le 28 septembre 1970, trois mois avant l'inauguration de l'œuvre de sa vie, le Grand barrage d'Assouan.

Anouar el-Sadate, autre membre du Conseil révolutionnaire de 1952, accédait à la présidence. Son action la plus spectaculaire fut certainement l'éviction des conseillers soviétiques qui avaient joué un rôle important au cours de la décennie précédente. Sadate donnait ainsi le coup d'envoi de sa nouvelle politique, l'*infitah*, l'"ouverture" vers l'Ouest. Son but était d'obtenir une aide financière d'envergure pour la relance économique du pays par l'investissement privé. Si la joie des Égyptiens fut grande de retrouver les biens de consommation occidentaux, le déficit de la balance commerciale dû aux importations massives entraîna une inflation galopante. Son premier triomphe en politique extérieure fut la guerre d'octobre 1973 contre Israël. Mince victoire, peut-être, celle-ci rendit néanmoins à l'Égypte les territoires perdus et la paix avec Israël. Cette paix isola l'Égypte au sein du monde arabe et divisa le pays même. Les critiques les plus virulentes émanaient des musulmans intégristes d'où seront issus les assassins d'Anouar el-Sadate le 6 octobre 1981, au cours d'un défilé commémorant la guerre d'octobre. Son successeur, Hosni Moubarak, mena une politique d'équilibre et de stabilité économique, partiellement couronnée de succès comme semble l'indiquer le retour de la Ligue arabe à son siège traditionnel du Caire, sans que l'Égypte renonce pour autant aux accords de Camp David. Moubarak, le "Géant du Nil" reconquit ainsi son rôle de dirigeant. La participation à la coalition anti-irakienne durant la guerre du Golfe a permis à l'Égypte de bénéficier d'une remise de dette consistante. Le passage à une économie de marché ramena le taux d'inflation à 4,3 % et la croissance démographique (1,88 %) a suivi le taux de croissance économique (1,7 % en 2003). La situation tendue au Proche Orient a certes freiné l'essor des années 1990, mais la vie économique semble s'être stabilisée dans son ensemble.

**LA BASSE-ÉGYPTE ET
LE DELTA DU NIL**

**ALEXANDRIE
OASIS DE SIWAH
WADI AN-NATRUN
LE DELTA DU NIL
LE CANAL DE SUEZ**

2

Basse-Égypte

****ALEXANDRIE**

"Alexandrie est la perle de la Méditerranée et la deuxième capitale de l'Égypte". C'est du moins ce qu'affirment avec enthousiasme ses habitants et avec eux les centaines de milliers d'estivants qui fuient chaque année la chaleur accablante du Caire pour les kilomètres de plages de sable de cette métropole de six millions d'habitants.

Bravant tous les oracles qui la disaient morte, ****Alexandrie ❶** (*Al-Iskandarîyah* en arabe) renaît une fois de plus, comme le Phénix de ses cendres.

C'est maintenant une ville arabe moderne de dimension internationale, qui déroule un paysage impressionnant de gratte-ciel le long de la Corniche, une promenade longeant la mer sur près de 16 km. Une enfilade ininterrompue de tours d'habitations et d'hôtels bordent la baie du centre à Montazah, ancienne résidence d'été du roi, à la périphérie est de la ville. Et ce n'est que derrière ce front de mer moderne que commence la ville proprement dite, avec ses magasins, ses bureaux, son université et ses quartiers d'habitation. Ici, l'architecture reflète encore souvent un éclat

Pages précédentes : felouque sur le Nil. Le port d'Alexandrie. Ci-contre : tapis aux couleurs chatoyantes, tissés à Siwah.

fin-de-siècle un peu passé, tout comme les bâtiments du centre-ville situés autour de Mîdân Sa'd Zaghlûl et sur l'isthme d'Anfushi. Et c'est peut-être le seul endroit où l'on perçoive encore quelques effluves de ce parfum de Levant qui fit autrefois d'Alexandrie le foyer culturel du monde hellénique méditerranéen.

Une troisième frange est constituée par l'immense zone industrielle qui s'étend au-delà du canal de Mahmûdîyya, lequel relie la ville avec le bras occidental du Nil. Des industries textiles, alimentaires et chimiques contribuent au nouvel essor économique d'Alexandrie, qui est redevenue l'un des ports les plus importants et actifs et de Méditerranée.

Comparée aux autres cités d'Égypte, Alexandrie est une ville jeune. Fondée par Alexandre au bord de la Méditerranée en 332 av. J.-C., après qu'il fût allé consulter l'oracle de Zeus-Amon à Sîwah, elle regardait, en direction du nouveau monde, son empire grec et hellène naissant. Mais Alexandre ne devait jamais voir la plus célèbre de toutes les villes qu'il avait créées, celle qui peu après sa mort allait devenir la capitale de l'Égypte et la brillante résidence de la dynastie ptolémaïque.

Les récits d'auteurs de l'époque décrivent l'ancienne cité d'Alexandrie comme une ville somptueuse, dotée de

Carte p. 64-65, plan de ville p. 60, fiche pratique p. 70-71

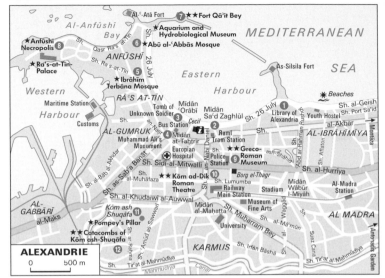

Map legend and labels:

Al-cAtā Fort — **7** ★★ Fort Qācit Bey
Al-Anfūshī
Al-Anfūshī Bay
★ Anfūshī Necropolis **8**
Qasr Ras at-Tīn
ANFŪSHĪ
6 ★ Aquarium and Hydrobiological Museum
★ Abū al-cAbbās Mosque
MEDITERRANEAN
SEA
Ras at-Tīn Palace
RĀcS AT-TĪN
Sh. Ras-at-Tīn
Sh. 26 Juy
5 ★ Ibrāhīm Terbāna Mosque
Eastern Harbour
As-Silsila Fort
★ Beaches
Western Harbour
Maritime Station
Customs
AL-GUMRUK
Tomb of Unknown Soldier
Midān cOrābī
3 Bus Station
Midān Sacd Zaghlūl
Sh. 26 July
Library of Alexandria
Sh. al-Geish
Youth Hostel
Sh. Port Sacīd
al-Akbar
AL-IBRĀHĪMĪYA
★ Muhammad Alī's Monument
4 Midān at-Tahtrīr Tram Station
Cecil
i
RamI
European Hospital
Police Station
9 ★★ Greco-Roman Museum
Sh. Sīdī-al-Mitwallī
Sh. as-Sabca Banāt
Sh. al-Muhāfaza
★★ Kōm ad-Dik Roman Theatre
10
Borg el-Thagr
Sh. Lumumba
Railway Main Station
Stadium
Midān Wābūr l-Mīyah
AL-Madra Station
Sh. al-Khudaiwī al-Auwwal
AL-GABBĀRĪ
al-Maks
Kōm ash Shuqāfa
11
★ Pompey's Pillar
★★ Catacombs of Kōm ash-Shuqāfa
12
Midān al-Mahatta
Museum of Fine Arts
University
Sh. Muharram Bey
Sh. al-Hurriya
AL MADRA
KARMUS
Mahmūdiya Canal
ALEXANDRIE
0   500 m

nombreux espaces verts et quadrillée de rues tracées en damier, que le vent du nord pouvait rafraîchir à loisir ; Alexandrie possédait un quartier administratif imposant, la *regia*, qui comprenait le palais, les bâtiments officiels, des théâtres et le fameux Musée (*Muséion*), célèbre académie abritant la plus grande bibliothèque de l'Antiquité (détruite en 269 apr. J.-C.). Protégés par une puissante muraille en forme de cercle, les quartiers résidentiels étaient groupés autour de la *regia* : à l'est, ceux de l'importante communauté juive, à l'ouest, ceux des Égyptiens avec le *Sérapéum*, lieu de culte du dieu gréco-égyptien Sérapis. Le cœur de la ville était cependant l'extraordinaire port double, que l'on pouvait rallier quelle que fût la direction du vent. L'*Heptastade*, une digue artificielle de 1 300 m de long, qui partageait le bassin portuaire naturel, permettait aussi d'atteindre l'île de Pharos. C'est là que Pto-

lémée II fit construire, en 280 av. J.-C., le fameux Phare d'Alexandrie, de 110 m de haut, considéré comme la septième merveille du monde.

L'apogée d'Alexandrie coïncida certainement avec l'époque hellénique, mais la domination romaine en Égypte (à partir de 30 av. J.-C.) fit aussi les beaux jours de la cité puisqu'elle devint alors la seconde ville de l'Empire romain. Le déclin ne s'amorça qu'avec l'arrivée des conquérants arabes (641 apr. J.-C.), qui choisirent pour capitale le Caire, et pour port Rosette (Rashid), à 50 km de là. Il fallut attendre Méhémet Ali, au début du XIXe siècle, pour qu'Alexandrie sorte de la léthargie à laquelle on l'avait contrainte et redevienne, grâce à un canal la reliant au Nil, la métropole du Levant. Les livres de Lawrence Durell et de Konstantin Kavatis ont immortalisé ce parfum unique, fait d'Orient et d'Occident mêlés, que l'on respirait alors dans la ville.

L'Alexandrie de l'Antiquité est enfouie sous les immeubles modernes du centre-ville, comme l'ont révélé les fouilles spectaculaires de 1990. Cer-

Ci-contre : à l'emplacement du célèbre phare d'Alexandrie s'élève le fort de Qaitbay.

tains vestiges reposent encore au fond de la mer, engloutis par des raz-de-marée ou des séismes. C'est ainsi qu'après plus de 1500 ans, des archéologues français ont découvert dans la baie d'Aboukir des colonnes de granit, statues, blocs de pierre sculptés, et même des dalles provenant du pavement d'un palais ayant appartenu à Cléopâtre. Si aujourd'hui ce dernier ne peut être reconstitué virtuellement qu'à l'aide d'un ordinateur, la célèbre Bibliothèque d'Alexandrie a pu renaître de ces cendres grâce au soutien de l'UNESCO. Cet extraordinaire complexe bâti pour quelque 170 millions de dollars a été inauguré en octobre 2002 et, après plus de 1500 ans, devrait refaire d'Alexandrie le centre culturel et spirituel d'antan. Si les 900 000 parchemins du *Museion* sont perdus à jamais, brûlés dans un incendie en 48 av. J.-C, la nouvelle **★Bibliotheca Alexandrina** ❶, dont l'originale silhouette ronde domine désormais la péninsule d'As-Silsila (Port Est), n'a rien à envier à son modèle avec ses quelque 8 millions d'ouvrages et de

textes multimédias, des milliers de cartes et de manuscrits précieux.

Le ★centre-ville et Anfûshî

Le centre de la ville est délimité par le Mîdân el-Mahattah, la place de la Gare et les ports. Si le Port Est accueille aujourd'hui les navires de pêche et de plaisance, le Port Ouest reste le plus grand port de commerce du pays. L'isthme d'Anfushi, qui sépare les deux ports et suit le tracé de l'*Heptastadion* des Ptolémées, s'est élargi peu à peu avec l'ensablement et l'apport d'alluvions. Il forme désormais, avec ce qui était autrefois l'île de Pharos, un quartier fortement urbanisé.

Le **Mîdân Sa'd Zaghlul** ❷, grande place sur la Corniche, à l'ouest de laquelle se dresse le fameux **Hôtel Cecil**, constitue le point de départ idéal pour la découverte du centre-ville. La promenade vers Anfushi longe l'antique colonnade en demi-cercle du **monument au Soldat inconnu** ❸ sur le Mîdân Orabi, avant de mener à la place de la Libération, le **Mîdân et-Tahrir**. Au

centre de celle-ci trône la **statue équestre de Méhémet Ali** ❹, qui entreprit la reconstruction de la ville, lui permettant de connaître un nouvel essor. Les rues et ruelles adjacentes forment un quartier animé, prolongé au nord par le bazar d'Anfushi.

Au centre de l'isthme se dresse la **★mosquée d'Ibrahim Terbana** ❺ dont la construction, si elle ne remonte qu'au XVIIe s., a néanmoins emprunté de nombreux éléments et matériaux provenant de monuments antiques. Tout près, sur une vaste place donnant sur la Corniche, s'élève l'imposante **★mosquée d'Abu el-Abbas** ❻. Elle a remplacé en 1943 un bâtiment détruit lors d'un incendie, construit sur la tombe du saint homme mort au XIIIe s.; la dentelle de pierre de la façade et les quatre coupoles ornés de motifs géométriques sont remarquables.

Au bout de la vaste courbe décrite par la Corniche autour du Port Est, la blancheur du **★★fort de Qaitbay** ❼, cons-

Ci-dessus : scène de rue à Alexandrie. Ci-contre : la mosquée d'Abû el-Abbas.

truit par le sultan mamelouk au XVe s., attire immédiatement le regard. C'est ici que s'élevait le légendaire Phare d'Alexandrie, avant le tremblement de terre de 1326 qui eut raison de lui. La forteresse mérite. Dans le **★musée hydrobiologique** attenant, on contemplera à loisir les merveilles que recèlent la Méditerranée et la mer Rouge.

À la pointe ouest d'Anfushi, la **nécropole d'Anfushi** ❽ comprend deux tombeaux fort intéressants (IIe s. av. J.-C.), de style gréco-égyptien. Les peintures murales des vestibules, qui partent d'un même atrium central, imitent les fastueux revêtements de marbre et d'albâtre de Pompéï, tandis que celles des tombes reprennent les motifs traditionnels égyptiens.

Le **★palais de Ras et-Tin** tout proche fut construit par Méhémet Ali pour devenir la résidence des souverains égyptiens à Alexandrie ; c'est là que le dernier représentant de cette dynastie, le roi Farouk, signa son acte d'abdication le 26 juillet 1952. Les 300 pièces de ce palais, à la décoration quelque peu chargée, ne sont pas visibles.

Les trésors de l'Alexandrie antique

Pour découvrir les vrais trésors artistiques que cache Alexandrie, il convient de se diriger vers le sud du centre-ville et d'accéder au **★★musée des Antiquités greco-romaines** ❾. Les pièces exposées, datant de l'époque pharaonique à notre ère, donnent un excellent aperçu de l'histoire de la ville et de ses environs. On admirera la précieuse collection numismatique ainsi que les statuettes *tanagras*, ravissantes figurines d'argile de l'époque hellénique.

Sur le chantier de **Kôm ed-Dik** ❿, des archéologues polonais ont mis à jour en 1964 un **★★théâtre romain,** unique en Égypte et remarquablement conservé, dont les 12 rangées de gradins de marbre pouvaient accueillir 800 spectateurs. Mais le site archéologique le plus important d'Alexandrie reste le **Kôm esh-Shuqâfah** ⓫, la "colline aux éclats" qui s'élève au sud-ouest de la ville. Elle abritait jadis le lieu de culte du dieu syncrétique gréco-égyptien Sérapis, dont seuls quelques sphinx, sta-

tues et briques de terre sèche ont survécu à la rage iconoclaste du Patriarche Théophile (391 apr. J.-C.). La **★colonne de Pompée**, taillée dans le granit rose, atteste encore l'authenticité du sanctuaire ; haute de 27 m, elle fut érigée en 297 apr. J.-C., en l'honneur de l'empereur Dioclétien, mais doit son nom actuel au tombeau de Pompée, dont elle marquerait l'emplacement.

Quelques centaines de mètres plus au sud, on découvre les **★★catacombes de Kôm esh-Shuqâfah** ⓬, exemple inhabituel d'une nécropole romaine datant des Ier et IIe siècles apr. J.-C. Un escalier tournant dessert les trois étages de salles souterraines dont fait partie la chapelle funéraire, exemple fascinant de fusion réussie entre l'architecture et les motifs égyptiens d'une part, et certains éléments de style gréco-romain d'autre part.

Les plages

Les touristes – essentiellement des Égyptiens – se rendent à Alexandrie pour ses plages plus que pour ses ri-

chesses archéologiques. Les plages d'Alexandrie s'étendent au delà du Port de l'Est, donc presque au centre-ville, et se prolongent vers l'est en baies successives.

Les plus belles plages se trouvent à la périphérie d'Alexandrie. Dès le XIXe s., la petite **baie d'Al-Muntazah** était appréciée des khédives et des souverains qui y avaient installé leur résidence d'été au milieu des palmiers. Le château, qui passe pour le "Neuschwanstein d'Alexandrie", est un bijou d'architecture néo-renaissance, aux formes pleines de fantaisie ; l'intérieur ne se visite pas !

Construit à l'époque de Nasser, l'**Hôtel de Palestine** présente une façade plus fonctionnelle qu'esthétique, néanmoins largement compensée par une situation exceptionnelle, directement sur la baie.

Après la baie de Muntazah, la **plage de Ma'murah** s'étend sur des kilomètres jusqu'à la ville d'**Aboukir** ❷ célèbre pour ses excellents restaurants de poissons. Deux dates historiques ont fait la réputation de sa baie : la cuisante

défaite de Napoléon face à Lord Nelson en 1798, et, en 2000, la découverte sensationnelle d'une cité antique engloutie à 8 m de profondeur par l'océanologue français Frank Goddio.

D'ALEXANDRIE À L'OASIS DE SIWAH

À l'ouest d'Alexandrie, une plage de sable blanc de 300 km (!) s'étire jusqu'à Matrûh. Les stations balnéaires et les villages de vacances y sont chaque année plus nombreux, les portions de littoral préservé de plus en plus rares entre Alexandrie et El-Alamein. Il en est de même au sud de la route côtière, qui se révèle un peu décevante car elle n'offre que de brefs aperçus sur la mer, masquée la plupart du temps par de hautes dunes de sable. Surtout, ne vous laissez pas séduire par le charme des plages désertes, si tentantes soient-elles : elles peuvent encore dissimuler des mines datant des conflits de la Seconde Guerre mondiale.

Depuis Alexandrie, on commence par longer le port occidental ainsi que

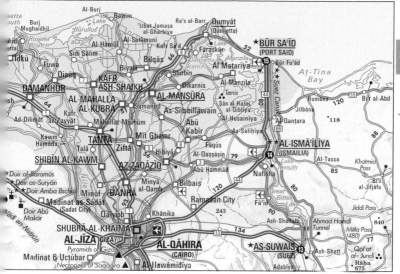

des quartiers d'habitations et industriels peu engageants avant d'arriver à la station balnéaire d'**Agami** ❸, qui n'est qu'à 16 km de la ville, et qui est devenue ces dernières années le Marbella de la Méditerranée égyptienne.

La côte, à l'ouest d'Alexandrie, ne présente pas seulement un intérêt balnéaire ; à 48 km de la ville, près d'**Abousir** ❹, s'élève l'antique *Taposiris Magna*, un **phare** de l'époque romaine, qui serait une reproduction du célèbre sémaphore de Pharos. La ville romaine, qui connut une activité portuaire florissante pendant le Ier millénaire apr. J.-C. grâce à la proximité du sanctuaire chrétien d'Abu-Mina, est aujourd'hui presqu'entièrement détruite, excepté le ★**temple d'Osiris**, dont on découvre les vestiges : un mur d'enceinte romain composé de blocs de chaux soigneusement assemblés, et les tours du pylône, d'où l'on jouit d'une vue superbe sur la mer.

Presqu'en face se trouve le départ de la route pour **Borg el-Arab**, une ancienne station estivale construite vers 1920 par les Anglais dans le style d'une

forteresse médiévale. Après avoir traversé **Bahiq**, l'agglomération voisine, on arrive au monastère moderne et aux ruines d'★**Abu-Mina** ❺, lieu de pèlerinage très fréquenté par les premiers chrétiens. On y découvre les restes de la **chapelle funéraire**, crypte construite sur la tombe du martyr Ménas (mort en 296 apr. J.-C.), à laquelle on descend par 30 marches de marbre. Elle jouxte à l'est la **Grande basilique d'Arcadius**, et à l'ouest, un **baptistère**. Le sanctuaire était à l'origine entouré d'habitations destinées à recevoir les pèlerins, venus de toute l'Europe pour profiter des vertus de l'eau miraculeuse. La ville fut en partie dévastée au IXe s. par des attaques de Bédouins, avant d'être complètement abandonnée vers l'an 1300. La première pierre du nouveau couvent, bâti à proximité des ruines, a été posée le 27 novembre 1959 par le Pape copte Cyrill VI, dont la sépulture se situe dans une chapelle latérale de l'église conventuelle.

Après avoir regagné la route côtière, on peut rejoindre, à 45 km, la luxueuse station balnéaire de ★★**Marina** ❻, su-

perbe complexe hôtelier qui s'étend autour d'une lagune aux eaux turquoises bordée de plages de sable blanc. Quelque 15 km plus loin, on parvient à **★★El-Alamein ❼**, théâtre de la fameuse bataille qui opposa en 1942 l'Afrika Korps de Rommel aux troupes finalement victorieuses de Montgomery. Trois **cimetières militaires** et un petit **musée** rappellent que 80 000 soldats y laissèrent leur vie.

Juste avant l'agglomération, une nouvelle route bifurque vers le sud-ouest, reliant **Wâdî an Natrûn** et la Desert Highway Le Caire-Alexandrie et permettant de rejoindre rapidement la capitale. À l'ouest d'El-Alamein, on pourra profiter des superbes plages de **★★Sidi Abd ar-Rahmân ❽** et de **Ra's al-Hikmah ❾** qui n'est plus qu'à 85 km de **Matrûh ❿**. Capitale de la province du même nom, cette ville dynamique de 80 000 habitants accueille des estivants de plus en plus nombreux, attirés par la beauté du site : une large baie

Ci-dessus : le palais royal d'El-Muntazah.
Ci-contre : la cueillette des dattes à Siwah.

protégée par une barre de récifs et bordée de longues plages de sable. La principale attraction de Matrûh reste cependant le **★★bain de Cléopâtre**, une grotte creusée dans la falaise de craie à la pointe ouest de la lagune.

Très pittoresques, les baies qui s'étendent à l'ouest de Matrûh sont également très prisées pour la blancheur de leurs falaises de craie et leur sable fin. Bien qu'on y ait aussi beaucoup construit ces dernières années, on ne manquera tout de même pas de se rendre à la **★★baie d'Agibah**.

L'★★oasis de Siwah

Depuis Matrûh, on pourra effectuer une excursion jusqu'à l'**★★oasis de Siwah ⓫**, située à 300 km de là, désormais reliée aux autres oasis de l'ouest par une route ouverte au public. L'oasis s'étend sur 80 km dans une dépression venant du plateau lybien ; on y découvre un véritable paradis : 300 000 palmiers-dattiers, des plantations luxuriantes de fruits et de légumes, 300 sources et un ravissant petit lac d'un bleu profond. Grâce à sa situation isolée, l'oasis a pu conserver ses traditions ancestrales et même la langue initiale de sa population, en majorité berbère.

Siwah, la localité principale du même nom, comprend une vieille ville très pittoresque – mais néanmoins quasiment laissée à l'abandon –, *★Shali*, dont les maisons de terre sèche s'étagent le long des versants. Jusqu'au XIXe s., le centre de l'oasis se trouvait 4 km plus à l'ouest, sur la colline fortifiée d'*★Aghuermi*. On y aperçoit les vestiges d'un **temple**, construit sous la XXVIe dynastie et où siégea le fameux oracle de Zeus-Amon qui avait consacré Alexandre le Grand comme pharaon d'Égypte. On ne manquera pas de visiter les **hypogées** creusés dans le rocher du **Djébel el Mawtah** (à 1,5 km au nord-est de Siwah) qui remontent à la fin de l'ère pharaonique. Les plus belles fresques ornent le tombeau de *★Si-Amon*.

Le *★★Wâdî an-Natrûn*

À mi-chemin entre Le Caire et Alexandrie, sur l'autoroute *Desert Highway*, qui grâce aux nombreuses terres gagnées sur le désert ne mérite plus vraiment son nom, on accède aux **monastères** du **désert du *★★Wâdî an Natrûn*** , l'un des centres spirituels et religieux les plus importants d'Égypte dès le IVe s. Cette cuvette de 30 km de long sur 8 de large doit son nom à dix lacs salés, presque asséchés en été, d'où sont extraits sel et natron. Sur les 50 couvents existant alors, créés à partir de petites colonies d'anachorètes, il n'en reste que quatre aujourd'hui. Ceux-ci connaissent ces dernières années un tel afflux touristique que les bâtiments anciens sont en passe d'être restaurés, voire agrandis. Excepté au cloître **deir Abû-Makar**, fermé au public, des moines fort accueillants font volontiers visiter les monastères.

Le plus ancien des quatre monastères est situé au nord, il s'agit du *★deir al-*

Baramos, également baptisé "couvent des Romains", parce qu'il aurait été fondé par les deux fils de l'empereur Valentinien, Maximien et Domitien, à la fin du IVe siècle. Détruit au Ve s. lors d'incursions berbères, il fut reconstruit, fortifié cette fois, au IXe s.

Un peu plus au sud, on trouve le *★★deir es-Suriâni*, donation d'un riche marchand syrien à ses frères de confession nestorienne au VIIIe s. Celui-ci renfermait des manuscrits comportant des textes syriens du Xe s., conservés en grande partie au British Museum de Londres et au Musée du Vatican. L'**église**, du Xe s. également, abrite des fresques et de superbes ouvrages de stuc.

Le couvent voisin, le *★★deir Amba Bishoï* fut fondé vers 400, mais il ne comporte plus qu'une fontaine remontant à cette époque. Parmi les cinq églises et chapelles qui composent l'ensemble, l'**église Titulaire**, du IXe s., est la plus importante. La **tour fortifiée**, dressée au XIIe s., offre une vue magnifique sur l'ensemble du site. Le couvent doit sa notoriété au fait d'avoir long-

temps tenu lieu de résidence au patriarche copte Chenute III.

LE DELTA DU NIL

Le triangle formé par le delta du Nil est alimenté par tout un réseau de canaux aux multiples ramifications et les deux bras du fleuve qui se jettent dans la Méditerranée à Dumyât (Damiette) et Rashid (Rosette). Parallèlement à ces voies fluviales, deux autoroutes traversent le Delta : la *Route agricole* qui part du Caire et rejoint Alexandrie en passant par la grande capitale provinciale de Tantâ, et une autre branche qui relie Tantâ à Dumyât via Al-Mansûrah.

Comme aux temps anciens, huit provinces de la Basse-Égypte moderne concentrent les principales ressources économiques du pays, agricoles – les surfaces arables augmentent en permanence grâce à une irrigation intensive – mais aussi industrielles. Cette rentabilité économique du Delta n'est pas sans

Ci-contre : le monastère deir es-Suriâni, dans le Wâdi an-Natrûn.

conséquence : elle entraîne la destruction progressive de la plupart des sites de l'Antiquité, provoquée par l'irrigation des terres cultivables et la montée du niveau des eaux, par l'industrialisation, et enfin par l'utilisation comme engrais des antiques briques d'argile séchée. C'est pourquoi l'œil profane n'apercevra probablement dans le Delta que quelques fondations indéchiffrables et une multitude de blocs de pierre épars. On ne manquera pas, cependant, d'effectuer une excursion jusqu'au célèbre canal de Suez, que l'on peut désormais longer en voiture sur toute sa longueur, de la mer Rouge à la Méditerranée. On pourra également se rendre directement du Caire à Ismaïlia, superbe ville située sur les rives du lac Timsah, à l'embouchure du canal.

LE **CANAL DE SUEZ

Depuis la réouverture du canal de Suez et la restitution du Sinaï entamée en 1980, l'Égypte s'attache tout particulièrement à la mise en valeur économique de la zone du canal et à la création de voies de communication. Des villes qui végétaient autrefois comme Ismaïlia, Suez ou Port-Saïd, se développent maintenant grâce au rattachement du Sinaï à l'Égypte et deviennent des pôles d'attraction.

Le **canal de Suez** ne représentait pas pas la première liaison entre la Méditérannée et la mer Rouge. En l'an 600 av. J.-C., le pharaon Néchao II avait déjà entrepris la construction d'un canal qui devait relier le Nil à la mer Rouge en passant par le lac Timsah et les lacs Amers. Mais ce projet ambitieux ne fut mené à son terme que cent ans plus tard par le roi des Perses Darius Iᵉʳ, qui fit placer des stèles commémoratives en plusieurs langues tout au long du canal pour célébrer cette réalisation. Le canal finit par s'ensabler, fut dragué mais s'ensabla à nouveau. Les Arabes achevèrent de le détruire au VIIIᵉ s. et il sombra dans l'oubli. Lorsque Vasco de Gama découvrit la route des Indes, ce furent les Vénitiens qui, poussés par la crainte de perdre leur monopole commercial, pensèrent les premiers à une percée entre les deux mers. Plus de 350 années devaient néanmoins s'écouler avant l'ouverture du canal de Suez en 1869, à l'issue de dix ans de travaux.

Dès sa création, cette route maritime, si importante sur le plan économique et stratégique, fut une source de conflits entre les différents pays. Fermé en 1967 durant la guerre des Six jours, le canal ne fut rouvert qu'en 1975. Aujourd'hui, sa longueur est de 195 km et le chenal mesure entre 140 et 364 m de large pour une profondeur de 18 m. Des bateaux de 150 000 tonnes lège peuvent le franchir avec une charge maximale de 450 000 tonnes de ballast. La traversée des navires s'effectue en moyenne en 15 heures, à raison de 3 convois par jour, des dérivations permettant le passage dans les deux sens. Quelque 13 500 bateaux empruntent chaque année le canal, rapportant à L'Égypte plus de 1,8 milliard de dollars.

Suez ⑬ (*As-Suways* en arabe) et son port de **Port-Tawfik**, marquent son extrémité sud. L'histoire de cette ville, qui existe pourtant depuis le XVᵉ s., est indissociable de celle du canal. Presqu'entièrement détruite lors du conflit d'octobre 1973, elle connaît un développement spectaculaire depuis la réouverture du canal et la découverte, à la fin des années 70, d'importants gisements de pétrole dans le golfe de Suez, tout d'abord comme terminal pétrolier mais aussi grâce à une industrie pétro-chimique en pleine expansion. Des trois tunnels prévus sous le canal, un seul est pour le moment en service, le tunnel routier **Ahmed-Hamdi**, 17 km au nord de Suez.

Mais la "perle des villes du canal" reste certainement **Ismaïlia** ⑭ (*Isma'illiyya*), sur le lac Timsah. Ville de jardins, spacieuse et aérée, elle a conservé de nombreux édifices et de coquettes villas de style colonial, bâties lors de sa fondation en 1863. La situation exceptionnelle de l'**hôtel Mercure Fordan Island**, qui donne directement sur le lac, ou du **Beach-Club**, ouvert à l'intention des visiteurs, attire de nombreux Cairotes le week-end. À quelques centaines de mètres du départ du bac (gratuit) pour le Sinaï, une plate-forme panoramique permet d'observer les convois de bateaux circulant sur le canal. Au centre-ville, un petit **musée archéologique** rassemble les découvertes faites dans les environs d'Ismaïlia, dont les fameuses stèles du canal de Darius Iᵉʳ.

Fondé en 1859, **Port-Saïd** ⑮ (*Bûr Sa'id*) est avec ses 500 000 habitants le deuxième port du pays. Il constitue une zone franche qui attire beaucoup d'Égyptiens venant acheter tout le matériel électrique et électronique difficile à obtenir ailleurs, et les rues bordées d'édifices coloniaux bien conservés forment un gigantesque bazar. Moderne, **Port Fuad**, de l'autre côté du canal, n'est qu'une extension résidentielle de Port-Saïd.

ALEXANDRIE (☎ 03)

La brochure touristique *Alexandria by night and day*, comportant toutes les informations et adresses pratiques est disponible à la réception des hôtels ou à l'**Office du Tourisme**. Le bureau principal se trouve sur le Mîdân Sa'd Zaghlûl, Raml Station, tél. 484338. Autres bureaux à l'aéroport, au port et à la gare.

AVION : quelques compagnies aériennes relient directement Alexandrie, et Egypt Air assure plusieurs fois par jour la liaison Le Caire – Alexandrie.

TRAINS ET BUS : les **trains** et **bus** de la *West Delta Bus Company* et de *Superjet* relient presque toutes les heures Alexandrie (gare routière : Md. Sa'd Zaghlûl) et Le Caire (gare routière provisoirement Md. Turgumân, à proximité de la gare centrale , normalement Abd al-Munîm Riyâd près du Ramses Hilton). Pour les cars de luxe de la société *Superjet*, les billets doivent être retirés à l'avance au guichet de la gare routière.

TAXIS COLLECTIFS : au Caire, la station de **taxis collectifs** reliant Alexandrie est sur le Mîdân al-Qulâlî, près de la gare centrale.

TRAMWAY : en ville, le transport le plus usité est le tramway. Depuis la gare Raml (*Mahattit er-Ramleh*), sur la Md. Sa'd Zaghlûl au centre-ville, des lignes de tram desservent les principaux sites touristiques : **Nº 2** : gare Raml – gare centrale – colonne de Pompée ; **Nº 15** : gare Raml – gare Sh. Ahmad 'Orâbî – Anfûshî – Ra's at-Tîn. Les bus **Nº 735, 736 et 725** longent la corniche entre Md. Sa'd Zaghûl et Al-Montâzah.

Alexandrie est la ville du poisson et des fruits de mer. Outre les restaurants des grands hôtels, nous vous recommandons :
POISSON : Tikka Grill, Sh. 26th July. **Darwish**, Sh. 26th July, Raml. **Santa Lucia**, Sh. Safîya Zaghlûl. **El-Saraya**, Saba Pasha, Sh. al-Geish. **San Giovanni,** 205 Sh. El-Geish. **International Seafood Restaurant**, 808 Sh. El-Geish, Al-Montâzah. **Zephyrion**, Abû Qîr (Aboukir, à l'est d'Alexandrie). **Sea Gull**, Sh. 'Agamî, El-Meks (banlieue à l'ouest d'Alexandrie).

CUISINE ORIENTALE / INTERNATIONALE: **Athineos**, Md. Raml. **El-Ekhlass**, 49 Sh. Safîya Zaghlûl. **Sokrat**, Sh. Iskander al-akbar, Shatbî. **Taverna**, gare Raml (au rez-de-chaussée, restauration rapide orientale, au 1er étage, petit restaurant).
CAFÉS : **Brazilian Coffee Store**, Sh. Sa'd Zaghlûl. **Pastroudis**, 39 Sh. Al-Hurrîya. **Trianon**, Md. Sa'd Zaghlûl.

Clubs avec musique et danse du ventre (dîner obligatoire !) aux hôtels **Montazah Sheraton**, **Plaza**, **Sofitel Cecil** et **San Giovanni**. L'hôtel **Ramada Renaissance** abrite une discothèque (fermée le lun).

Fort Qâ'it Bey, ts les jrs. 8h00-17h00, ven. 8h00-11h30, 13h.30-17h00. **Kôm ad-Dîk**, Sh. Abd al-Mun'im, ts les jrs 9h00-16h00. **Musée des Antiquités gréco-remaines**, Sh. El-Hurrîya, du sam. au jeu. 9h00-16h00, ven. 9h00-12h00,14h00 16h00 ; le billet d'entrée est également valable pour la nécropole d'Anfûshî et Kôm esh-Shuqâfa. **Nécropole d'Anfûshî**, ts les jrs 9h00 16h00. **Kôm esch-Schûqafa**, ts les jrs 9h00 16h00. **Musée hydro-biologique** (à côté de Fort Qâ'it Bey), ts les jrs 9.00 14.00, aquarium méditerranéen et de la mer Rouge. **Musée royal des joyaux**, 27 Sh. Ahmad Yahyâ, ts les jrs 9.00 17.00, bijoux de la dynastie de Méhémet Ali. **Musée des Beaux-Arts**, 18 Sh. Muskîya, Muharam Bey, ts les jrs 8.00 14.00, art européen et égyptien des XIXe et XXe s. **Nouvelle Bibliothèque d'Alexandrie**, Sh. 26 July, dim. jeu. 11.00-19.00, ven. sam. 15.00 19.00, fermée mar. et jours fériés.

Hôpital universitaire, Shatbî, tél. 4201573. **Hôpital Italien**, Al-Hadra, tél. 4221458. Une pharmacie du centre-ville est ouverte 24h/24 : **Sa'd Zaghlûl Pharmacy**, Md. al-Manshîya.

ENTRE ALEXANDRIE ET L'OASIS DE SÎWAH

MATRÛH (☎ 046)

Tourist Information, Governorate Bld., tél. 4931841.

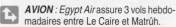
 AVION : *Egypt Air* assure 3 vols hebdomadaires entre Le Caire et Matrûh.

TRAIN : trains tous les jours entre Alexandrie et Matrûh, qui s'arrêtent à El-'Alamain et à Sîdî 'Abd ar-Rahmân. En été, un train wagon-lits circule entre Alexandrie et Matrûh.

BUS : plusieurs cars de la *West Delta Bus Company* relient Matrûh depuis Alexandrie (gare routière Sîdî Gaber). Depuis Le Caire (provisoirement Md. Turgumân, normalement 'Abd al-Mun'im Riyâd près du Ramses Hilton), un car quotidien mène à Matrûh.

TAXIS COLLECTIFS : près de la gare routière.

OASIS DE SIWAH (☎ 046)

Siwa Information Office, City Council Bld., du sam. au jeu. 9h00 13h00, ven. 18h00 20h00, tél. 933192.

Des cars et des taxis collectifs assurent la liaison depuis Matrûh. Un car direct relie ts les jrs l'oasis et Alexandrie (gare routière Md el-Gumhûrîya.) La route de sable reliant l'oasis de Sîwah et Bahrîya ne peut être empruntée que par des véhicules tout terrain. Tous les renseignements nécessaires concernant les autorisations et laisser-passer pour se rendre dans les oasis peuvent être obtenus auprès des offices de tourisme.

VÊTEMENTS : malgré l'afflux touristique, Siwah reste l'une des régions les moins occidentalisées de l'Égypte. Il est donc recommandé de porter des vêtements décents, couvrant les jambes et les épaules.

WÂDI AN-NATRÛN

Les monastères restent fermés à Noël, Pâques et lors des fêtes coptes.

BUS : La **East Delta Bus Company** assure un service régulier entre Le Caire et les grandes villes du Delta (délai de 15mn à 1 heure entre les départs). Depuis Le Caire : momentanément gare routière Md. Turgumân, normalement gare routière Al-Qulâlî, toutes deux à l'ouest de la gare centrale. Les **cars** qui sillonnent la Desert Highway entre Le Caire et Alexandrie s'arrêtent sur demande au "resthouse" de Wâdî an-Natrûn (en fonction des mesures de sécurité en vigueur). De là, on peut se rendre en taxi aux monastères tout proches.

TAXIS COLLECTIFS : les taxis collectifs du Delta partent de Md. Ahmad Hilmî.

LE CANAL DE SUEZ

TRAIN / BUS : depuis Le Caire, des trains assurent la liaison avec les villes du canal. Les cars sont cependant beaucoup plus rapides ; ainsi, les bus de la *East Delta Bus Company,* quittent Le Caire toutes les heures entre 6h30 et 18h00 (gare routière Md. Turgumân et/ou Md. al-Qulâlî) pour Ismailia et Port-Saïd, toutes les 30 mn pour Suez. À Suez, correspondances vers Port-Saïd, Alexandrie, le Sinaï, la mer Rouge ou Louqsor.

ISMAILIA (☎ 064)

Ismailia Museum, Muh. Alî Quay, ts les jrs 9.00 14.00, objets datant des pharaons, découverts lors de la construction du canal.

Beach Club, à l'arrivée du ferry, bonnes spécialités de poisson.

PORT-SAÏD (☎ 066)

43 Sh. Palestine, tél. 235289.

Port-Saïd est une zone franche, contrôle douanier à la sortie.

Musée militaire, Sh. 26 July, ts les jrs 9.00 14.00 et 18.00 22.00.
Musée National, Sh. Palestine, donne sur le canal, 9.00 16.00, des pharaons à la période moderne.

Le **bateau-restaurant Noras** est le seul à allier le tour du port et une cuisine orientale ou internationale. Départs du quai sur la Sh. Palestine : 14.30, 16.00, 20.00.

SUEZ (☎ 062)

Canal St. Port Tawfîq, tél. 331141.

LE CAIRE ET LES PYRAMIDES

**LE CAIRE / LA VIEILLE VILLE
LES VIEUX QUARTIERS
MUSULMANS
LES PYRAMIDES DE GIZEH
LA CITÉ DES MORTS DE
SAQQARAH
MEMPHIS**

Le Caire

3

****LE CAIRE**

Un célèbre voyageur arabe du XIVe siècle, Ibn Battûla, baptisa Le Caire "la mère de toutes les villes", surnom que la capitale de l'Égypte mérite plus que jamais. En effet, ****Le Caire** (en arabe *El-Qâhira*) n'est pas seulement la plus grande des métropoles africaines et le foyer spirituel du monde arabe, la métropole concentre également, phénomène aussi étonnant qu'unique, toutes les formes de vie inhérentes à notre époque. Si on ne peut, bien sûr, ignorer les zones d'ombre de ce brillant microcosme, les conditions de vie très difficiles de cette ville désespérément surpeuplée ne suffisent cependant pas à entamer la joie de vivre et l'extraordinaire humour de ses habitants.

Les visages du Caire sont multiples. C'est d'une part une mégapole bruyante et trépidante, Le "Grand Caire" ayant englobé des villes de plus d'1 million d'habitants comme Giza (Gizeh) et Shubra al-Khaymah, ainsi que toute une série de faubourgs et de villes-satellites. Personne ne connaît le nombre exact d'habitants : 13 millions, 15 millions, peut-être même davantage ? Les statistiques diffèrent, le recensement est

Pages précédentes: devant les pyramides de Gizeh. Ci-contre: dans la mosquée El-Hâkim.

difficile mais entre la natalité, très forte, et l'émigration rurale, la population du Caire augmente chaque année d'un demi-million d'habitants, atteignant une densité sans précédent, notamment dans les quartiers pauvres : 100 000 personnes au km^2.

La physionomie générale du Grand-Caire est dominée par des constructions modernes de caractère impersonnel, comme on en trouve partout dans le monde. Toutefois, autour du Midan-el-Tharir, la place centrale du Caire moderne, et sur les berges du Nil, l'architecture contemporaine prend vraiment des allures de métropole mondiale. Les hôtels, les bâtiments officiels et les immeubles de bureaux s'élancent vers le ciel, formant une véritable *skyline*. Le style américain de la City est encore accentué par les néons multicolores des publicités et les larges autoroutes qui enjambent la ville à des hauteurs impressionnantes.

Mais Le Caire, c'est aussi la ville des coupoles, des minarets, ou des souks aux couleurs vives qui s'étendent entre les vieilles portes de Bâb el-Futûh et de Bâb Zuwayala, tranchant sur le gris terreux des ruelles encombrées. Ici, les temps modernes n'ont pas encore fait leur entrée, et si quelques voitures n'essayaient pas, de temps à autre, de se frayer un chemin parmi les étals, on se croirait encore au Moyen Âge.

Carte p. 101, plan de ville p. 78, fiche pratique p. 114-115

El-Qâhira
1000 ans d'histoire de la ville

On a fêté en 1969 le millénaire de la ville du Caire, une bagatelle lorsqu'on appartient à l'une des civilisations les plus anciennes de la terre. Et en effet, El-Qâhira n'existe que depuis le Xe siècle, encore qu'une longue série de villes célèbres aient précédé sa fondation. La situation géo-politique très favorable, à la limite de la vallée du Nil et du Delta, explique pourquoi la première capitale de l'Empire égyptien a vu le jour à cet endroit. **Memphis**, la résidence des pharaons sur la rive ouest du Nil, est la plus ancienne et la plus illustre des ancêtres du Caire. De nombreuses villes devaient lui succéder.

L'histoire de l'actuelle métropole du Nil commence avec **Babylone** ; il ne s'agit pas ici de la fameuse ville sur l'Euphrate, mais d'une colonie grecque qui s'était établie sur la rive est du Nil, et dont l'empereur Auguste fit une garnison pour une de ses légions en 30 av. J.-C. À partir du IVe siècle, la majorité de la population de cette Babylone était chrétienne, et de magnifiques églises surgirent du sol à l'abri des fortifications romaines. Lorsque le chef de guerre arabe Amr Ibn el-As conquit l'Égypte en 641, ses troupes dressèrent leurs tentes devant Babylone. Et c'est de ce camp militaire que naquit un peu plus tard la première ville arabe sur le Nil. Ceci nous explique pourquoi la capitale de cette province musulmane nouvellement acquise prit le nom de **Fustât** (la tente).

Durant les siècles qui suivirent, c'est donc à la cour lointaine du nouveau maître musulman de l'Égypte que se décida l'histoire de la capitale, et il fallut attendre l'arrivée du gouverneur turc Ahmed Ibn Tûlûn pour que l'Égypte recouvre la liberté. Celui-ci fit construire sa résidence au nord de Fustât et cette

Ci-contre : circulation très dense dans l'île d'El-Gezirah.

ville nouvelle, du nom de **El-Qatî'a**, allait devenir le symbole prestigieux de la brève souveraineté de l'Égypte sous la dynastie des Tulunides (868-905). Mais les califes abbassides n'étant guère disposés à renoncer à leur riche province d'Égypte, l'intermède de l'émir dissident s'acheva 40 ans plus tard et la ville de El-Qatî'a fut rasée. Seule la grande mosquée témoigne encore des splendeurs de l'architecture tulunide.

En 969, le général fatimide Gawhâr conquit l'Égypte tout entière pour le compte de son calife Mu'izz li Din-Illah et posa la première pierre d'une nouvelle ville, **El-Qâhira**, "la Victorieuse", d'après le nom de la planète Mars (*El-Qâher*), visible au firmament lorsque débutèrent les travaux de fondation. Ainsi naquit la "mère de toutes les villes", symbole des Mille et une nuits. Le Caire des Fatimides (969-1171) se trouvait juste à l'endroit du grand bazar de Khân el-Khalili : c'était alors une Cité Interdite, dont les palais étaient réservés au calife, à sa cour et à ses soldats ; le peuple vivait plus au sud, à Fustât, où s'épanouissait une vie bigarrée et typiquement orientale dans le labyrinthe des ruelles et des marchés couverts.

Lors de l'arrivée au pouvoir de Saladin (1171), les portes d'El-Qâhira s'ouvrirent à tous et ce qui est maintenant la vieille ville du Caire se développa autour du centre. On doit également à Saladin la Citadelle, véritable emblème du Caire avec la mosquée d'albâtre de Méhémet Ali. Mais les beaux jours de Fustât étaient déjà comptés : en 1168, lorsque les croisés venant de Jérusalem marchèrent sur Le Caire et menacèrent la ville, on incendia Fustât par crainte de ne pouvoir la défendre. La ville ne se remit jamais de cette catastrophe.

Sous la domination mamelouke (1250-1517), l'étoile du Caire se leva, plus brillante que jamais. Les sultans aimaient le faste, et comme le commerce avec l'Asie leur procurait des fortunes, ils ornèrent leur cité d'édifices somptueux. Les écrivains de l'époque ne ta-

rissent pas d'éloges sur la beauté du Caire, la magnificence des mosquées, des palais et des jardins. L'image classique de la ville, avec ses coupoles et ses minarets, date de cette époque, qui fut par ailleurs plutôt martiale.

Après l'invasion ottomane, en 1517, Le Caire redevint une capitale de province insignifiante. La souveraineté turque, tout en laissant de nombreux édifices, ne marqua pas vraiment l'architecture de la ville. L'essor de la ville moderne commença avec Méhémet Ali (1805-1848). Sa mosquée d'albâtre, sur la Citadelle, n'était qu'un début. La construction du canal de Suez modifia complètement l'aspect du Caire. Son petit-fils Ismaïl aimait le faste et voulait éblouir les illustres invités qu'il avait conviés aux cérémonies d'inauguration du canal par l'image d'une brillante métropole ; aussi fit-il surgir du sol, en un rien de temps, de nouveaux quartiers construits à l'européenne. On perça une large avenue vers Gizeh et les pyramides ainsi que vers le palace de Mena House, tandis qu'une autre traversait la vieille ville pour mener à la Citadelle.

Le nouvel Opéra, détruit par un incendie en 1971, devait servir de cadre à la Première d'*Aïda* commandée à Verdi. Mais le maître n'ayant pas achevé l'œuvre à temps, c'est avec *Rigoletto* que l'on inaugura le canal de Suez.

Le style européen continua à dominer l'architecture. À Héliopolis, aux portes du Caire, les Belges édifièrent le plus beau quartier pour Européens en style colonial indo-sarrasin. Les quartiers de Zamâlek, Dokki (*en arabe : duqqî*) et Garden City montrent bien où les Européens aimaient (et aiment encore) installer leurs résidences : sur l'île d'El-Gezira ou sur les berges du Nil.

C'est aussi ce cadre que le président Nasser choisit plus tard pour construire les édifices chargés de représenter la jeune République arabe d'Égypte, dont le meilleur symbole est certainement la Tour du Caire, haute de 187 m.

PROMENADES À TRAVERS LE CAIRE

Un poète arabe a dit un jour de la capitale égyptienne que "Le Caire... était

LE CAIRE

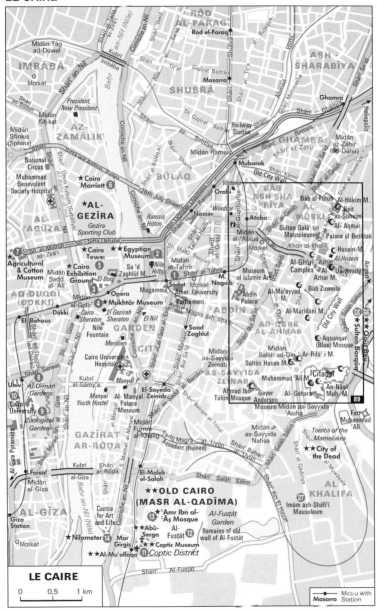

LE CAIRE

0   0,5   1 km

un paradis sur terre pour ceux qui avaient des yeux pour voir". De nos jours hélas, quand on arrive au Caire, le regard que l'on porte sur la ville est troublé par le bruit, la poussière, la cohue des voitures et des masses humaines qui n'ont vraiment rien de paradisiaque, et plus d'un s'en retourne en pensant "s'il n'y avait pas les pyramides et le musée Égyptien...". Et pourtant, Le Caire a bien davantage à offrir.

Un véritable kaléidoscope de l'Orient vous attend, si vous gardez l'oeil vif et l'esprit libre. Et aussi paradoxal que cela puisse paraître étant donnée la circulation, c'est à pied qu'il faut découvrir Le Caire, car ce sont les petits riens rencontrés à chaque coin de rue qui font tout le charme de la ville : les bouquinistes, qui étalent leurs livres jusqu'au beau milieu de la rue, une maison de thé où des têtes enturbannées fumant une pipe à eau sont penchées sur un jeu de dominos, les innombrables gargotes multicolores ou les charrettes des marchands des quatre-saisons et leurs oranges disposées en pyramides. Des vendeurs de fleurs profitent des inévitables embouteillages pour proposer aux automobilistes des guirlandes de jasmin au parfum délicat, et personne ne s'étonne de la diversité des voitures à cheval en pleine circulation.

Flâner en prenant son temps constitue certainement la meilleure approche de la vieille ville du Caire, car elle vous permettra de vous mettre à l'unisson de cette métropole fascinante et riche en contrastes. Les chapitres qui suivent vous montrent comment concilier les promenades avec la visite des principales curiosités et des trésors artistiques et historiques. Ils rassemblent tout ce qu'il faut voir à l'intérieur d'un certain périmètre, afin de les intégrer dans des circuits plus ou moins longs.

LE CENTRE-VILLE MODERNE

Le centre de la ville moderne du Caire est la vaste place du **Midân et-Tahrir** ❶ ; gare routière, tête de lignes de métro et d'autobus, c'est d'ici qu'il faut partir pour faire les magasins des rues Sh. Qasr en-Nil, Sh. Tal'at Harb et Sh. et Tahrir.

Si l'on regarde les principaux bâtiments de la place, du sud au nord, l'attention est immédiatement attirée par le grand immeuble gris, pas très beau, disposé en arc de cercle de la **Mugamma**. 14 étages de services administratifs se cachent derrière la façade peu engageante de cet hôtel de ville construit sous le gouvernement de Gamal Abdel Nasser. En face, sur la Sh. el-Quasr el-Ayni se trouve l'**Université américaine**, installée dans un petit palais du XIXe siècle. À droite, à côté de la Mugamma, une villa blanche de style colonial située sur la Sh. el-Tahrir abritait jusqu'à récemment le **ministère des Affaires étrangères**, aujourd'hui installé dans un gratte-ciel cubique à côté du centre de presse sur la Corniche. En face du ministère on peut voir le bâtiment de la **Ligue arabe**, fraîchement repeint comme pour saluer "le retour de l'Égypte dans le sein de la Nation arabe", et juste à côté commence le complexe hôtelier du **Nile Hilton**. Cet immeuble bleu datant des années 50 n'est certainement pas une merveille d'architecture, mais c'est véritablement une institution pour les Égyptiens et les voyageurs venus du monde entier, un point de rencontre où règne une ambiance très internationale. L'annexe plate et carrée n'héberge pas seulement les bureaux de nombreuses compagnies aériennes, on y trouve également un jardin très agréable, bien ombragé et comprenant un café-terrasse, une pizzeria et des grills.

Au nord de Midân et-Tahrir se dresse la façade imposante et classique du Musée Égyptien. Un joli jardin abritant des statues anciennes et un bassin décoré des plantes héraldiques des pharaons, le lotus et le papyrus, amène à cette collection unique regroupant la majorité des trésors de l'Égypte ancienne.

Le Caire **3**

Fiche pratique p. 114-115

79

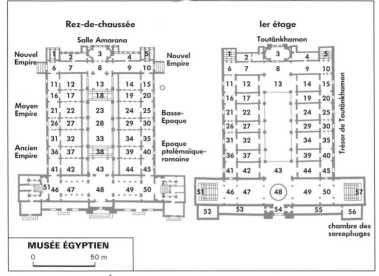

MUSÉE ÉGYPTIEN

0   50 m

Le ★★Musée Égyptien

Le ★★**Musée Égyptien** ❷ est célèbre dans le monde entier et ses collections, d'une valeur inestimable, réunissent plus de 120 000 pièces. Procurez-vous le *Catalogue officiel du Musée Égyptien*, remarquablement illustré, qui commente dans l'ordre chronologique les œuvres les plus importantes replacées dans leur contexte historique. Pour la visite de la salle des momies, on devra se procurer un billet spécial. Les salles du rez-de-chaussée offrent au visiteur un panorama de cinq millénaires extraordinaires sur la sculpture et le travail de la pierre dans l'Égypte ancienne.

À l'étage supérieur sont exposés des objets retrouvés dans un état de conservation quasiment intacte. On notera en outre la présence de onze momies royales. À la suite de l'interdiction d'exposer les momies, décrétée par le président Sadate en 1980 pour des raisons de piété, il fallut attendre 14 ans pour

Ci-contre : en contemplation devant le sarcophage en or de Toutânkhamon.

qu'une **salle des momies** (salle 56) soit aménagée. On y découvrira dans une semi-obscurité solennelle, la momie de souverains tels que Ramsès II et son père Séthi Ier ainsi celle de certains autres rois et reines.

Le **trésor de Toutânkhamon** occupe toutes les salles de la galerie de l'aile droite ainsi que la galerie nord. Le tombeau de ce pharaon a été découvert dans la Vallée des Rois par Howard Carter en 1922. Sur les 3 500 objets que renfermait le tombeau, 1700 sont exposés ici, dont voici la description des plus importants.

Le palier de la **galerie 45** est flanqué de deux statues en bois grandeur nature du roi Toutânkhamon. Peintes en noir et partiellement recouvertes d'or, elles gardaient l'entrée de la chambre funéraire. On peut voir au milieu de la pièce un coffret en bois doré sur lequel est couché le dieu Anubis sous la forme d'un chacal noir. La **galerie 40** contient toutes sortes de coffres et de coffrets en bois de cèdre artistiquement travaillés, portant des incrustations d'ébène et d'ivoire, et notamment un chef-

d'œuvre de la peinture de l'Egypte ancienne, un coffre de bois incrusté dont les motifs représentent le pharaon Toutânkhamon sur son char, à la chasse et à la guerre. Les vitrines murales sur la gauche de la **galerie 35** renferment de nombreuses statuettes de rois, les *ouchebtis* ; elles étaient censées accomplir à la place du défunt les tâches obligatoires dans les champs divins de l'au-delà. On y voit aussi des petites corbeilles et des crochets en faïence. La **galerie 25** est celle des sièges précieux, dont le fameux trône doré représentant le couple royal sous le soleil rayonnant d'Aton. Il est en bois recouvert d'or, et les incrustations sont en pierres semi-précieuses, en pâte de verre et en argent. La **galerie 9** contient, entre autres, trois litières servant aux cérémonies rituelles, en bois doré, encadrées d'animaux divins, lionne, vache et personnage hybride à tête d'hippopotame. La **galerie 4** rassemble les bijoux et les amulettes, mais le regard est immédiatement attiré par le centre de la pièce, où se trouve le fameux masque en or incrusté de lapis-lazuli, célèbre dans le monde entier. Il re-

couvrait la tête de la momie royale lors de l'ouverture du tombeau. La momie elle-même était couchée dans un cercueil en or massif de 225 kg (vitrine de droite, côté extérieur) contenant les deux autres cercueils anthropoïdes (l'un est exposé à l'extrême-gauche de la pièce). Les viscères du roi étaient conservées dans les quatre petits sarcophages finement travaillés des vitrines de droite. Ces cercueils miniature se trouvaient dans les quatre cavités du coffre aux canopes, en albâtre, de la **galerie 8**. On remarquera les têtes de rois qui ferment les canopes. Ce coffre d'albâtre était lui-même placé dans un *naos* de bois doré, gardé par quatre déesses qui l'entourent de leurs bras en signe de protection : Isis, Nephthys, Selkis et Neith. Les chars de parade du roi sont immédiatement à gauche. À la suite, la **galerie 7** expose les quatre grands catafalques qui s'emboîtaient les uns dans les autres, le dernier renfermant le sarcophage de quartzite dans lequel s'emboîtaient les trois cercueils anthropoïdes du pharaon. La momie du roi repose encore aujourd'hui dans son cercueil intermédiaire, à l'intérieur du sarcophage de quartzite dans son tombeau de la Vallée des Rois.

Les trésors exposés à l'étage sont :

– le trésor provenant du tombeau de la reine Hétéphérès, mère de Khéops (IVe dynastie) dans la **galerie 2**.

– le trésor funéraire exhumé des tombeaux royaux de Tanis (XXIe et XXIIe dynasties) dans les **galeries 2 et 11**.

– la salle des bijoux dans la **galerie 3**, une extraordinaire collection d'orfèvrerie couvrant toutes les époques de l'Égypte ancienne.

– le trésor du tombeau de Youya et Touyou, beaux-parents d'Aménophis III (XVIIIe dynastie), **salle 13**.

– les objets et les offrandes trouvés dans la tombe de Sennedjem à Deir el-Medina (XIXe dynastie), **salle 17**.

– des papyrus, des écrits religieux et des dessins en **salle 29** ainsi que dans les escaliers montant au premier étage.

*El-Gesirah et la rive ouest

Depuis le Midân et-Tahrir, on peut facilement gagner l'île d'El-Gesirah, sur le Nil, en traversant le pont Tahrîr. On peut aussi s'y rendre en fiacre ou en bateau à voile (départs sur la Corniche).

Sur le terre-plein central du **Midân el Gesirah**, de l'autre côté du pont Tahrîr, se dresse une **statue en pied de Sa'el Zaghlûls**, fondateur du parti Wafd et premier Premier Ministre de la monarchie indépendante. Juste derrière se trouve l'entrée du nouveau *Centre culturel ❸, construit à l'emplacement de l'ancien parc des expositions du Caire. Au centre d'un jardin soigné s'élève la coupole de style oriental du bâtiment de l'**Opéra**, inauguré en 1988, dont la beauté un peu pompeuse dans le genre post-moderne est la réalisation d'un architecte japonais. Deux des

Ci-contre : ici, bavarder fait partie de l'art de vivre .

anciens pavillons du parc des expositions abritent un petit **musée d'Art moderne** et une **galerie municipale** où des artistes contemporains exposent leurs œuvres. Dans le petit parc au sud de l'île se trouve le *musée Mukhtar ❹ qui rassemble les œuvres du plus célèbre sculpteur de l'Égypte moderne, Mahmûd Mukhtâr. À la pointe sud s'élève la tour ronde de l'**hôtel Sheraton**. (vue splendide sur le Nil et la fontaine au milieu du large fleuve).

Mais le véritable emblème de l'île demeure la *Tour du Caire ❺, une tour de béton ajourée en forme de fleur de lotus de 187 m de haut. Par beau temps, le belvédère ou le restaurant tournant au sommet de la tour offrent une vue admirable sur l'ensemble de la ville. Le **jardin des pharaons**, au pied de la tour, est parsemé de statues anciennes. Non loin de là, au bord du Nil, le **jardin Andalou**, de style mauresque, qui s'étend au sud d'un **obélisque de Ramsès II**, est un but de promenade très apprécié des Cairotes.

Les terrains et les installations du club sportif de Gesirah s'étendent au nord de la tour du Caire. Au-delà commence le quartier de Zamâlek ; c'est un quartier résidentiel avec ses ambassades, ses missions étrangères, ses boutiques de luxe et, donnant sur le Nil, le splendide *Cairo Marriot Hotel ❻, l'un des palaces construits pour l'inauguration du canal de Suez, afin de loger dignement les hôtes de marque invités à cette occasion. Il devait notamment recevoir le couple impérial français, Napoléon III et Eugénie.

Comme l'île de Gesirah, la rive ouest du Nil, où se sont construits les faubourgs d'Embaba, d'El Agûza et de Doqqî, n'a été intégrée dans le district urbain du Caire qu'au XIXe siècle. On accède à la rive occidentale à pied par l'un des trois ponts qui enjambent le petit bras du Nil, ou en taxi. Notons le *musée de l'Agriculture ❼ , illustration très vivante de la vie agricole de l'Antiquité à nos jours, le petit **jardin**

3

Le Caire

botanique El-Urmân ❽ aux splendides palmiers royaux, et le **zoo** ❾. Si celui-ci offre une moins grande diversité que les parcs zoologiques d'Europe, il se révèle néanmoins ravissant et apaisant. Il sert aussi de transition discrète entre deux villes d'un million d'habitants. En effet, au sud de l'**Université du Caire** ❿ dont le bâtiment principal se repère de loin grâce à sa coupole, on quitte Le Caire pour Giza (Gizeh).

★★LA VIEILLE VILLE DU CAIRE

La **★★vieille ville** du Caire s'étend au sud de la ville en face de l'île de Roda. C'est le centre historique du Caire, où fut créée **Fustât**, première ville arabe d'Égypte, à côté de la ville gréco-romaine de Babylone.

Les murs de la forteresse romaine de Babylone sont encore en partie debout et entourent la plus vieille partie de la ville, le **quartier copte** ⓫, où les très belles églises et le Musée Copte font vraiment figure de curiosités dans une ville à caractère essentiellement musulman. Ne vous attendez pas à trouver ici d'imposantes cathédrales, les maisons du Seigneur y sont plutôt modestes, vues de l'extérieur, mais avec l'obscurité ambiante, l'atmosphère y est à la fois solennelle et mystique, et si vous assistez à un service religieux, il vous laissera une forte impression. La liturgie est très proche de celle des Grecs orthodoxes, encore que récitée en grande partie en copte, langue millénaire.

Le **★Fort de la Chandelle** se dressait autrefois sur les rives du Nil, dont le lit se trouvait alors à environ 400 m plus à l'est. Des installations portuaires trouvées à 6 m de profondeur témoignent de l'importante activité commerciale de l'ancienne Babylone. La forteresse elle-même date du règne d'Auguste (30 av. J.-C.). Entièrement rénovée sous Trajan (98-117), elle fut encore une fois restaurée sous l'empereur byzantin Arcadien (395-408).

La vieille porte d'entrée du quartier copte se trouve en face de la station de métro Mari Girgis, plusieurs mètres au-dessous du niveau actuel de la rue. Cent mètres plus au sud, on arrive aux deux grosses tours rondes, à l'aspect massif, qui encadrent la porte d'accès au jardin du musée. La tour nord-est est dominée par **l'église** grecque-orthodoxe **Saint-Georges** (XIXᵉ siècle), dont fait partie le monastère adjacent. La tour sud du fort, en partie détruite, laisse encore deviner la structure antique. Ces tours puissantes aux murs épais de 3 m atteignaient 20 m de haut pour un diamètre de 33 m. À droite de la tour sud, on parvient à l'entrée principale d'une église qui compte parmi les deux plus anciennes du Caire.

L'église Sainte-Marie est plus couramment appelée ****El-Mo'allaqa**, ce qu'on pourrait traduire par "la suspendue", parce qu'elle coiffe les deux bastions de la vieille porte romaine sud-ouest. Il ne subsiste plus rien de l'édifice d'origine qui remonte au IVᵉ siècle et peu d'éléments des différentes constructions et restaurations antérieures au XVIIIᵉ siècle. La forme actuelle date de 1775. Dès l'abord, le visiteur est sous le charme : la gracieuse façade baroque, à laquelle on accède par un grand escalier, s'élève au-dessus des palmiers du jardin. Après le parvis couvert, on tombe sur une jolie cour intérieure avec un jet d'eau. À l'intérieur, trois portiques de colonnes de marbre antiques divisent asymétriquement l'église en une nef centrale et trois nefs latérales. Comme dans toutes les églises coptes, il y a trois autels : les chapelles pour Saint Georges (à gauche), le Christ (au milieu) et Saint Jean-Baptiste (à droite) sont séparées des fidèles par une superbe iconostase du XIIIᵉ siècle, en ébène incrusté d'ivoire. Les icônes du dessus sont du XVIIIᵉ siècle et la chaire de marbre finement travaillée est du XIᵉ siècle. Les icônes placées au-dessus de l'iconostase sont, elles-aussi, du XVIIIᵉ siècle. Par la nef de droite, on accède à la chapelle de Takla Hajmanot, un saint copte très populaire au XIIIᵉ siècle, et

Ci-contre : l'église El-Mo'allaqa. À droite : moucharabieh du musée Copte.

au baptistère. Une ouverture vitrée ménagée dans le sol offre une vue saisissante sur les murailles du bastion sud. En quittant l'église par le petit jardin d'entrée, on peut tourner à droite dans le **jardin du musée**. Les fenêtres du VIᵉ siècle sont admirables, leurs sculptures de pierre figurant une gazelle et un éléphant.

Le ****Musée copte**, avec ses moucharabiehs joliment tournés, dont le bois marron-foncé tranche agréablement sur la façade lisse et blanche, est un bâtiment digne d'intérêt en soi. Il abrite de surcroît une collection remarquable des trésors de l'art copte, qui permet d'en suivre l'évolution, du style gréco-romain des débuts jusqu'à l'art ornemental fortement influencé par l'Islam, en passant par les icônes dinspiration byzantine, le point fort de la création artistique copte restant sans conteste les tissus. Au rez-de-chaussée sont rassemblés des éléments darchitecture isolés, stèles et petites chapelles funéraires ; à l'étage, on peut voir des exemplaires des fameuses étoffes et tapisseries coptes, des pièces ouvragés en bois ou en ivoire, ainsi que toutes sortes d'objets de métal, de poteries et de verreries. De très belles fresques, provenant d'églises ou de tombeaux, et une importante collection précieuse de manuscrits coptes méritent aussi toute votre attention.

Une ruelle partant du jardin du musée, à droite de la caisse, mène au cœur du quartier copte et tout d'abord à l'église à visiter absolument : l'****église Abû Serga** (Saint Serge), dédiée au martyr Sergius. Si l'édifice actuel ne date que de l'époque fatimide (Xᵉ et XIᵉ siècles), sa fondation remonte sans doute au Vᵉ siècle, et beaucoup plus loin encore dans l'esprit des gens puisque la Sainte Famille aurait, selon la légende, habité là où actuellement la crypte disparait dans les eaux souterraines. L'intérieur est plongé dans la pénombre, et il y règne une atmosphère mystérieuse et sacrée. Son plan est celui

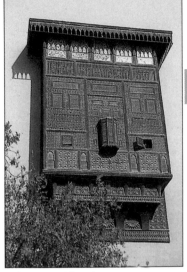

Le Caire **3**

de la basilique classique des débuts de l'ère chrétienne, avec une nef centrale surélevée et deux nefs latérales. La charpente visible, les galeries sur les toits plats des nefs latérales et les arcades entre les nefs confèrent à l'ensemble une certaine légèreté. On peut admirer le maître-autel sous son baldaquin de bois ouvragé en forme de coupole depuis la chapelle Saint-Georges (à gauche). La chapelle située à droite du saint sacrement est dédiée à saint Michel. Là encore, le *heïkal* est fermé par une iconostase en ébène sculpté et incrusté d'ivoire.

Après l'église Saint Serge, on tourne à droite, et quelques pas suffisent pour vous conduire à l'***église Sainte-Barbara**, dont l'architecture actuelle remonte aux Xe et XIe siècles. Cette basilique à triple nef présente une chaire de marbre sculpté et une iconostase incrustée d'ivoire, tout à fait remarquables.

Poursuivant toujours son chemin, on arrive à droite à une curiosité un peu surprenante dans un quartier copte, la ***synagogue Ben Ezra**. Elle fut reconstruite et transformée en synagogue par les juifs au XIIe siècle sur les ruines de l'église Saint Michel, fondée au VIIe siècle et détruite au XIe siècle sous le califat d'El-Hakim. En 1984, en effectuant des travaux de restauration, on tomba sur un trésor inestimable : 200 000 fragments de parchemins écrits en hébreu, en arabe et en araméen. Des rouleaux de parchemin contenant des extraits de l'Ancien Testament sont exposés dans le chœur, derrière une vitrine et dans des fourreaux d'argent.

Au nord-est du quartier copte commence l'ancienne **Fustât** ⑫. Il ne reste pas grand-chose de cette métropole commerciale autrefois si florissante, qui s'étendait des rives du Nil aux hauteurs du Djebel el-Muqattam. Des maisons de sept étages, des mosquées somptueuses et une pléthore de marchandises témoignaient de la richesse de cette grande ville qui alla même, au temps de sa splendeur, jusqu'à surpasser Bagdad. Fondée en l'an 641, suite à la conquête du pays par les troupes du calife 'Umar, Fustât fut ravagée par un incendie en 750 ; après sa reconstruc-

tion, elle était plus grande et plus belle que jamais. Dévastée une seconde fois par les flammes en 1168, elle ne fut dotée cette fois que du quartier du port.

Un des édifices qui rappellent encore la richesse passée de Fustât est la **★mosquée de Amr Ibn el-As** ⑬, construite en 641 par le conquérant de l'Égypte. C'est l'édifice religieux le plus ancien de l'Islam mais sa forme actuelle date de 1798, après plusieurs remaniements. L'intérieur de la mosquée est d'une grande beauté avec ses rangées d'innombrables colonnes blanches qui délimitent les quatre nefs distribuées autour d'une cour carrée. Lors de la dernière restauration, en 1986, beaucoup de colonnes antiques ont été remplacées par des répliques modernes, dont la fameuse colonne située à côté du *mihrâb*, qui, selon la légende, aurait été envoyée à travers les airs de Médine d'un seul coup de cravache par le calife Omar.

Ci-dessus : la synagogue Ben Ezra. Ci-contre : la danse du ventre nous replonge dans l'atmosphère des Mille et Une Nuits.

Sur les ruines de Fustât, à l'est derrière la mosquée, sont installées les **poteries** du Caire, dont les fours fumant en permanence évoquent l'image d'une ville en flammes. Les passionnés d'archéologie peuvent encore visiter les **fouilles** de Fustât, mais il ne reste que les vestiges et les fondations d'un réseau d'alimentation en eau, très sophistiqué pour l'époque. Les découvertes intéressantes et le bel artisanat provenant de Fustât sont maintenant à l'abri derrière les murs du Musée Islamique.

Le seul bâtiment d'origine encore bien conservé de l'ancienne Fustât et de son âge d'or est le **★Nilomètre** ⑭ (à la pointe sud de l'île de Roda). Construit à la demande du calife abbasside El-Mutaûkkil en 861, restauré plusieurs fois, il permettait de mesurer le niveau du Nil et n'a perdu son utilité qu'avec la construction du Grand Barrage d'Assouan. (Pour une visite du Nilomètre, demandez au gardien de vous ouvrir).

LES ★★VIEUX QUARTIERS MUSULMANS

Des trois villes légendaires de l'Orient islamique, Le Caire, Damas et Bagdad, seule la métropole égyptienne a été épargnée par les dévastations du raz de marée mongol, ce qui lui permit de conserver son noyau médiéval, l'architecture d'abord mais aussi l'atmosphère de cette époque mythique : l'animation colorée des marchés, les scènes de marchandage, gestes et mimiques à l'appui, ou encore la détente devant une tasse de café turc. Peut-être est-ce dans cette faculté de résister au temps, de demeurer elle-même siècle après siècle, que réside la spécificité de la société orientale, et celle-ci tient à la conviction profondément enracinée dans les consciences que l'homme n'est pas la mesure de toutes choses. Malgré leur magnificence, beaucoup de palais et de mosquées du Caire musulman sont menacés de ruine, victimes d'une négligence de plusieurs décennies, et du fait

des dégâts provoqués par le grand tremblement de terre d'octobre 1992. La vieille ville musulmane fortement peuplée fait partie des quartiers les plus touchés. À cela vient s'ajouter la montée du niveau général des eaux, problème réel depuis la construction du Grand Barrage d'Assouan qui menace gravement les sites historiques du pays.

Un recensement officiel a été établi dans les années 50 classant certains bâtiments monuments historiques, mais cette liste, loin d'être exhaustive , ne prenait en compte que les édifices antérieurs au XVIIIe siècle. Depuis 1972, de nombreux projets de restauration sont en cours, mais il reste encore fort à faire pour préserver cet immense trésor d'architecture islamique.

La vieille ville s'étend depuis la mosquée d'Ibn-Tûlûn au sud, jusqu'aux anciennes portes Bâb el-Futûh et Bâb en-Nasr au nord. La nécropole, caractéristique des villes musulmanes, s'étire au pied des collines du Muqqatam, formant une véritable ceinture de cimetières autour de la ville. Les principales curiosités sont concentrées dans la partie du Caire datant des Fatimides, avec le bazar Khân el Khalili, la mosquée el-Azhar et celles situées entre les portes Bâb elFûtûh et Bâb Zuwaylah, le quartier autour de la citadelle, et enfin la nécropole.

Le ★★Bazar Khân el-Khalili

Là où fut créée en 969 El- Qâhira, la résidence des Fatimides, s'étend aujourd'hui le grand quartier des bazars. Si le **★★Khân el-Khalili** ⑮ est le *souk* le plus célèbre, il n'est néanmoins pas le seul. Il est bordé par le *souk an Nahussîn*, le marché des fondeurs de cuivre qui, aujourd'hui encore, fabriquent les flèches des minarets. Mais la séparation entre les activités et les corporations n'est plus aussi nette qu'autrefois. Aussi n'est-il pas rare de voir un marchand d'épices installé à côté d'un boucher ou un cordonnier sur le marché aux étoffes. Ce paradis des amateurs de shopping occupe tout un dédale de ruelles des deux côtés de la rue principale, Sh. el-Azhar. Le **Khân el-Khaliliî** commence en face de la mosquée el-Azhar, au **Mi-**

Ci-dessus : au bazar.

dân Hussein. Le minaret en forme de crayon de la **mosquée d'Hussein** (interdite aux non-musulmans) est un bon point de repère pour éviter de se perdre dans le labyrinthe du Khân el-Khalili. Ce souk porte le nom d'un haut fonctionnaire qui, il y a 600 ans, fit bâtir à cet endroit un *khân*, mi-hôtel, mi-entrepôt. Les pierres précieuses, la soie et les épices étaient les marchandises les plus recherchées à l'époque, mais aujourd'hui on y vend absolument de tout. Cependant, malgré les nombreuses boutiques de souvenirs, le Khân el-Khalîlî n'est pas ce qu'on peut appeler un souk à touristes. Les Cairotes y achètent leurs bijoux, et la rue adjacente **Sh. Muski**, qui s'appelle officiellement Sh. el-Gawar el-Qa'id, n'est qu'un seul et immense magasin où l'on peut tout acheter, de la simple casserole d'aluminium à la robe de mariée.

Mais que serait une balade dans un souk sans un verre de *shay* (thé) ou une petite tasse de *khawa* (café) ? Les occasions ne manquent pas dans le Khân el-Khalili. Il existe plusieurs cafés sous les arcades en face de la mosquée d'Hussein, certains avec une loggia à l'étage, d'où l'on peut admirer toute la place. Mais c'est bien sûr du café situé au 5e étage de l'**hôtel Hussein** (au coin du Midân Hussein et de Sh. Muski) que l'on a la plus belle vue. L'entrée de l'hôtel se trouve dans la petite rue sombre derrière les arcades ; c'est là aussi que se cache le plus vieux café du Caire, le **Fishawi**. Avec ses miroirs pompeux mais aveugles, sa salle un peu passée, il a le charme suranné des grandeurs déchues. C'est un endroit discrètement romantique. Le café le plus récent du Khân el-Khalili est tout le contraire du précédent. Dans une maison du Moyen Âge restaurée avec goût, la chaîne indienne d'hôtels de luxe Oberoi a su créer une ambiance raffinée de café oriental. Ce café et l'excellent restaurant qu'il abrite portent le nom de l'écrivain le plus célèbre du Caire, **Naguib Mahfouz**. Vous ne pourrez pas le manquer en prenant la rue qui longe la mosquée d'Hussein et pénètre dans le souk.

La **mosquée d'el-Azhar

Rares sont désormais les monuments qui, telle la **mosquée d'el-Azhar** ⑯, témoignent encore de la splendeur passée des Fatimides. Fondée en 970 par le général Gawhar pour être la Grande Mosquée de la nouvelle capitale d'el-Qâhira, elle devint rapidement le centre de l'érudition religieuse et de la science islamiques. D'abord haut-lieu du chiisme sous les Fatimides, la mosquée-université devint, après la prise du pouvoir par Saladin, le centre de théologie de la doctrine sunnite orthodoxe, le "Vatican de l'Islam" comme on l'appelait en Occident, afin de mieux illustrer l'importance qui était la sienne dans le monde musulman. Mais à l'encontre du pape, le cheikh d'el Azhar ne prétend pas être l'autorité suprême et infaillible en matière de religion.

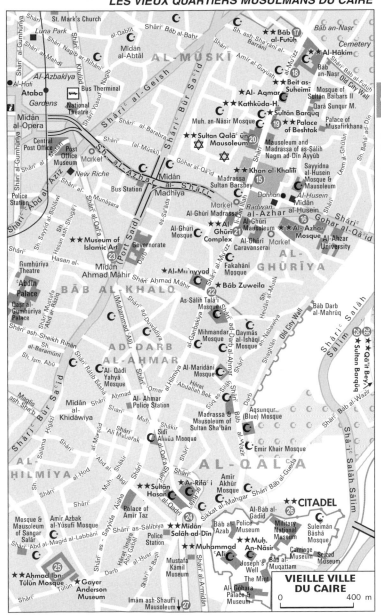

VIEILLE VILLE DU CAIRE

0   400 m

Le Caire **3**

Jusqu'en 1961, on n'enseignait à l'université que la théologie, la science islamique, le droit islamique (*Shar'îah* en arabe), et l'arabe. On y a ajouté aujourd'hui des facultés de sciences économiques, de commerce, de médecine, de pharmacie, d'ingénierie, d'agronomie, de sciences naturelles et de sciences humaines. Toutefois même si un étudiant choisit de faire des études profanes, il devra obligatoirement suivre des cours de théologie et de *shar'iah*, et passer un examen dans ces matières. Il y a actuellement plus de 100 000 étudiants pour 4000 professeurs, et l'université s'est ouverte aux femmes en 1964. Pour s'y inscrire, un baccalauréat (diplôme de fin d'étude) est exigé, qui doit être passé dans l'une des nombreuses écoles el-Azhar du pays. Les étudiants étrangers commencent par une année d'études préparatoires où l'arabe, l'anglais et les disciplines islamiques constituent néanmoins les disciplines principales.

Au cours des siècles, la mosquée el-Azhar, dont le nom signifie "la splendide", fut souvent remaniée et restaurée. Les plans montrant les fondations et les différentes étapes de sa construction sont exposés à l'entrée. On pénètre dans cette superbe mosquée surmontée de trois minarets par la **porte des Barbiers** (où un barbier, paraît-il, se chargeait autrefois de tondre la tête des étudiants).

À gauche se trouve la **bibliothèque** qui compte pas moins de 60 000 manuscrits ; comme pour le bâtiment de droite, sa première destination, au XIVᵉ siècle, était celle d'une *medresa*, d'une mosquée-collège. Un portail décoré de ciselures de pierre s'ouvre sur la cour centrale, dont la disposition remonte à la construction fatimide du XXᵉ siècle. Les médaillons et les lambris en arcs persans qui ornent les colonnes du pourtour ne sont, en revanche, que du XIIᵉ siècle. Le portail lui-même, tout

Ci-contre : une soirée en musique.

comme le minaret qui le surplombe de toute sa hauteur, sont l'œuvre du sultan Qâytbây en personne (1469).

À la cour succède la salle de prière couverte, qui apparaît comme une succession de colonnades immense. Le *mihrâb*, placé sur l'axe médian, indique les limites de l'ancienne salle à 5 nefs, telle qu'elle fut conçue par le fondateur Gawhar. Ce n'est qu'au XVIIIᵉ siècle que la salle de prière fut agrandie vers l'est : pour ce faire, 4 nefs supplémentaires y furent ajoutées. Si la plupart des cours ont lieu désormais dans les bâtiments modernes de l'université, on peut encore parfois apercevoir des étudiants assis en demi-cercle autour de leur professeur comme cela se faisait déjà il y a presque mille ans.

⋆⋆Entre Bâb el-Futûh et Bâb Zuwaylah

Les plus beaux monuments du quartier du bazar sont tous situés sur la **Sh. Mu'izz li-Din-Illah**, ancienne avenue de prestige de la capitale fatimide Al-Qâhira qui mesurait autrefois 15 m de large. En 1087, le vizir Badr el-Gamâli fit construire autour d'El-Qâhira une nouvelle enceinte, plus grande que la muraille de brique initiale. C'est la première construction monumentale en pierre de l'Égypte islamique dont on peut toujours admirer les portes de ⋆⋆**Bâb el-Futûh** ⑰ ("la porte des conquête") et **de Bâb en-Nasr**, reliées par 600 m de remparts. La première porte (un escalier mène sur les remparts) offre une vue magnifique sur les minarets de la ⋆⋆**mosquée el-Hakim** (1013). Les bulbes côtelés qui les coiffent ont valu à ces minarets, très populaires jusque dans les premières années de la période mamelouke, le surnom de "moulins à poivre fatimides". Leurs bases massives, en forme de trapèze, ont été ajoutées ultérieurement afin de les renforcer. Depuis la fin des travaux de restauration, financés par une secte indienne, la mosquée des califes fati-

mides a retrouvé tout son éclat d'antan. Des dalles d'albâtre, d'un blanc brillant, recouvrent le carré de la vaste cour qui est entourée d'arcades couvertes, à plusieurs nefs.

À quelques pas de là, sur la gauche, on découvre l'une des plus belles demeures privées du Caire de l'époque ottomane : le ★★**Beit Suhaymi** ⑱ (XVIIe siècle) qui fut entièrement restauré après le séisme de 1992. Parmi les pièces encore en partie meublées, ce sont les pièces de réception, le harem et les bains qui sont les plus intéressants.

De retour sur la Shâri Mu'izz li-Din Allah, on remarquera sur la gauche la façade superbement décorée de la ★**mosquée el-Aqmâr** (1125). Constituant l'un des rares édifices qui subsistent de l'époque des Fatimides, elle joue un rôle clé dans l'art islamique. Tous les éléments ornementaux de la façade étaient des créations qui allaient bientôt appartenir au répertoire classique des sculpteurs sur pierre : niches en forme de coquillages à côtes rayonnantes, ornées d'un médaillon central ou flanquées de colonnettes, frise gravée d'inscriptions tirées du Coran, et encorbellements à stalactites.

Peu après, à l'angle de la rue principale et d'une ruelle partant vers le nord, on découvre le ravissant ★★**sabil-kuttâb d'Abd ar-Rahmân Katkhûda**, construit en 1744. Un *sabil-kuttâb* représente la combinaison d'une fontaine publique (au rez-de-chaussée) et d'une école coranique (au 1er étage). C'était, à l'époque des Ottomans, la forme la plus courante de donation religieuse. La pièce qui abrite la fontaine est revêtue de carreaux bleus de Syrie. On remarquera, au centre de l'ensemble, la reproduction de la Grande Mosquée de la Mecque, avec le cube noir de la Kaaba.

Tout proche, le magnifique ★★**Palais de l'émir Beshtâq** ⑲ (1339) constitue l'un des rares exemples d'architecture mamelouke profane ; il vient d'être brillamment restauré. L'entrée donne sur une des ruelles adjacentes.

Juste en face du palais, se dresse un complexe architectural d'envergure, hérissé de trois coupoles et de trois minarets. Le premier édifice de l'ensemble, le ★**mausolée du sultan Barqûq**

(1386), ne devint pas, comme il devait en être le cas, la dernière demeure du sultan, dont le fils transféra finalement la dépouille dans une mosquée beaucoup plus importante de la nécropole, au nord de la ville. Quoi qu'il en soit, les portes de ce mausolée sont remarquables avec leur placage de bronze et leurs motifs étoilés damasquinés d'argent. Devant le mausolée bien restauré qui renferme la tombe d'une fille du sultan se trouve la *medresa*, de plan cruciforme. Le très beau plafond de bois peint de la nef repose sur 4 piliers de porphyre antiques.

La **mosquée** adjacente (1304) est celle du **sultan Muhammad an-Nâsir**. Si les salles intérieures sont généralement fermées au public, on peut cependant admirer de la rue les arabesques de pierre du minaret, finement ouvragé.

On ne manquera pas, en revanche, de visiter le **★★mausolée du sultan Qalâwûn** ⑳, érigé par le souverain entre

Ci-dessus : le minaret de la mosquée Muhammad an-Nâsir. Ci-contre : l'entrée du mausolée du sultan Qalâwûn.

1284 et 1285, en même temps qu'une medresa et qu'un hôpital. Derrière la façade grise monumentale, dont on ne perçoit pas toujours, au premier regard, le bel agencement, se cache l'un des édifices islamiques les plus prestigieux du Caire. Un grand portail ouvre sur un corridor obscur d'où part, tout d'abord, l'accès à la cour intérieure de la medresa qui, malheureusement, n'est pas en très bon état. Quelques pas vous conduisent ensuite à un atrium agrémenté de quatre colonnes provenant de l'Antiquité. L'entrée du tombeau lui-même est couronnée d'un arc en ogive, magnifiquement décoré de stucs, et elle est fermée par la grille de bois d'une porte *mashrabiya*. Celle-ci est considérée comme l'un des plus anciens exemples de ce type d'architecture, caractérisée par des entrelacs de bois finement ciselés, que l'on trouve partout au Proche-Orient. À l'origine, ces grilles de bois avaient pour fonction de garantir une ombre rafraîchissante aux jarres d'argile remplies d'eau. De là vient d'ailleurs le nom de *mashrabiya* dont la traduction littérale est : "qui appartient à la fontaine".

Le mausolée abrite la plus grande grille moucharabieh de la capitale égyptienne (17 m sur 4 m), qui entoure les sarcophages du sultan et de son fils Muhammad an Nâsir. La haute salle carrée est plongée dans une pénombre pleine de mystère, soulignée par le jeu de couleurs que produisent les vitraux. La coupole centrale repose tel un baldaquin sur quatre colonnes et quatre piliers massifs, dont les arcades superbement ouvragées se rejoignent pour former un octogone. Les murs sont tapissés de marbre de différentes couleurs, ornés de panneaux de pierre rehaussés d'incrustations polychromes, ainsi que de frises aux inscriptions dorées à l'or fin. Le *mihrab* (niche destinée à la prière) est divisé par des rangées de colonnes d'albâtre, et revêtu d'une mosaïque aux couleurs scintillantes. La diversité et la richesse des ornements de

Le Caire 3

ce mausolée donnent un bon aperçu de la somptuosité des monuments mamelouks aujourd'hui disparus.

À la sortie de la mosquée, l'attention est attirée par des curiosités plus profanes. Le labyrinthe de ruelles du Khân al Khalili débouche en effet ici, abritant de nombreux stands de bijoux ; un peu plus loin, on découvrira les cuivres et les laitons bien astiqués du souk des batteurs de cuivre qui étincèlent au soleil.

La **medresa du sultan Ashraf Barsbay** (1425), qui se dresse au croisement de Sh. Muski et de Sh. Mu'izz li-Din Illah, domine le marché aux épices, où l'on peut acheter en toutes saisons des épices exotiques et des parfums à brûler. Si le bâtiment apparaît quelque peu délabré, on peut encore y admirer les décorations bleu et or du plafond, la frise d'inscriptions et une chaire comportant de très belles incrustations.

Au delà de l'artère centrale Sh. el Azhar, la Sh. Mu'izz li-Dîn-Illah mène au pittoresque marché aux étoffes, auquel on accède par le **★★El-Ghûri Complex** ㉑ dont les orgueilleux monuments mamelouks forment une porte monumentale. : à droite, la **medresa**, à gauche, le **mausolée du sultan El-Ghûri** (1503-1505). La medresa d'El-Ghûri est remarquable pour son minaret, haut de 65 m et surmonté de cinq coupoles miniatures. Aujourd'hui encore, l'intérieur reflète la splendeur de jadis ; les arcs en accolade, richement décorés, des quatre salles qui ouvrent sur la cour centrale, retiennent particulièrement l'atention, de même que la muraille est, joliment lambrissé, et le mihrab (niche à prières). Le mausolée, situé en face, héberge aujourd'hui un centre de formation pour adultes. Il faut absolument aller admirer le dôme et la coupole ; restaurée avec goût, elle est désormais utilisée comme bibliothèque.

Si vous disposez d'un peu de temps, le **caravansérail d'El-Ghûri**, à une centaine de mètres seulement à l'est du mausolée, mérite certainement une visite. Aujourd'hui, des œuvres d'artisanat contemporain sont exposées dans les salles spacieuses de cet ancien entrepôt et hôtel pour marchands du Moyen Âge.

Autrefois, la rue qui sépare la *medresa* du mausolée était couverte et abritait les magasins des marchands de soie. Aujourd'hui encore, les ballots d'étoffes multicolores s'entassent ici, même si le coton et les tissus synthétiques brillants ont peu à peu remplacé la soie. En suivant la rue vers le sud, on passe devant des boutiques très pittoresques : à droite, celle d'un fabricant de fez, métier devenu rarissime, et un peu plus loin un entrepôt de sacs de coton brut. Et en s'aventurant dans les ruelles latérales à gauche, on trouvera toutes sortes d'échoppes traditionnelles et même les ateliers paisibles des charbonniers, qui font le charbon de bois pour les narguilés.

Visible de loin, la ***Bâb Zuwayala** ㉒, au bout de la Sh. Mu'izz li din-Illâh, est la troisième des portes encore existantes sur les 60 initialement élevées par les Fatimides et reliées par un mur d'enceinte. Elle est désormais couronnée par les deux minarets de la **mosquée el-Mu'ayyad** ; ce sultan mamelouk (1412-1421) choisit un décor architectural très imposant pour servir de cadre à sa mosquée. Le porche de la salle de prières est particulièrement digne d'intérêt, orné de stalactites, d'arabesques et d'inscriptions coraniques, et fermé par un lourd portail de bronze. La nef de cette Grande Mosquée est flanquée du mausolée du sultan et de sa famille, dont on pourra admirer les somptueuses incrustations de marbre et le plafond de bois polychrome. Du sommet des minarets et du rempart, on admirera un panorama très étendu. Mais cette vue d'ensemble ne réserve pas seulement d'heureuses surprises : nulle part ailleurs, l'état de dégradation avancée dans lequel se trouve la vieille ville n'apparaît aussi nettement, malgré toutes les restaurations.

Au-delà de la Bâb Zuwayla, la Sh. Mu'izz li Din Illah se prolonge par la charmante **ruelle**, d'aspect médiéval, des **fabricants de tentes**, où sont assemblées et cousues, encore aujourd'hui, les tentes d'apparat multicolores. En tournant à droite juste après la porte, on arriverera rapidement au **Midân Ahwad Maher** qui abrite le Musée d'Art Islamique.

Le ****Musée d'Art islamique**

Les salles soigneusement ordonnées du ****Musée d'Art islamique** ㉓ présentent une large sélection de pièces provenant d'une immense collection comptant plus de 80 000 objets originaires en majorité d'Égypte, mais aussi de Turquie et de Perse. L'originalité de l'art islamique se situe dans son caractère religieux qui interdit toute représentation d'êtres humains ou d'animaux. Toutefois, la rigueur de cet interdit n'a pas étouffé l'imagination créatrice des artistes musulmans, qui s'est concentrée autour d'un certain nombre de thèmes. Il n'existe peut-être pas, quelques exceptions mises à part, de sculpture ni de peinture figurative, mais le génie des tailleurs de pierre et des calligraphes a permis de créer un univers d'images d'une toute autre dimension. Les artistes islamiques ont su cultiver à l'extrême l'art de l'ornementation et des formes décoratives à partir de structures géométriques et de modèles végétaux. L'écriture arabe elle-même, avec ses formes gracieuses, ses caractères élancés, possède un grand potentiel décoratif et constitue une source inépuisable d'inspiration pour les créateurs. L'art de la calligraphie tire sa signification du contenu religieux des textes sur lesquels il s'appuie, en général des versets du Coran ou de brèves formules de bénédiction.

L'une des particularités les plus fascinantes de l'art islamique réside dans la perfection avec laquelle il combine les entrelacs les plus compliqués avec les surfaces nues, un principe de composition que l'on retrouve sous une

Ci-contre : vue sur la vieille ville musulmane et la citadelle.

forme très achevée aussi bien dans les détails que dans l'architecture d'ensemble. Derrière la marquetterie et la ronde-bosse, l'architecture arrive en tête des arts plastiques, mais que serait-elle, elle-même, sans les ornements de stuc, les incrustations, les sculptures sur pierre et sur bois ?

En faisant la somme des pièces exposées au Musée de l'Art islamique, et de tous les trésors exposés dans les mosquées, on peut se rendre compte du décor raffiné que possédaient autrefois les bâtiments islamiques. Outre de nombreux éléments architecturaux, ce musée contient des lampes de mosquées et des chevalets à Coran d'une grande valeur, des meubles aux incrustations précieuses, des cuivres, des bassins de marbre, de superbes ouvrages de moucharabiehs, des céramiques, ainsi qu'une prodigieuse collection de tapis, exposés au premier étage.

**Autour de la citadelle

Pour visiter la citadelle et les mosquées alentour, l'idéal est de choisir comme point de départ le **★★Midân Salâh ed-Dîn 24**. Vu depuis le terre-plein central de la place, le cadre est exceptionnel : la coupole de la **mosquée de Méhémet Ali** émerge par-dessus les puissantes tours rondes de la **porte Bâb el-Azab** et des murs fortifiés de la citadelle ; de l'autre côté de la place, deux mosquées monumentales se font face, la **medresa du sultan Hassan** (1363) à gauche, et à droite la **mosquée Ar-Rifa'î** (1905), au style imité de la première. À droite, on peut voir les pierres rouges et blanches de la **mosquée de Mahmûd Pacha** (1568) et, légèrement en recul, la **mosquée d'Amir-Akhûr** (1503).

Nous vous recommandons de commencer les visites par la **★★medresa du sultan Hassan**, qui passe pour l'un des chefs-d'œuvre de l'architecture mamelouke. Le portail monumental est surmonté d'une voûte décorée d'une cascade de stalactites et s'ouvre sur un vestibule très haut, dont la pénombre ne doit pas vous masquer le très bel agencement. Au bout d'un corridor obscur, on débouche dans une somptueuse cour

intérieure, entourée en carré des 4 salles, les *îwâns*, formées par des arcs. Chaque *îwân* représente l'une des quatre écoles de droit orthodoxe de l'Islam sunnite. Dans chacune d'elles, des érudits enseignaient dans cette tradition. Derrière, plusieurs étages abritent les pièces d'habitation des maîtres et des élèves, et les salles d'étude. Ces mosquées-écoles, appelées *medresa* (école) furent crées par le sultan Saladin pour y enseigner la théologie, afin de combattre l'hérésie chiite des Fatimides et de les éliminer par l'enseignement religieux.

Le plan cruciforme de l'édifice, auquel s'ajoute en général le mausolée du constructeur, est exigé par la présence des quatre écoles de droit. Le faste un peu ostentatoire de la mosquée reste toujours de bon goût, qu'il s'agisse des incrustations en marbre polychrome du sol ou des *iwâns*, de la mosaïque dorée

Ci-dessus : une question de vitesse - deux mondes aux mœurs différentes. Ci-contre : le Midân Salâh ad-Dîn, un ensemble architectural éblouissant.

étincelante du mihrab, ou des lourdes portes de bronze martelé, d'or et d'argent, qui mènent au mausolée du sultan. La frise décorative, portant un texte du Coran en kûfique, est du plus bel effet. Le caveau, surmonté d'une coupole, renferme le sarcophage, au demeurant inutilisé, du sultan, et un superbe cheva'let à Coran.

La ★**mosquée Ar-Rifa'i** voisine mérite également une visite. Elle abrite les tombeaux de la famille du Khedive Ismaïl, du roi Fouad et du Shah d'Iran, Reza Pahlevi, mort en exil. Les dimensions de la mosquée et le luxe de la décoration sont vraiment impressionnants.

Avant de monter jusqu'à la citadelle et dans la mesure où les travaux actuels le permettent, on ne manquera pas d'aller admirer la ★★**mosquée d'Ibn-Tûlûn** ㉕ (876-879), sise à proximité, et édifiée par le gouverneur turc Ahmad Ibn Tûlûn pour être le centre de sa capitale. Rien d'ostentatoire ni de spectaculaire ici, mais la grandeur et la sobriété de l'ordonnance, la pureté de la décoration, en font une des plus belles mos-

quées du Caire. Elle est aussi un bel exemple de la conception classique de la mosquée, qui ne se veut pas un sanctuaire mais un lieu de réunion pour les croyants. Le plan caractéristique, comprenant une vaste cour entourée d'une galerie protégée du soleil, s'inspire de la maison du prophète Mahomet qui invitait chez lui ses partisans à une prière commune.

Le point central de la cour spacieuse de la mosquée d'Ibn Tûlûd est constitué par la fontaine, entièrement reconstruite lors de sa restauration en 1296. Les arcades de la galerie reposent sur des piliers avec trois, ou plus exactement cinq nefs, dans l'aile principale. Des six *mihrâbs* de la mosquée, le plus somptueux est en forme d'abside, revêtu de marbre et de mosaïque dorée. Les entrelacs en filigrane des arcades en ogive et les 128 fenêtres découpées en motifs chaque fois différents témoignent de la maestria des sculpteurs. Le minaret en spirale de 40 m de haut rappelle dans son originalité celui de la Grande Mosquée de Samarra, dont Ibn Tûlûn s'est inspiré pour la réalisation de son édifice. De-

puis le minaret, on jouit d'une très belle vue sur le mur d'enceinte de la mosquée, couronné de créneaux, et sur la ville en général.

À côté de l'entrée, un panneau indique la direction du ★**musée Gayer-Anderson**. Ces deux maisons privées des XVIe et XVIIe siècles, très bien restaurées, reflètent le raffinement des habitations d'autrefois.

Si l'on souhaite se rendre à pied à la ★★**citadelle** 26, on partira du Midân Salâh ed-Dîn, on remontera la rue située à l'est de la place jusqu'à la porte Neuve, la **Bâb el-Gedid** (qui ne date que de Méhémet Ali), et on tournera enfin à droite pour pénétrer dans la forteresse. C'est le sultan Saladin qui entreprit la construction de la citadelle en 1176, achevée 45 ans plus tard sous le règne de son neveu Al-Kâmil. Des troupes y étaient stationnées jusqu'en 1984. Les salles de l'ancienne prison d'État abritent aujourd'hui un **musée de l'Armée et de la Police**.

Le monument-emblème de la citadelle et peut-être même du Caire est la ★★**mosquée de Méhémet Ali**, édifiée

par le sultan dans le style ottoman (1830). Son surnom très évocateur de "mosquée d'albâtre" n'est pas usurpé, l'édifice étant en effet entièrement recouvert de cette pierre de valeur. Le mausolée à coupole du sultan fait suite à la cour intérieure, agrémentée de portiques et entourée d'une galerie. Malgré l'ornementation pour le moins chargée qui était à la mode à cette époque, ce bâtiment souvent peu apprécié des spécialistes de l'histoire de l'art n'est pourtant pas dénué de charme. La tour et son horloge qui se dressent sur la façade ouest de la cour font néanmoins figure de curiosités. Il s'agit en effet d'un cadeau du roi de France Louis-Philippe, offert pour compenser la perte de l'obélisque de la place de la Concorde à Paris.

La citadelle demeura la résidence des sultans d'Égypte jusqu'à la conquête par les Ottomans en 1517. Malheureusement, ses superbes palais et ses mosquées ont presque tous disparu et on ne découvre plus aujourd'hui que la ****mosquée de Muhammad an Nasir** (1334), dont la coupole d'un vert scintillant et les minarets décorés de faïences trahissent une influence persane. Le légendaire **puits de Joseph**, situé au dos de la mosquée et profond de 90 m, date de l'époque de Saladin ; il assurait l'alimentation en eau de la citadelle.

Une vaste place s'étend au sud de la mosquée de Méhémet Ali, elle est bordée par le **palais Gôhara** construit sous l'égide du même Méhémet Ali. L'aile ouest, ouverte aux visiteurs, recèle d'innombrables peintures, meubles et porcelaines datant de l'époque des sultans. La terrasse panoramique située devant l'entrée offre une vue circulaire étonnante sur toute la ville. Par temps clair, on peut même apercevoir les pyramides.

La **nécropole

Au pied des collines du Muqqatam, au sud et à l'ouest de la citadelle, s'étirent sur plus de 6 km les plus vastes cimetières de tout le monde musulman.

Ci-dessus : rencontre de deux mondes à la périphérie du Caire.

Des centaines de coupoles et de minarets s'élèvent sur les mausolées des sultans et des hauts dignitaires ; constructions plates ou rangées de simples sarcophages murés caractérisent les tombes plus ordinaires. En longeant la nécropole par la grande tangente nord-sud, **Sh. Salâh Salem**, on remarque avec étonnement que cette ville des morts s'avère des plus animées.

Les autobus et les voitures circulent dans les rues au même titre que les charrettes à âne chargées du ramassage des ordures, et les lignes électriques et les antennes de télévision indiquent clairement que le XXᵉ siècle a fait son entrée ici aussi. Les tombeaux sont habités et même depuis longtemps, puisque déjà au Moyen Âge il y avait des logements pour héberger les pèlerins, les gardiens et les régisseurs des grands mausolées. Mais depuis les années 1920, la crise du logement et l'exode rural ont fait de la nécropole un bidonville surpeuplé. On estime que près de 300 000 personnes y vivent actuellement, de petits ateliers et des magasins s'y sont montés également, et de larges secteurs possèdent même l'eau courante et l'électricité.

Pour visiter les monuments intéressants de la nécropole, la meilleure solution est certainement de louer un taxi pour une demi-journée. Au sud de la citadelle s'étend la zone la plus ancienne et la plus abîmée de la nécropole, celle dite des **tombeaux mamelouks**. Toutefois, le **mausolée de l'Imam ash-Shâfi'i** ㉗ (1211) est exceptionnellement bien conservé et décoré ; il a fait l'objet de plusieurs restaurations au cours des siècles. Ce bel édifice à coupole est toujours un haut lieu de pélerinage, car l'Imâm, fondateur de l'une des 4 écoles orthodoxes, est vénéré comme un saint homme de l'Islam.

À proximité immédiate se dresse le **mausolée de Méhémet Ali** dont la famille est enterrée ici, reposant dans des sarcophages de marbre admirablement décorés. À quelques kilomètres plus au nord, à peu près à la hauteur de la mosquée ElAzhar, s'élèvent les **tombeaux des califes**, nom impropre donné par les voyageurs venus visiter l'Orient au XVIIIᵉ siècle pour désigner les magnifiques mosquées funéraires mameloukes du nord de la nécropole.

Mais le plus beau monument de la nécropole, et l'un des fleurons de l'architecture islamique du Caire, reste sans conteste la ****mosquée de Qâytbây** ㉘, qui s'élève non loin de là. Elle faisait partie d'un ensemble très important, comprenant un couvent de derviches, des habitations et des logements pour le personnel. Derrière la façade à l'ornementation très riche, on accède à la madrasa et au mausolée du sultan (1468-1496), dont la décoration faite de sols de marbre, de marqueterie, d'incrustations, de fenêtres aux vitres multicolores et de mosaïques dorées dans le mihrâb, est d'un luxe inouï. C'est du toit que l'on pourra le mieux admirer l'harmonie des sculptures de la coupole en pierre du tombeau, entrelacs d'arabesques florales et de dessins géométriques.

La ***mosquée du sultan Barqûq** ㉙ (1411) compte également parmi les monuments les plus intéressants de cette partie du cimetière. C'est en montant sur le toit et le minaret de l'aile ouest que l'on a le plus beau coup d'œil sur cette mosquée à portiques impressionnante et toutes les magnifiques coupoles de cette partie du cimetière. L'aile-est, remarquable pour son mihrâb et une belle chaire de pierre, est entourée de chaque côté des mausolées du sultan et de sa famille. Les coupoles de pierre agrémentées à l'extérieur de rainures en zigzag, sont peintes à l'intérieur de motifs géométriques d'un très bel effet.

LES **PYRAMIDES DE GIZEH (GIZA)

À l'ouest du Caire, à l'endroit où le Sahara rejoint la vallée du Nil, s'étend le plateau de Gizeh (Giza). C'est ici que

3

Le Caire

s'élèvent les édifices probablement les plus prestigieux et certainement les plus célèbres de l'humanité : les ****pyramides de Gizeh ❶**, édifiées par les pharaons Khéops, Khéphren et Mykérinos, vers le milieu du IIIᵉ millénaire av. J.-C. Si vous désirez visiter les pyramides en toute tranquillité, il vous faudra vous aventurer loin dans le désert ou vous lever très tôt. Le matin, à sept heures, le calme règne à Gizeh : le caravansérail, au pied des pyramides, est encore plongé dans la léthargie, alors que les pyramides et le sphinx se dressent avec majesté devant vous. Plus il sera tard, plus vous rencontrerez de monde. Mais cette effervescence de groupes d'écoliers, de touristes, de vendeurs et de chameliers a aussi son charme tout particulier.

L'Antiquité rangeait déjà les pyramides parmi les merveilles du monde. La perfection des formes et l'étonnante maîtrise technique que suggère la construction de ces géants de pierre suscitent l'étonnement et l'admiration de tous. L'atmosphère de mystère qui les entoure est largement entretenue par les innombrables histoires et hypothèses surnaturelles qui courent à leur sujet.

Cependant, les pyramides de Gizeh ne sont pas uniques en Égypte et elles ne sont pas les plus anciennes, tant s'en faut, la construction de tels tombeaux ayant commencé bien avant le règne de Khéops. Plus de 30 pyramides, datant de l'Ancien et du Moyen Empire, s'échelonnent dans le désert, entre Gizeh et Maidoum, située à 80 km plus au sud. Même si beaucoup d'entre elles ont considérablement subi les assauts du temps, c'est un paysage grandiose de pyramides que l'on découvre par beau temps, depuis Le Caire.

Ce qui n'était au départ qu'un – tumulus de sable ou de briques recouvrant l'excavation d'une tombe – prit des dimensions de plus en plus importantes au cours de la Iᵉʳᵉ dynastie, pour

Ci-contre : les énormes blocs de la pyramide de Khéphren s'élèvent vers le ciel.

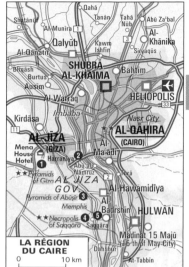

LA RÉGION DU CAIRE
0   10 km

devenir un monument de pierre taillé massif dont la façade était rehaussée de magnifiques niches. Sous l'Ancien Empire, les constructions en pierre de taille, mais dont la façade restait lisse et sobre, se généralisèrent pour les tombeaux des hauts dignitaires. Leur forme n'étant pas sans rappeler celles des banquettes arabes, on les appelle aujourd'hui *mastabas* (banquette en arabe). Les tombes royales, elles, tendaient de plus en plus à prendre des dimensions monumentales, l'aboutissement de cette évolution étant parfaitement reconnaissable à Saqqarah, où s'élève une pyramide à degrés de 60 m de haut, composée de 6 *mastabas* superposés les uns aux autres.

La transition vers la pyramide classique se fit sous le règne de Snéfrou, fondateur de la IVᵉ dynastie. L'intense activité architecturale d'alors témoigne des efforts des constructeurs pour y parvenir : ce fut tout d'abord la pyramide encore à degrés de Maidoum, puis la pyramide de Dashour, dite rhomboïdale parce qu'il fallut diminuer l'angle d'inclinaison de la partie supérieure pour

éviter qu'elle ne s'écroule, avant da- boutir à la première véritable pyramide, la pyramide rouge de Dashour. Khéops, le fils de Snéfrou, paracheva cette évo- lution avec sa pyramide de Gizeh. Le sommet était atteint avec ce chef- d'œuvre darchitecture de l'Égypte an- cienne. La pyramide de Khéphren n'est déjà plus tout à fait exacte dans ses pro- portions, et celle de Mykérinos marque le retour à des dimensions plus modes- tes.

Sous le Moyen Empire enfin, la pierre n'était plus le matériau exclusif employé dans la construction des pyra- mides ; on se contentait désormais d'entourer de calcaire poli un noyau central fait d'une armature de pierres et de briques en argile séchée. Les métho- des et les techniques utilisées pour la construction des pyramides comportent encore plus d'une énigme pour nos chercheurs. Comme les sources écrites provenant de l'Égypte ancienne ne contiennent aucune indication à ce

Ci-dessus : il garde son mystère depuis des millénaires – le grand sphinx de Gizeh.

sujet, on en est toujours réduit aux hy- pothèses, et elles sont nombreuses. Concernant la construction des deux grandes pyramides de Gizeh, les recher- ches les plus récentes proposent la théorie suivante : le sol était d'abord ni- vellé autour d'un noyau rocheux exis- tant ; sur ce plateau parfaitement plan, on dessinait le tracé de base de la pyra- mide, puis on creusait les salles souter- raines du caveau. On terminait en mu- rant le noyau initial avec des pierres dis- posées horizontalement que l'on habil- lait en même temps de calcaire blanc poli. On prenait les pierres pour la cons- truction à proximité immédiate, tandis que le revêtement de calcaire blanc pro- venait de Tura, sur la rive orientale du Nil, ou même de presque toutes les car- rières du pays en ce qui concerne la py- ramide de Khéops. Les énormes blocs pesant entre 2 et 3 tonnes étaient trans- portés sur des traîneaux et des rouleaux puis hissés sur des rampes. On ne sait pas encore très bien comment ces ram- pes étaient faites, et les avis diffèrent sur ce point. On pencherait actuelle- ment pour un système de rampes dispo-

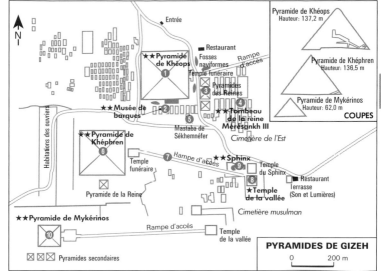

sées parallèlement à l'un des côtés, prenant appui sur lui, et que l'on rallongeait au fur et à mesure des besoins de la construction. Les rampes étaient remplacées par un escalier dans le dernier tiers de la pyramide, et les systèmes de leviers dont parle Hérodote devenaient alors nécessaires. Mais tandis qu'Hérodote avance le chiffre de 100 000 hommes employés à la construction des pyramides, on pense aujourdhui que 20 000 Egyptiens y travaillèrent pendant 20 ans, dont 5 000 spécialistes.

Entourées des tombeaux de la famille royale et de ceux des hauts dignitaires, les pyramides s'élèvent sur le plateau de Gizeh. La plus grande des trois est la **★★pyramide de Khéops ❶** (230,38 m de côté et 146,59 m de haut). Ayant malheureusement, comme beaucoup d'autres pyramides, servi de carrière depuis le Moyen Âge, la pyramide de Khéops ne mesure plus actuellement que 227,5 m à la base et à peine 139 m de haut, pour un angle d'inclinaison de 51° 50' 40". Le plan de base de la construction s'oriente sur les quatre points cardinaux, si bien que la diagonale suit exactement une ligne nord-est / sud-ouest, l'écart moyen ne dépassant pas 3' 40". Plus de 2 millions de blocs de pierre taillés ont été entassés pour former cette pyramide colossale dont le volume est d'environ 2,6 millions de m^3. Les 210 couches de pierre (201 actuellement) étaient revêtues de granit au pied et d'un calcaire blanc au grain très fin, au-dessus.

L'entrée, située sur la face nord et surmontée d'énormes blocs de pierre formant pignon, est restée masquée par le revêtement jusqu'au Moyen Âge. Actuellement, on pénètre dans la pyramide par un couloir, creusé par les pilleurs de tombeaux quelques mètres plus bas. Il semblerait que les voleurs aient bien connu la pyramide, car leur galerie aboutit 40 m plus loin exactement au couloir ascendant d'origine, fermé par des bouchons de granit, où prend un autre couloir qui monte jusqu'à la grande galerie.

L'accès à la **chambre inachevée**, située à 35 m sous terre, est interdit aux visiteurs, tout comme celui de la

Chambre de la reine, au pied de la grande galerie. On a longtemps cru que ces deux chambres devaient servir de chambres funéraires dans une autre phase de la construction. Il est pratiquement établi aujourd'hui que les architectes de la Grande pyramide n'en ont pas modifié les plans et que le système complexe de couloirs trouve son origine dans les conceptions religieuses de l'époque.

L'architecture monumentale de la **Grande galerie** (47 x 1-2 x 8,5m) est fort impressionnante. La maçonnerie parfaitement ajustée, de calcaire poli, est recouverte d'une voûte grandiose en encorbellement. Les cavités et les banquettes le long des deux parois servaient à ancrer les blocs de granit que l'on détachait après les funérailles, pour bloquer le système de couloirs. La galerie débouche sur un vestibule très bas de plafond, fermé autrefois par quatre herses dont une seule demeure aujourd'hui, et qui mène à **la Chambre du roi**, située à 43 m de hauteur. De dimensions imposantes (10,45 m x 5,20 m x 5,8 m), elle est entièrement habillée de granit rose et contient le sarcophage de granit, vide, car on n'a jamais retrouvé la momie de Khéops.

Il y a, étagées au-dessus de cette chambre funéraire, 5 chambres de décharge, dont la plus haute possède un toit à deux rampants. On pense que les deux conduits d'aération qui partent de chaque côté de la chambre funéraire étaient censés permettre au souverain défunt d'accéder au ciel.

Près de la face orientale de la pyramide s'élevait autrefois le **temple funéraire**, dont ne subsistent aujourd'hui que quelques dalles d'un pavement de basalte noir. C'est là, de l'autre côté de la route asphaltée, qu'aboutit la voie (partiellement recouverte de constructions) suivie par la procession funéraire qui montait du temple de la vallée. De

Ci-contre : chameliers en promenade à Gizeh.

part et d'autre des arasements du temple funéraire se trouvent deux excavations de 50 m de long. Ce sont les fosses naviformes qui recevaient les barques dans lesquelles, selon les croyances de l'Égypte ancienne, le dieu-soleil accomplissait son voyage céleste. Deux autres fosses naviformes, sur les cinq qui existaient à l'origine, subsistent encore près de la face sud de la pyramide de Khéops. On a même retrouvé dans l'une d'elles, en 1954, une barque en bois de cèdre parfaitement conservée, démontée en 1224 morceaux. Un ★★**musée du vaisseau de Rê** ❷ a été construit directement au-dessus de la fosse pour abriter la barque qui, une fois reconstituée, mesure 43 m de long et presque 6 m de large. On pense qu'elle a servi pour les funérailles du roi et peut-être porté le souverain défunt jusqu'à sa pyramide. Il a été décidé que la deuxième fosse resterait définitivement fermée.

À l'est de la grande pyramide s'élèvent les trois **pyramides des Reines** ❸, construites pour la mère et deux des épouses de Khéops. Derrière commence le **cimetière de l'est**, avec les mastabas de la famille royale et des prêtres chargés du culte des morts, qui officiaient dans les temples des pyramides. Seuls trois tombeaux sont ouverts au public : il faut absolument voir l'★★**hypogée de la reine Mérésankh III** ❹, épouse du pharaon Khéphren, pour la beauté de ses sculptures, (dans la 5e allée de tombeaux derrière les pyramides des reines).

Pour se rendre à la pyramide de Khéphren, on passe devant le **mastaba de Sékhemnéfer** ❺, prince et vizir de la Ve dynastie. Le tombeau lui-même est fermé au public, mais la façade, dont le porche est soutenu par deux colonnes et les deux statues assises du défunt, est remarquable. On reconnaît la ★★**pyramide de Khéphren** ❻ au bon état de conservation des dalles de calcaire poli qui recouvrent sa pointe. Cela, ajouté à un angle d'inclinaison un peu plus ac-

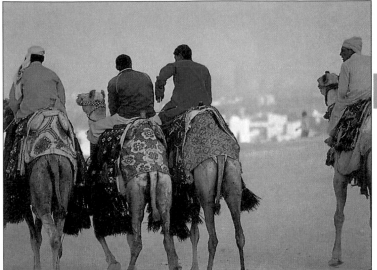

centué de 53' 10", peut laisser croire que Khéphren s'était fait construire une pyramide encore plus grande que celle de son père Khéops. En réalité, elle est un peu plus petite, avec une longueur à la base de 215,25 m et une hauteur qui était à l'origine de 143,5 m mais qui n'est plus maintenant que de 136,5 m. Le revêtement des deux strates les plus basses est en granit comme pour la pyramide de Khéops mais, dans la partie supérieure, il cède la place à la couverture de calcaire blanc brillant. C'est cette pyramide qui permet le mieux de se représenter ce qu'était hier l'ensemble des structures destinées au culte funéraire. Accolés au côté est de la pyramide, qui était entourée alors d'un couloir d'enceinte couvert de 10 m de large, s'élevaient les énormes blocs du **temple funéraire**. Celui-ci était relié par une **chaussée** 7, de 500 m de long et bordée de murs de calcaire, au ***temple de la Vallée** 8, situé en bordure des terres cultivées. Autrefois, un couple de sphinx gardait chaque porte d'entrée du temple de la vallée, dont l'architecture sobre et puissante est admirable. C'est dans une fosse creusée dans le vestibule que l'on a trouvé la fameuse statue du roi assis avec le dieu-faucon Horus (elle est aujourd'hui au Musée Égyptien). Elle faisait partie de l'ensemble des 23 statues de la salle des piliers, dont il ne reste que l'empreinte carrée des socles dans le pavement d'albâtre. 16 piliers de granit supportent le plafond de la salle en forme de T, habillée de blocs de granit. À droite, le corridor se divise pour conduire vers la pyramide, offrant une belle vue sur le grand ****Sphinx** 9 et les ruines de son temple. On a longtemps supposé que cette monumentale figure de pierre au corps de lion et à tête humaine représentait le roi Khéphren. On pense plutôt aujourd'hui qu'elle gardait l'entrée d'un temple solaire qui se dressait jadis à l'angle est du site gigantesque de la pyramide de Khéops. Entre les antérieurs de cette figure colossale de 57 m de long et de 20 m de haut, taillée dans le roc, une **stèle** relate le **songe de Thoutmosis IV**. Ce pharaon de la XVIIIe dynastie fait ici le récit d'un rêve qu'il aurait eu à l'ombre du sphinx avant d'être

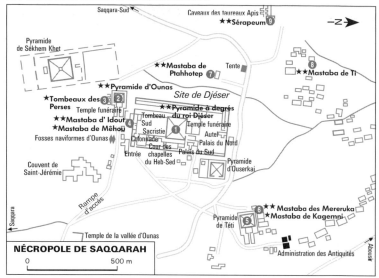

Saqqara-Sud

Caveaux des taureaux Apis
★★Sérapeum 9

→-Z→

Pyramide
de Sékhem Khet

★★Mastaba de
Ptahhotep 7

Tente

8
★★Mastaba de Ti

★★Pyramide d'Ounas

Site de Djéser

★Tombeaux des 3 2
Perses   Temple funéraire
★★Mastaba d'Idout 4
★Mastaba de Mêhoû
Fosses naviformes d'Ounas

★★Pyramide à degrés
du roi Djéser
Tombeau 1 Temple funéraire
Sud
Sacristie   Autel
Colonnade   Palais du Nord
Entrée Cour des Palais du Sud
chapelles
du Heb-Sed   Pyramide
d'Ouserkaf

Couvent de
Saint-Jérémie

Rampe
d'accès

Saqqara

6 ★★ Mastaba des Mereruka
★Mastaba de Kagemni
Pyramide 5
de Téti

Administration des Antiquités

Abousir

Temple de la vallée d'Ounas

NÉCROPOLE DE SAQQARAH

0   500 m

roi. Le dieu-soleil Harmakhis, "Horus dans l'horizon", dont le sphinx était alors l'incarnation, lui avait promis qu'il accèderait au trône, s'il libérait son image des sables qui l'ensevelissaient peu à peu.

L'importance de premier plan que prit le culte du soleil sous la IVe dynastie explique en partie le fait que le fils et héritier du roi Khéphren se soit fait construire un tombeau de dimensions beaucoup plus modestes. La **★★pyramide de Mykerinos** ⑩ ne mesure en effet "que" 66 m de haut pour un angle d'inclinaison de 51' et une base de 102,2 m x 104,6 m. Le revêtement de granit est encore visible dans son tiers inférieur, la partie supérieure étant enduite de calcaire blanc. En accédant à la chambre funéraire en 1837, on découvrit les restes d'une momie (sans doute celle de Mykerinos) ainsi qu'un sarcophage de basalte qui devait un peu plus tard disparaître, lors du naufrage du navire qui le transportait vers l'Angle-

Ci-contre : une puissante muraille entoure le site de la pyramide à degrés de Saqqarah.

terre. Trois pyramides plus petites s'alignent au sud de la pyramide de Mykerinos, tandis que quelques vestiges du temple funéraire et de la rampe d'accès subsistent encore à l'est.

LA ★★CITÉ DES MORTS DE SAQQARAH

Un véritable champ de pyramides borde le désert sur plusieurs kilomètres au sud de Gizeh. Saqqarah, à 15 km, est la plus vaste et historiquement la plus importante nécropole d'Égypte. Pour ceux qu'une chevauchée dans le désert effraie et qui préfèrent s'y rendre en voiture, il faut quitter la route des pyramides environ 1,5 km avant Gizeh et tourner à gauche en direction de Saqqarah. La route longe un canal et traverse la campagne à la physionomie encore très rurale qui entoure Le Caire. De petits villages s'étendent de part et d'autre de la route, où les maisons traditionnelles de briques crues faites avec la boue du Nil sont encore très présentes entre les constructions modernes de moellons et de briques. À l'arrière des maisons,

on peut voir les palmeraies et les rectangles verts des champs qui, côté ouest, viennent déjà buter contre le désert. Nombreuses sont aussi les échoppes des marchands de tapis, dont les façades disparaissent entièrement sous les couleurs riantes de leurs tapis. L'atelier de tissage le plus connu a été créé en 1952 dans le village d'**El-Haraniya ❷**; on doit cette initiative à Ramsès Wissa-Wassef, dont la volonté était de faire revivre les anciennes traditions de tapisserie copte.

À 4 km de Saqqarah, une route bifurque en direction d'Abousir, la nécropole royale de la Ve dynastie. Les **pyramides d'Abousir ❸** sont très dégradées, à l'exception d'un remarquable groupe de trois. Du nord au sud, on découvre successivement les tombeaux des rois Sahouré, Niouserré et le plus grand de tous, celui de Néferirkaré.

Sur une longueur de 7 km s'étend le site immense de la ****nécropole de Saqqarah ❹** qui, dès le début de la Ière dynastie, servit de cimetière à la ville de Memphis, toute proche. Sont rassemblés ici les tombeaux de 15 rois de l'Ancien Empire, mais aussi d'un grand nombre de princes et princesses, de prêtres et de hauts dignitaires, de toutes les époques de l'histoire égyptienne. Le rayonnement de cette nécropole était tel que les pèlerins y affluaient déjà au début de la XVIIIe dynastie, attirés par les monuments auréolés d'histoire et de vénération de leurs ancêtres. Le *Sérapéum*, lieu de sépulture des taureaux Apis, et enfin les cimetières d'autres animaux sacrés tels que les faucons, les ibis, les babouins et les vaches, firent de la nécropole un haut lieu de pèlerinage à l'époque ptolémaïque.

Visible de loin, la ****pyramide à degrés du roi Djéser ❶** domine toute la cité des morts. Le tombeau de ce pharaon de la IIIe dynastie (autour de 2700 av. J.-C.) compte parmi les constructions monumentales les plus anciennes de l'histoire de l'humanité ; elle a en même temps servi de modèle décisif au cours de l'évolution architecturale vers la pyramide classique. Tous les bâtiments du site de la pyramide devaient rester pour l'éternité à la disposition du pharaon, et l'on remplaça peu à peu le

bois, les roseaux et autres végétaux périssables, ainsi que les nattes et les briques, par ce matériau inaltérable qu'est la pierre.

Le tombeau royal occupe le centre de tout un complexe architectural fermé par un mur d'enceinte de 544 m sur 277 m. 14 portes sont encastrées dans la succession de redans de cette imposante muraille de calcaire, mais une seule s'ouvre sur le passage d'entrée situé à l'angle sud-est, les autres n'étant que des simulacres de porte. Une petite cour, fermée par des simulacres de vantaux taillés dans la pierre, conduit à la **colonnade**. Les colonnes cannelées, imitant des tiges de roseaux réunies en faisceaux, forment avec les murs, à leur point d'attache, 42 niches qui abritaient peut-être autrefois des statues de dieux ou de rois. Avant de pénétrer dans la vaste cour précédant la pyramide, on admirera, à droite, le simulacre de porte ouverte sculpté dans la pierre.

Ci-dessus : la pyramide à degrés du roi Djéser à Saqqarah. Ci-contre : une colonne papyriforme de la cour du palais Nord.

La **pyramide** elle-même repose sur une base de 121 m par 109, et s'élève en six gradins légèrement inclinés à une hauteur de 60 m. Toutefois, le plan initial ne prévoyait pas de telles dimensions : on commença par ériger au-dessus de la chambre funéraire souterraine un *mastaba* ne comportant qu'un seul degré, puis celui-ci fut surmonté d'une pyramide à quatre degrés au cours d'agrandissements successifs. L'étude de la structure de la maçonnerie permet de distinguer nettement les différentes étapes de la construction du *mastaba*. Le résultat de l'ultime modification est ce gigantesque édifice à six degrés, sorte d'échelle céleste en pierre, que le pharaon devait gravir pour rejoindre l'univers des dieux. Le tombeau royal proprement dit, qui n'est pas accessible au public, est un caveau muré par des blocs de granit et situé au pied d'un puits vertical de 28 m de profondeur. Dans les galeries souterraines, on ne découvrit pas moins de 40 000 récipients de pierre de grande valeur !

Devant la pyramide, à droite, se trouve le temple aux trois colonnes cannelées. La fonction de ce petit temple demeure incertaine. Peut-être servait-il de **sacristie**, où l'on entreposait les objets du culte et les vêtements d'apparat que le roi utilisait pour les cérémonies du jubilé, le *Heb-Sed*. Adossée à cette sacristie, on verra en effet la **cour des chapelles du Heb-Sed**, théâtre de pierre où était célébré le jubilé du souverain, une fête rituelle qui lui renouvelait pouvoirs et force vitale. Les semblants de monuments situés de chaque côté de la cour représentent les chapelles de Haute et de Basse-Égypte, dont les niches abritaient les statues des dieux de ces provinces.

Deux autres cours abritant des simulacres de constructions se succèdent au nord de la cour du Heb-Sed : ce sont le **palais du sud** et le **palais du nord** (colonnes en formes de papyrus), qui figuraient peut-être les salles du trône du souverain et symbolisaient son pouvoir sur les deux provinces égyptiennes de l'empire. On distingue les vestiges des blocs de calcaire poli qui revêtaient les six degrés. À l'intérieur du palais du sud, on peut voir un plafond de bois simulé dans la pierre.

En face du palais du nord, près de la pyramide, subsistent quelques maigres vestiges du **temple funéraire**, dont fait partie également **la chambre aux statues** où l'on a trouvé la célèbre statue assise de Djéser (l'original est au Musée Égyptien du Caire). Au-delà du temple funéraire, on peut se promener sur la terrasse de sable et faire le tour du site de Djéser avant d'arriver au **tombeau du mur d'enceinte sud**. La signification de cet édifice tout en longueur, qui possède les mêmes galeries souterraines que la pyramide, reste mystérieuse aujourd'hui encore. Il en est de même pour la façade adjacente et sa superbe frise de cobras.

À l'angle sud-est du site de Djéser se dresse la ****pyramide d'Ounas** ❷, dernier souverain de la Ve dynastie. Ce tombeau, qui mesurait autrefois 44 m de haut, ressemble davantage au-

jourd'hui à un tas de décombres, mais ne manquons pas la chambre du sarcophage. Les murs du vestibule et de la chambre funéraire sont littéralement recouverts de hiéroglyphes disposés en lignes verticales, chaque signe étant gravé et peint en bleu. Ounas a été le premier pharaon à inscrire ainsi les *textes des pyramides*, recueil de paroles rituelles, de formules magiques et de prières, destinées à assurer au souverain défunt son existence dans l'au-delà et son accession au monde des dieux.

Les ruines du **temple funéraire** presqu'entièrement écroulé, situé devant la face est de la pyramide, font une impression étrange. Seuls se dressent encore les piliers de granit du vieux portail, où s'achevait la voie de près de 700 m de long reliant le temple de la vallée au temple funéraire, et empruntée par les processions. Une partie de cette chaussée comportant des reliefs originaux a été reconstituée à mi-hauteur. Deux fosses naviformes de 45 m de long abritaient jadis les barques solaires du pharaon. Au pied de l'escalier qui descend du tombeau du sud à la pyramide d'Ounas, on pourra voir un grand puits, profond de 22 m, au fond duquel on distingue nettement la voûte d'un tombeau de granit. La tombe d'Amontefnakht fait partie des *tombeaux perses ❸, un ensemble de sépultures datant de la XXVIᵉ dynastie, et de l'occupation perse que l'on compte comme XXVIIᵉ dynastie. Les trois tombes situées devant la face sud de la pyramide d'Ounas ont été réunies par un couloir afin d'en faciliter la visite. Au milieu se trouve la **tombe du "médecin-chef" Psammétique**, à droite celle de son fils **Pédéèse**, et à gauche celle du grand amiral de la flotte royale, **Tjannehebou**, dont on a retrouvé la momie richement parée. Les caveaux sont ornés d'inscriptions magnifiques, copies des textes des pyramides d'Ounas. Pour s'imaginer la richesse de ces tombeaux, il faut voir le trésor d'Hekaemsaf (qui, lui, repose encore ici) au Musée Égyptien (premier étage, salle 3).

Les mastabas de l'Ancien Empire

Comme dans les cités, les *mastabas* des nobles se groupent autour des pyramides royales. Ces sortes de demeures tombales ont la forme d'un rectangle et les murs sont légèrement inclinés. La chambre funéraire renfermant le sarcophage de pierre se trouve au fond d'un puits vertical souterrain qui, après la cérémonie des funérailles, était comblé avec des pierres et de la terre et muré à jamais. L'endroit où l'on déposait, sur un autel, les offrandes pour le défunt, ressemble à une porte faite de niches articulées et fermée aux vivants. Le mort, lui, pouvait à tout moment franchir cette fausse porte pour venir se sustenter. Ce qui n'était d'abord qu'une petite chapelle accolée au côté est du *mastaba* et destinée à la célébration du culte funéraire, s'intégra avec le temps à l'édifice lui-même et prit des dimensions vrai-

Ci-contre : un cocher de fiacre attendant le client à Saqqarah.

ment plus importantes. De tous les *mastabas* de Saqqarah, seuls quelques-uns sont ouverts au public.

Le ****mastaba d'Idout** ❹, princesse de la VIᵉ dynastie, se trouve au sud du site de Djéser. Sur les dix chambres qui composent le tombeau, cinq sont ornées de séries de reliefs colorés, les autres étant des magasins. Dans le ***mastaba de Mêhou**, un vizir de la VIᵉ dynastie, les merveilleuses fresques murales sont aussi bien conservées. À quelque 500 m au nord de la pyramide à degrés, on arrive à un tertre de pierres, seul vestige de ce qui fut autrefois la **pyramide de Téti** ❺ (VIᵉ dynastie). Face au tombeau royal s'alignent les tombes des notables. La plus célèbre, le ****mastaba de Mérérouka** ❻, tint lieu de sépulture au vizir et à sa famille. Les reliefs ne sont pas de qualité égale dans les 32 salles, mais les chambres principales sont décorées avec soin. La chambre du culte, soutenue par six piliers, possède une statue du Ka grandeur nature de Mérérouka, placée devant l'autel aux offrandes. Un peu plus à l'est se dresse le ***mastaba de Kagemni** qui, comme Mérérouka, exerça la fonction de vizir sous le règne de Téti. Cette tombe de dimensions considérables abrite 10 salles, dont 5 décorées de scènes très intéressantes.

Une grande tente dressée au nord-ouest de la pyramide de Djéser vous permettra de vous rafraîchir. Des ânes, chevaux, dromadaires, et pour les non-cavaliers de petites voitures, attendent ensuite les moins vaillants ; pour le prix, le marchandage est de mise.

Le ****mastaba de Ptahhotep** ❼ (Vᵉ dyn.) n'est plus très éloigné, dont la visite de la chapelle du culte restera un des moments forts d'un passage à Saqqarah. Les reliefs inachevés du couloir d'entrée donnent de surcroît un excellent aperçu des techniques utilisées par les graveurs de pierre. Le ****mastaba de Ti** ❽ (Vᵉ dynastie), niché au fond d'une cuvette de sable un peu, est orné de bas-reliefs comptant parmi les plus

beaux de toute l'Égypte ancienne. Les murs de la chapelle du culte présentent le cycle complet des travaux des champs, depuis les semailles jusqu'à la récolte. Des scènes d'activités artisanales (construction d'un bateau, ateliers d'un sculpteur, d'un ébéniste) se succèdent du mur est au mur sud. Des fentes dans le mur sud permettent de voir le Ka de Ti (l'original est au musée). Les scènes de boucherie sont destinées à l'alimentation du défunt que l'on voit ici prendre un repas. Deux fausses portes dans le mur ouest permettent de situer l'autel, vers lequel se dirigent les porteuses d'offrandes qui figurent sur le mur nord. C'est au-dessus des silhouettes graciles de ces femmes que l'on découvre la scène la plus célèbre du tombeau : Ti dans sa barque au milieu des papyrus.

La ** nécrople des taureaux Apis

Lorsqu'on se rend au mastaba de Ti, un auvent de béton protègeant du sable et du vent les statues des poètes et des philosophes grecs rappelle l'allée de sphinx longue de plusieurs kilomètres qui partait autrefois des terres arables, traversant l'ensemble de la nécropole. De là partait également une belle route pavée en direction du ****Sérapeum 9** tout proche.

Lorsque le dieu Sérapis fut introduit en Égypte au début de l'ère ptolémaïque, le culte du taureau Apis y existait déjà depuis des millénaires. À Memphis, où il était adoré en tant qu'"âme du dieu Ptah" et dieu de la fertilité, son temple hébergeait en permanence un taureau vivant, incarnation d'Apis. A sa mort , le taureau du temple devenait Osiris-Apis et on l'enterrait en grande pompe à Saqqarah.

La similitude des noms favorisa la fusion en une divinité unique de Sérapis, dieu à figure humaine, et d'Osiris-Apis. Or le temple funéraire (aujourd'hui presqu'entièrement détruit) et les sépultures des taureaux de Saqqarah devinrent le principal lieu du culte de ce dieu, fréquenté par de nombreux pèlerins. Les premières chambres funéraires furent construites sous le règne d'Aménophis III au cours de la XVIIIe dy-

nastie. Le prince Khâmounas, fils de Ramsès II et grand-prêtre de Memphis, réalisa la première galerie. Les catacombes datent de la XXVIᵉ dynastie. Les parois du grand souterrain (340 m de long) sont creusées de chambres dans lesquelles on découvrit les 29 sarcophages de pierre de 69 tonnes chacun, qui avaient tous été pillés.

MEMPHIS

La cité royale ensevelie

Il serait dommage de ne pas profiter de la visite de Saqqarah pour se rendre à **Memphis** ❺, au milieu d'une palmeraie près du village de Mitrahina.

Durant plus de 3 000 ans, Memphis fut l'une des principales villes d'Égypte : "la balance des deux pays", à la jonction de la Basse et de la Haute Égypte. Fondée vers 3000 av. J.-C. par Ménès, premier pharaon de la Iᵉʳᵉ dy-

Ci-dessus : le colosse renversé de Ramsès II. Ci-contre : le sphinx d'albâtre. Ci-contre droite : effigie de Ramsès II en granit.

nastie et figure de légende, Memphis parvint toujours à garder son rang de résidence royale et de capitale administrative.

Memphis vécut son apogée sous l'Ancien Empire, même si les rois de la IVᵉ et de la Vᵉ dynastie résidaient dans les palais de la ville de leurs pyramides, à Gizeh et Abousir. Les troubles de la Première Période Intermédiaire coûtèrent à Memphis son rang de capitale. Mais grâce à sa situation privilégiée et à son passé riche de traditions, la vieille cité royale ne tomba jamais dans l'oubli, et devint au contraire une métropole, avec laquelle seule Babylone pouvait prétendre rivaliser dans tout l'Orient antique.

Avec la fondation d'Alexandrie, l'étoile de Memphis commença à pâlir, bien que son statut de ville royale lui conservât longtemps l'estime de la population. Mais le développement du christianisme eut finalement raison de la métropole païenne qui sombra dans l'insignifiance, avant que la fondation de Fustât ne sonne le début du pillage architectural de la ville. Des siècles de

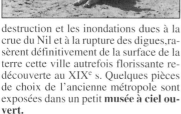

destruction et les inondations dues à la crue du Nil et à la rupture des digues, rasèrent définitivement de la surface de la terre cette ville autrefois florissante redécouverte au XIXᵉ s. Quelques pièces de choix de l'ancienne métropole sont exposées dans un petit **musée à ciel ouvert.**

À droite de l'entrée de ce musée, protégé par une construction en béton, gît le **★★colosse de Ramsès II**. Cette statue de calcaire qui mesurait 13,5 m à l'origine mais qui n'en fait plus que 10,5, montre le pharaon revêtu de ses habits et ornements royaux : le pagne plissé et le classique cache-perruque royal à rayures, dont le bandeau frontal est surmonté d'un puissant cobra de pierre, dressé, devant détruire de son haleine embrasée les ennemis du roi. La barbe royale de cérémonie est fixée à son menton, une fausse barbe qui fait partie des attributs royaux de Pharaon, au menton toujours rasé. La couronne, elle, a été détruite. Les cartouches royaux sont gravés sur le pectoral magnifiquement travaillé, les bras et la boucle du ceinturon. L'ovale du cartouche renferme deux des cinq noms attribués au pharaon. Une seconde statue de Ramsès II a été transportée au Caire en 1954 et érigée devant la gare, tandis qu'un troisième colosse récemment relevé domine le site de sa silhouette imposante.

Le centre du musée est occupé par un beau **★★sphinx d'albâtre**. Cette statue de 4,25 m de long et de 8 m de haut ne porte aucune inscription, mais son style évoque la XVIIIᵉ dynastie. Peut-être le roi Aménophis II fit-il placer ce sphinx devant le temple du dieu Ptah, afin qu'il serve de gardien. Sa situation correspond en effet à celle du temple consacré à la divinité principale de la ville, dont faisaient partie les colosses de Ramsès.

De l'autre côté de la route (attention en traversant), on aperçoit les murs de fondation des **chambres d'embaumement des Apis**, où ont subsisté de belles tables d'embaumement d'albâtre (XXVIᵉ dynastie) sur lesquelles on procédait à la momification du taureau Apis, animal sacré de Ptah, avant de l'enterrer dans les caveaux en galeries de Saqqarah.

LE CAIRE (☎ 02)

Le Ministère du Tourisme édite la brochure *Cairo by night and day*, où sont indiquées les principales adresses utiles. On peut se la procurer dans tous les hôtels ou dans les agences de **l'Office du Tourisme**. Agence principale : 5 Sh. Adlî, tél. 3913454 ; à l'aéroport : tél. 667475 ; près des pyramides, tél. 3850259.

Cairoscope est un calendrier mensuel de toutes les manifestations culturelles et de toutes les distractions proposées au Caire.

La revue mensuelle *Egypt Today* comprend aussi de nombreuses adresses, un calendrier des manifestations ainsi que d'intéressants articles.

D'une manière générale, il faut toujours s'attendre à ce que certains sites soient provisoirement fermés pour travaux. Mais comme l'Égypte, plus que tout autre pays, regorge de monuments, vous trouverez toujours de quoi vous occuper.

Il y a d'excellents restaurants dans tous les hôtels de luxe : spécialités internationales et égyptiennes. En dehors de ces tables, nous pouvons vous recommander les adresses suivantes :

CUISINE ORIENTALE : **Abu Shakra**, 69 Sh. al-Qasr al-'Einî. **Arabesque**, 6 Sh. Qasr an-Nîl. **Felfela**, 15, Hôda Sha'arawî (rue adjacente à la Sh. Tal'at Harb); **Hagg Muhammad as-Samak**, Sh. 'Abd al-' Azîz (en face du grand magasin Omar Effendi). **Sofar**, Sh. Adlî. **Al-Hati**, Md. Halîm.

CUISINE INTERNATIONALE : **Carroll**, 12 Sh. Qasr an-Nîl. **Estoril**, 12 Sh. Tal'at Harb, (entrée dans le passage menant à la Sh. Qasr an-Nîl). **Paprika**, Corniche an-Nîl (à côté du bâtiment de la radio). **Rex**, Sh. 'Abd al-Khâliq Sarwat.

CAFÉS : **Groppi**, Md. Tal'at Harb. **Groppi's Garden**, Sh. 'Abd al-Khâliq Sarwat. **Indian Tea House**, Sh, Tal'at Harb (dans le passage). **Lappas**, Sh. Qasr an-Nîl.

DISCOTHÈQUES / NIGHT-CLUBS : musique live et spectacle oriental avec danse du ventre, derviches tourneurs et folklore oriental dans tous les hôtels de luxe. Sinon, la plupart des night-clubs se trouvent en bordure de la **Pyramids Road**. Le **Granada** sur le Md. Opera est plus authentique (et moins cher) : danse du ventre et spectacle oriental, mais aussi numéros de prestidigitateurs.

L'agence officielle Misr Travel propose un programme complet *Cairo by night*. **Misr Travel**, 7 Sh. Tal'at Harb, tél. 3930-168/-259.

MUSÉES : **Musée Égytien**, Md. at-Tahrîr, ts les jrs 9h-16h30, ven. 9-11h30 et 14-16h30. **Beit as Suheimî**, Darb al-Asfar, 9h-16h. **Palais Beshtâq** (en face de la mosquée), 9h-16h. **Musée Gayer-Anderson** (tout près de la mosquée d'Ibn-Touloun), sam.-jeu. 9h00-16h00, ven. 9h00-11h00, 13h30-16h00. **Musée d'Art islamique**, Md. Ahmad Mâhir, ts les jrs 9-16h, ven. 9h-11h30 et 13h30-16h. **Musée copte**, vieille ville, ts les jrs 9h-17h. **Musée de l'Agriculture** et **Musée du Coton**, Sh. ad-Dokkî, ts les jrs 9h00-15h00, ven. 9h00-11h30, 13h30-15h00. **Musée Mukhtâr**, à la pointe sud de l'île d'El-Gazîra, mar.-jeu., dim. 10h00-13h00, 17h00-21h00, ven. 10h00-12h00, fermé lun. **Citadelle**, ts les jrs 9h-17h.

MOSQUÉES : en Égypte, contrairement à d'autres pays musulmans, presque toutes les mosquées sont ouvertes aux non-musulmans, à condition toutefois qu'ils portent une tenue décente. Le foulard est de rigueur pour les femmes à la mosquée d'el-Azhar. N'oubliez pas de retirer vos chaussures avant d'entrer. Dans certaines mosquées, on vous prête des chaussons à enfiler (dans ce cas, n'oubliez pas le pourboire !). Le vendredi, de nombreuses mosquées sont fermées aux visiteurs non-musulmans de 11h30 à 13h30.

HÔPITAUX : **Al-Salâm Hospital**, 3 Sh. Syria, Mohandisîn, tél. 3422780. **Al-Salâm International Hospital**, Corniche an-Nîl, Ma'âdî, tél. 3638050. **Anglo-American Hospital**, Al-Gazîra (à côté de la tour du Caire), tél. 3406162.

PHARMACIES du centre-ville ouvertes 24 h sur 24 : **Ataba-Pharmacy**, Md. al-'Ataba. **Esaaf Pharmacy**, 37 Sh. 26th July.

AVION : la plupart des touristes visitant le Caire arrivent par avion. L'aéroport international se trouve dans la banlieue nord, à Héliopolis. Attention, au départ de l'**aéroport international** du Caire, il y a deux aérogares, très proches l'une de l'autre : le terminal 1 est réservé aux vols internationaux, à l'exception de ceux d'Égypt Air, tandis que le terminal 2 accueille les passagers voyageant sur les vols de la compagnie nationale.

TRANSPORTS URBAINS : les **bus** assurent l'essentiel des liaisons urbaines ; rouges et blancs ou bien bleus, ils couvrent un vaste réseau. La terminus des bus se trouve au centre ville, sur la Md. 'Abd al-Mun'im Riyâd (entre le Musée égyptien et le Ramses Hilton). Les autres arrêts principaux sont la Md. Ramsîs (gare centrale), Md. el-'Ataba (près du souk Khân el-Khalîlî) et Md. Roxy à Héliopolis. les bus sont si bondés qu'il est conseillé de les prendre en début d'itinéraire.

Depuis Md. 'Abd el-Mun'im Riyâd. le bus n° 900 mène au pyramides, le n° 400 à l'aéroport (terminal 1) via Md. Ramsis ; le n° 949 suit le même itinéralre mais conduit au terminal 2 ; depuis Md. Tahrîr /Mugamma' , le n° 92 permet de se rendre à la mosquée d'Ibn al-'Âs, le n° 174 à la mosquée d'Ibn-Tûlûn et à la citadelle ; le n° 186 mène au souk Khân el-Khalîlî. Excellente alternative aux cars bondés : les petits **bus blancs Mercedes**, pour lesquels tous les billets donnent droit à une place assise. Au Md. 'Abd al-Mun'im Riyâd, on peut prendre le bus n° 183 pour aller aux Pyramides, le n° 27 pour rejoindre la gare centrale et l'aéroport, le n° 54 pour la citadelle et le n° 77 pour le Khân el-Khalîlî.

MÉTRO : depuis 1987, Le Caire peut s'enorgueilir de posséder le premier métro aménagé sur le sol africain. Un „M" rouge dans une étoile à huit branches signale les stations, qui affichent toutes à l'entrée un plan de la ville, plan où figure très clairement tout le réseau.

EXCURSIONS : la grande majorité des agences de voyages proposent des **circuits en ville** ainsi que des **visites guidées** des pyramides, de Memphis et de Saqqarah. Pour les individualistes, l'idéal est de prendre un taxi. Les pyramides de Gizeh sont certes très bien desservies par les transports en commun (voir ci-dessus), mais Memphis et Saqqarah restent à l'écart des lignes régulières. Depuis le Caire, on peut facilement entreprendre des **excursions d'une journée** vers l'oasis de Fayoum et la pyramide de Meidoum (voir p. 121), le cloître de Wâdî an-Natrûn (v. p. 67), Alexandrie (v. p.59), le canal de Suez et Ismailia (v. p. 69). **Conseil :** renseignez-vous sur les conditions de sécurité si vous voyagez seul.

(voir ci-dessus) (voir p. 121) (v. p. 67) (v. p.59) (v. p. 69)

GIZEH (☎ 02)

🍴 **Christo's**, Pyramids Rd. (en face du Mena House Oberoi), spécialités de poissons. **Garden Felfela**, Cairo-Alex Desert Rd. **Sakkara Nest** et **El-Dâr**, tous deux sur la route de Saqqarah.

🏛 Le nombre des billets vendus pour la visite des chambres de la **pyramide de Khéops** reste, même après l'installation d'un système d'aération, limité à 150 par matin ou par après-midi. On peut se les procurer entre 9h et 13h à un guichet situé à proximité immédiate de la pyramide. Le même système existe pour la **pyramide de Khéphren**.

☞ **PYRAMIDES BY NIGHT :** devant les pyramides de Gizeh ont lieu chaque jour à 18h00 (18h30 en été), 19h00 (19h30) et 20h00 (20h30) des **spectacles son et lumière** dans plusieurs langues ; lundi : anglais, français, espagnol ; mardi : français, italien, anglais ; mercredi : anglais, français, allemand ; jeudi : japonais, anglais, arabe ; vendredi : anglais, français ; samedi : anglais, espagnol, italien ; dimanche : japonais, français, allemand. Rens. dans tous les hôtels.

EXCURSION : les cavaliers les plus émérites seront séduits par une **traversée du désert** entre Gizeh et Saqqarah, tandis que ceux qui redoutent les fatigues d'une chevauchée de plusieurs heures se contenteront d'une petite promenade à cheval autour des pyramides. Chevaux et accompagnateurs vous attendent dans le caravansérail situé au pied des pyramides, en face de l'hôtel Mena House Oberoi. La terrasse du café est l'endroit idéal pour siroter ensuite un thé face aux pyramides.

3

Le Caire

LA MOYENNE-ÉGYPTE ET LES OASIS

LA MOYENNE-ÉGYPTE
GIZEH ET BENI SUEF
LE FAYOUM
LA PROVINCE DE MINIA
ASSIOUT ET SOHAG
LA PROVINCE DE QENA
LES OASIS DE L'OUEST

Moyenne-Égypte

4

LA MOYENNE-ÉGYPTE

Au sud du Caire commence la vallée du Nil, avec ses champs d'un vert intense, ses palmeraies, le ruban scintillant du large fleuve et le réseau artistiquement disposé des canaux d'irrigation. Tandis qu'à l'est le désert s'avance souvent jusqu'à la rive du Nil, à l'ouest, la bande fertile va s'élargissant vers l'amont. C'est donc de ce côté que la population se concentre, et les agglomérations se succèdent à un tel rythme sur la rive ouest, le long de la route principale, qu'il est parfois difficile de discerner où s'arrête l'une et où commence l'autre. Les capitales des provinces du même nom, Giza Beni Suef *(Bani Suwayf)*, Minia, Assiout (Asyut) et Sohag *(Suhâj)* se succèdent sur la rive occidentale, et il faut attendre le coude du Nil et Qena *(Qînâ)* pour que la rive orientale reprenne quelque importance.

Cette partie de la vallée du Nil est devenue une zone touristique à problème, en particulier les sites de Minia et Asyut dont la triste notoriété est due aux attentats perpétrés par des intégristes islamistes. Même si la situation s'est apaisée, la visite de la Moyenne-Égypte est officiellement déconseillée. Actuel-

Pages précédentes : vue sur le cimetière musulman de Minia. Ci-contre : la fierté se lit sur le visage de ce fellah.

lement, les étrangers circulant dans la région doivent obligatoirement être accompagnés d'une escorte, on espère cependant que ces consignes soient bientôt levées. Les oasis de la vallée, qui parsèment le désert parallèlement à la vallée du Nil, échappent néanmoins à ces restrictions. Grâce à la construction d'une nouvelle route reliant Louqsor à El-Kharga (Khargeh), il est désormais possible de contourner largement la vallée du Nil et de découvrir des oasis de rêve qui surgissent au milieu de paysages désertiques grandioses.

LES PROVINCES DE GIZEH (GIZA) ET BENI SUEF

Quelques excursions d'une journée au départ du Caire permettent de découvrir la splendeur de l'Égypte. Au sud de Saqqarah, sur la route de Gizeh, le site des ★**pyramides de Dahshour ❶** n'est ouvert au public que depuis 1996 en raison de sa situation, à proximité d'une zone d'entraînement militaire. À l'entrée du périmètre archéologique se dresse la **pyramide en brique de Sésostris III**. Haute de 78 m à l'origine, édifiée vers la fin de la XIIᵉ dynastie (1882-42 av. J.-C.) elle a considérablement subi les assauts du temps et ne mesure plus aujourd'hui que 27 m. Quelque 2,5 km plus loin, la première véritable pyramide de l'Ancien Empire,

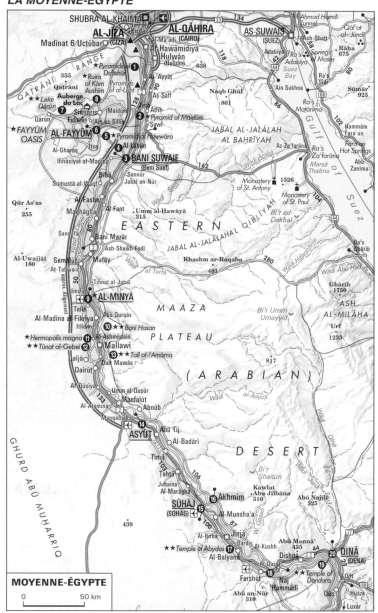

MOYENNE-ÉGYPTE

0   50 km

la *pyramide Rouge (101 m de haut), fut érigée en 2600 av. J.-C. par le roi Snéfrou, père de Khéops et premier souverain de la IVe dynastie. Le tombeau peut être visité, même si l'entreprise s'avère peut aisée. Viennent ensuite la **pyramide Blanche**, très abîmée, d'Amenemhat II (1933-1897 av. J.-C.) puis, tout à fait au sud, la *pyramide rhomboïdale** de Snéfrou dont les deux tronçons, aux pentes de différents degrés, représentent la dernière étape avant l'édification des pyramides classiques. Elle aurait cependant été conçue pour devenir la première "vraie" pyramide, en triangle. Des corrections durent néanmoins être apportées, la base renforcée et le degré de la pente réduit dans la partie la plus haute afin de garantir l'équilibre de l'ensemble.

Autre édifice de brique (30 m), la **pyramide Noire** d'Amenemhat (Ammémémès) III (1843-1794 av. J.-C.) connut les mêmes problèmes statiques. C'est probablement pour cette raison que le pharaon fit ériger une deuxième pyramide au Fayoum .

De retour sur la route principale, on parcourra une cinquantaine de kilomètres pour rejoindre Girza (*Jirzah* en arabe), où une route conduit directement à la *pyramide de Meidoum ❷ dont l'impressionnante silhouette éclatante se détache de très loin à l'horizon. Cette pyramide se révèle curieuse, à plus d'un titre, et notamment parce qu'elle se compose, en fait, de trois pyramides revêtues de calcaire poli. La pyramide initiale mesurait 72 m et comportait sept degrés. Peu après son achèvement, on la fit disparaître sous une deuxième pyramide qui, l'enveloppant comme une carapace, comptait un degré supplémentaire et mesurait 10 m de plus. Entre-temps, les architectes de Snéfrou, qui fit construire deux autres pyramides monumentales à Dahshour, avaient découvert la "forme idéale" et décidé de transformer l'édifice de Meidoum en une authentique pyramide de 92 m de haut, reposant sur une base

carrée de 144,32 m de côté. Aujourd'hui, elle ressemble davantage à une ziggourat babylonienne, victime de l'érosion et des pillards depuis des millénaires. Le tiers inférieur de la pyramide est désormais enseveli sous les amas d'où n'émergent que les cinq derniers degrés. La transition est reconnaissable à la présence de larges blocs de pierre grossièrement taillés qui servirent de matériau de comblement lors du premier agrandissement.

La **Chambre funéraire** n'a jamais subi de modification. Sur la façade nord de la pyramide, un couloir en pente raide descend à 58 m de profondeur et débouche dans un puits vertical situé sous la chambre de calcaire. Le petit **temple funéraire** sur la face est, lui-même placé à l'intérieur d'un mur d'enceinte de 2 m de haut qui entourait la pyramide, ne reçut jamais la moindre décoration. Seul un œil attentif remarquera les quelques inscriptions à l'encre en écriture hiératique émanant de touristes-pèlerins du Nouvel Empire. La chaussée bordée de murs conduisait autrefois au temple, désormais englouti sous la nappe phréatique.

Bien qu'éloignée de la résidence du pharaon, la pyramide de Meidoum n'était pas aussi isolée qu'aujourd'hui ; elle constituait le centre de la nécropole et le haut lieu du culte de la cité de pyramides. Les plus belles pièces trouvées dans les tombes des fils de Snéfrou comptent parmi les chefs-d'œuvre de l'art égyptien : les statues de Rahotep et de son épouse Néfret, et les fameuses oies de Meidoum, provenant de la tombe du prince Néfermaat (Musée Égyptien du Caire).

Beni Suef

De retour sur la route principale, on traverse El-Wasta, reliée au Fayoum par une ligne de chemin de, avant de continuer vers **Beni Suef ❸**. La vallée du Nil atteint ici sa largeur maximale en Haute-Égypte. La capitale de la pro-

vince (220 000 habitants) est un centre agricole très actif et, depuis l'ouverture du pont sur le Nil en 1985, le carrefour le plus important au sud du Caire.

L'*OASIS DU FAYOUM

Près de Beni Suef, l'un des axes routiers bifurque vers la ***province du Fayoum**, que l'on peut visiter en un jour au départ de Gizeh par la route du désert. Cette grande oasis de 1800 km² s'étend dans une cuvette du Sahara ; elle n'est pas irriguée par des puits artésiens mais par le Bahr Yussuf, la rivière de Joseph. La crue annuelle du Nil atteignait aussi le Fayoum grâce à cet affluent qui part au nord d'Asyut (et maintenant du canal d'Ibrahimiya), et transforma peu à peu, au cours des millénaires, toute la dépression en un vaste lac marécageux. Mais il ne subsiste aujourd'hui de l'ancien *Pa-Jom*, la mer, qui donna son nom au Fayoum, que le lac Qarûn, qui ne recouvre plus que le

sixième de la surface initiale du lac. Les crocodiles proliféraient autrefois dans ce paysage de lagunes, et c'est donc le dieu-crocodile Sobek qui demeura la divinité principale de l'oasis pendant toute l'époque pharaonique.

La mise en culture de cette région demeure certainement l'une des plus belles réalisations des pharaons de la XIIe dynastie (1991-1789 av. J.-C.), qui allèrent même jusqu'à installer provisoirement leur résidence à l'entrée de l'oasis, près d'El-Lahûn. Le Fayoum connut une deuxième période de prospérité sous les Ptolémées. Ptolémée II (IIIe siècle av. J.-C.) fit complètement assécher les marais et distribua la terre arable ainsi obtenue à proximité du lac à des vétérans de l'armée grecque. De nombreuses villes nouvelles virent alors le jour, et l'oasis demeura un important grenier à céréales jusqu'à l'époque des empereurs romains.

Il convient de rappeler qu'il ne reste pas grand-chose des sites antiques mais Le Fayoum mérite toutefois une visite, en raison du charme du paysage. Cette zone de cultures intensives est en effet

Ci-dessus : la pyramide de Meidoum. Ci-contre : paysan au travail.

le jardin du Caire, qu'il alimente bien sûr en céréales mais aussi en fruits, en légumes et en fleurs. On peut aussi voir encore quelques-uns de ces pigeonniers typiques du Fayoum, situés en bordure des villages, si pittoresques avec leurs maisons de terre sèche serrées les unes contre les autres qui les font ressembler à quelque château fort médiéval émergeant des champs verts de la plaine.

C'est au sud de l'oasis, à proximité de la petite ville d'**El-Lahûn** ❹ que l'on trouvent les vestiges les plus intéressants de l'histoire du Fayoum. Ici, au Moyen-Empire, se dressait la ville fondée par le père d'Amenemhat III. La résidence prestigieuse du pharaon, avec ses palais de soixante-dix pièces aux peintures somptueuses et élégantes villas, n'est plus aujourd'hui que ruines, et la **pyramide** du fondateur, Sésostris II (1901-1881 av. J.-C.) un amas de briques dont le revêtement de calcaire blanc a disparu. Au sud de la pyramide, les archéologues découvrirent la tombe de la fille du roi, Sat-Hathor-Junit, et le fameux "trésor de Lahûn" : les bijoux de la princesse, ses miroirs, ses pots à onguent (Musée Égyptien du Caire, Ier étage, salle 3).

Une dizaine de km après la sortie de la ville, on arrive à la ***pyramide de Hauwara** ❺, tombeau du roi Amenemhat III , à qui l'on doit essentiellement la mise en valeur du Fayoum. La pyramide de briques crues revêtue autrefois de calcaire (58 m de haut sur une base de 106 m de côté) comprenait également un vaste ensemble autour d'un temple, avec une surabondance de statues et de sculptures : le *labyrinthe* que les auteurs de l'Antiquité vantaient comme l'une des merveilles du monde. Hérodote parle de "3000 chambres, une enfilade de salles hypostyles et des cours, regorgeant de beautés". De toutes ces merveilles, ne subsistent aujourd'hui que quelques fragments de colonnes en granit. Parmi les découvertes les plus importantes faites à Hauwara, se trouvent cependant les 400 portraits de momies (sur 750 recensés) datant des empereurs romains. Il était alors d'usage chez les Gréco-Romains de reproduire fidèlement les traits du défunt. Ces portraits exécutés à l'encaustique sur du bois, étaient placés sur le visage de la momie et tenus par des bandages. Ces portraits sont d'un grand intérêt pour l'étude des techniques antiques dans ce domaine (Musée Égyptien du Caire, Iᵉʳ étage, salle 14).

La capitale de la province, **Madinet el-Fayyûm ❻**, est située au cœur de l'oasis. Malgré ses 300 000 habitants, son aspect n'est pas celui d'une grande ville. Quatre **★roues hydrauliques**, dont les systèmes de godets puisent à grand bruit l'eau du Bahr Yussuf pour la verser dans des bassins surélevés, à des fins touristiques, constituent l'intérêt principal du centre-ville. Le fleuve de Joseph, aménagé en canal, traverse la ville et constitue un excellent fil conducteur pour une visite. Les deux berges sont bordées de boutiques et d'étals où l'on vend notamment de jolis objets typique en vannerie.

Les dynasties successives de Madinet el-Fayyum remontent jusqu'au Moyen Empire. Mais le vaste site de l'antique *Shedit*, de la *Crocodilopolis* (la ville des crocodiles) puis de l'*Arsinoé* des Grecs, n'est plus aujourd'hui qu'un vaste champ de ruines à la périphérie nord de la ville. Les bâtiments d'un nouvel établissement d'enseignement s'élèvent désormais à cet endroit recouvrant les traces du passé là où les fouilles qui ont précédé les travaux ne les ont pas mises à jour. À l'entrée nord de la ville, l'**★obélisque** dit **de Sésostris Iᵉʳ** a été redressé, flèche de granit de près de 13 m de haut dont la pointe arrondie portait sans doute jadis un faucon Horus taillé dans la pierre.

Le **★★lac Qarûn ❼**, au nord-ouest de l'oasis de Fayoum, est un but d'excursion très prisé ; long de 50 km sur 12 de large, ses eaux sont légèrement salées et très poissonneuses. La route traverse les villages d'**Ayn Sillin**, abritant une source d'eau douce entourée de verdure, et de **Fidimin**, puis conduit directement à travers les plantations d'arbres fruitiers du Fayoum à l'**Auberge du Lac**, un hôtel joliment restauré sur la rive.

À l'est du lac, la route du désert reliant Le Caire longe les ruines de **★Kôm Aushôm ❽**, la *Karanis* antique. Deux temples et quelques constructions de briques aux peintures encore en partie visibles, vestiges de la ville ptolémaïque, ont été conservés. Parmi les objets trouvés à Karanis, citons un grand nombre de papyrus retraçant de manière très évocatrice la vie des colons grecs.

LA PROVINCE DE MINIA

Le parcours de 130 km entre Beni Suef et Minia ne présentant pas grand intérêt historique, on peut emprunter la route du désert peu fréquentée qui longe la rive est du Nil.

★Minia

Capitale de la province, **★Minia ❾** s'étend sur la rive occidentale entre le canal Ibrahimiyya et le fleuve, large ici d'1 km. La capitale présentant la seule infrastructure hôtelière digne de ce nom alentour, elle constitue un point de départ idéal pour la visite des sites historiques de Beni Hasan, Hermopolis, Tuna el-Djebel et Tell el-Amarna. Ville universitaire et plaque tournante du commerce du coton en Haute-Égypte, Minia est reliée, depuis l'ouverture du pont sur le Nil en 1987, à la rive orientale et aux grands axes menant à la mer Rouge. La ville elle-même est bien entretenue et elle connaît une grande animation le lundi, jour de marché.

Sur la rive opposée, le cimetière musulman de Minia mérite absolument une visite. À quelques centaines de mètres au sud du pont traversant le Nil, **★★Zawiyat el Amwât** s'étire sur plus de 3 km en une forêt de coupoles de terre sèche, serrées les unes contre les autres au pied de la chaîne arabique. Au

Ci-contre : vue sur le Nil depuis la terrasse des tombeaux de Beni Hasan.

sud du cimetière, un sentier mène sur une hauteur, d'où l'on jouit d'une vue splendide sur les tombes et sur le Nil. Un peu au-dessus, se dessinent les vestiges d'une grande pyramide à degrés de la IIIe dynastie et quelques tombeaux très abîmés creusés dans le roc.

Les **hypogées de Beni Hasan

À El-Fikriya, 23 km au sud de Minia, une route bifurque en direction d'Abu Qurqas, où un bateau réservé aux touristes conduit aux **hypogées de Beni Hasan ⑩** à l'issue d'une mini croisière sur le Nil qui prend ici un aspect idyllique, avec ses îles allongées couvertes de roseaux. Sur l'autre rive, un minibus attend les visiteurs pour les conduire au pied de la rampe bétonnée qui monte aux hypogées, mais on n'hésitera pas à aller à pied à travers champs. Le chemin en pente douce passe près des ruines de l'ancien village de Beni Hasan, déserté par ses habitants après une inondation catastrophique, et monte jusqu'à une terrasse étroite située à mi-hauteur. Celle-ci offre un panorama inoubliable,

surtout en fin d'après-midi, lorsque le Nil scintille d'argent et de rouge.

Les monarques et les gouverneurs du Moyen-Empire se firent creuser leurs tombeaux dans le rocher au flanc de cette montagne. Ils sont parfois de très grandes dimensions, et les entrées se succèdent sur la terrasse. Les modestes puits de leurs subordonnés et de leurs employés sont situés un peu plus bas, "à leurs pieds" en quelque sorte. Les fresques murales, rénovées grâce à une technique spéciale, il y a quelques années seulement, comptent parmi les plus beaux trésors de l'art pictural de l'Égypte ancienne. Et si l'on sent encore la main peu exercée de l'artiste de province lointaine dans les tombes les plus anciennes, les peintures des tombeaux d'Ameni et de Khnoumhotep pourraient rivaliser avec celles des résidences royales. L'aspect le plus remarquable est certainement la variété des thèmes, qui enrichissent les motifs traditionnels d'éléments tout à fait nouveaux. On peut voir aussi à Beni Hasan, à côté des scènes agricoles classiques qui, comme les scènes d'offrandes et de

culte, ont pour objet de garantir l'existence du défunt dans l'au-delà, des sujets qui sortent complètement de l'ordinaire : des animaux fantastiques comme des panthères à cou de serpent ou des griffons, au beau milieu d'animaux du désert, ou encore des représentations de lutteurs uniques en leur genre, figurant pas moins de 130 positions différentes prises au cours d'un combat.

Sur les 120 tombeaux décorés, 4 sont généralement ouverts. Il est préférable de commencer la visite par les tombes n° 17 et n° 15, datant de la XIe dynastie, et de la continuer par les tombeaux n° 3 et n° 2, de la XIIe dynastie, situés à l'extrémité nord de la terrasse, qui surplombe à cet endroit un cimetière musulman à coupoles.

Les **hypogées** de **★Baqit** (n° 15) et de son fils **★Khéti** (n° 17) sont pratiquement identiques, tant pour l'architecture que les scènes représentées. On a dans les deux cas une salle rectangulaire divisée par des colonnes lotifor-

Ci-dessus : paysage typique du Nil près de Beni Hasan. Ci-contre : dans une palmeraie.

mes (qui sont en partie détruites). La décoration est dominée par les scènes de lutte du mur est, qui sont peut-être une allusion à des activités guerrières car elles sont associées au siège d'une forteresse. Les bandeaux de la paroi nord (à gauche) montrent, tout en haut, la chasse au désert et, plus bas, des barbiers, des tisserands et des vanniers, mais on remarquera surtout les danseuses et les jeunes filles jouant à la balle. Sur le mur sud (à droite), ce sont des scènes d'artisanat, d'agriculture et de sacrifices. Les peintures des murs de l'entrée ne sont plus visibles que dans la tombe de Khéti ; elles représentent, à gauche, le défunt à la chasse au milieu des papyrus et à droite une fausse porte et des scènes rurales.

Les deux autres tombes se ressemblent beaucoup. Elles se composent d'un petit vestibule orné de deux colonnes et d'une chambre du culte décorée de belles peintures dont le plafond légèrement voûté repose sur 16 colonnes à facettes. Plus ancien, le **★tombeau d'Amenemhat** (n° 2) abrite encore les statues (en mauvais état) du défunt, de

126   *Carte p. 120, fiche pratique p. 138-139*

son épouse et de sa mère. Mais c'est sans doute le **★★tombeau de Khnoumhotep** (n° 3) qui nous réserve la plus belle surprise de la visite de Beni Hasan. Dans une longue inscription biographique gravée sur le soubassement de la chambre du culte, le prince et "commandant du désert oriental" raconte l'histoire de sa famille et, partant, un peu de l'histoire de sa province. Des représentations de qualité de chaque côté de la niche aux statues, plus grandes que nature, nous montrent le défunt attrapant les oiseaux et pêchant. Juste au-dessus, on remarquera un ravissant petit **arbre aux oiseaux**, dont les branches servent de perchoir à toutes sortes d'oiseaux. Mais la scène la plus célèbre de la tombe demeure la **caravane sémitique**, au centre de la paroi : un groupe de 37 nomades, hommes, femmes et enfants, différents des Égyptiens par leurs vêtements aux motifs multicolores et leur coiffure. Ils apportent des marchandises dont le khôl si recherché.

Même si les sources égyptiennes ne contiennent aucune information sur la présence de Joseph en Égypte, on peut très bien se représenter ainsi la caravane qui l'amena sur le Nil. L'inscription de la fresque donne au chef des nomades le nom de *Heka-Chasut*, maître des pays étrangers, titre qui passa sous la forme hellénisée de Hyksos dans l'histoire des pharaons pour désigner les souverains étrangers d'origine sémite, émigrés du Proche-Orient vers 1650, qui régnèrent sur l'Égypte 300 ans après la mort de Khnoumhotep.

★Hermopolis et ★★Tuna el-Djebel

Sur les hauteurs de la petite ville d'Er-Roda, à 40 km au sud de Minia, une route bien balisée part vers l'ouest, en direction d'El-Ashmunein. C'est là qu'émergent, au milieu des palmiers, les ruines de l'★**Hermopolis magna** ⓫, la *Khmounou* des anciens Égyptiens. La ville des "huit dieux primitifs", qui symbolisent le chaos avant la création du monde, passe dans la mythologie pour avoir été l'endroit primordial, où a débuté la création, avant de devenir plus tard le haut lieu du culte de Thot, que les Grecs ont identifié à Hermès. Colonisée sans doute dès la préhistoire, on y construisit temples, chapelles et édifices de prestige tout au long des temps pharaoniques. Mais en dehors d'innombrables blocs, de fragments de statues et de colonnes dispersés dans la nature, rien n'a résisté au temps. Seules peuvent donner une très faible idée de la splendeur et du caractère monumental de la ville dans le passé, deux **statues de cynocéphales** restaurées, en quartzite, de 4,5 mètres de haut, qui faisaient partie d'un groupe de huit statues placées dans le temple de Thot par le roi Aménophis III. Il reste de l'époque chrétienne quelques vestiges d'une **basilique vouée à Marie** (Ve siècle). Sous les fondements de l'église, les archéologues ont pu identifier un temple dédié à Ptolémée III, le premier temple de style entièrement grec construit en Égypte en dehors d'Alexandrie !

À 10 km de là, dans le désert occidental, se trouve la dernière grande nécropole d'Hermopolis : **Tuna el-Djebel** 🄬. Elle se développa à l'époque gréco-romaine, autour d'un temple de Thot et de **catacombes** réservées d'abord aux animaux sacrés du dieu, l'ibis et le babouin. Depuis la XXVIe dynastie, ces animaux momifiés, auxquels s'ajoutèrent plus tard toutes sortes d'autres espèces, étaient enterrés par centaines de milliers dans ces galeries souterraines aux nombreuses ramifications, qui sont en partie ouvertes aux touristes. Sont également intéressants : le **sanctuaire**, au-dessus de l'entrée des souterrains (le dieu Thot y rendait des oracles les jours de fête) et la **chapelle** au pied de l'escalier d'entrée à droite. Initialement chambre funéraire destinée à recevoir la momie d'un babouin, les prêtres de Thot s'y réunissaient la nuit pour célébrer le culte. Les caveaux étaient reliés par une route au **Grand Temple**, au sud de la nécropole, qui comprenait un parc destiné à l'élevage des animaux sacrés.

Ci-contre : un taxi collectif bondé à Mallawi.

Le **temple-tombeau de Pétosiris**, grand-prêtre de Thot à Hermopolis vers 300 av. J.-C., est certainement le plus beau et le plus ancien. Les bas-reliefs, sculptés dans une épaisse couche de plâtre, sont un exemple frappant de style gréco-égyptien. Toutefois, seules les scènes "profanes" du vestibule, le cyle des moissons (paroi de gauche), les vendanges (paroi de droite), affichent une influence grecque dans les costumes et les formes. Les motifs religieux de la chambre du culte restent traités à l'égyptienne. Le puits profond conduit à la chambre sépulcrale, où l'on a trouvé un sarcophage momiforme merveilleusement conservé, en bois incrusté de pâte de verre colorée (Musée Égyptien du Caire, rez-de-chaussée, galerie 49). Derrière la tombe de Pétosiris s'étend une véritable "cité des morts" dont les tombes s'alignent comme des maisons le long des rues. Les chambres recèlent souvent de belles peintures. Dans le **tombeau d'Isidora**, on découvre la momie de cette jeune femme, qui mourut noyée dans le Nil en 120 av. J.-C.

À quelque 200 m au nord de Tuna el-Djebel, on aperçoit au loin, au-dessus de la voie d'accès, la falaise où Akhénaton fit graver l'une des 14 stèles qui bornaient le territoire de sa nouvelle capitale de Tell el-Amarna.

**Tell el-Amarna

À quelques kilomètres au sud du chef-lieu de canton de **Mallawi**, une route bien balisée part en direction du bac pour **Tell el-Amarna** 🄭, située sur la rive orientale du Nil. Des tracteurs assurent la liaison entre le débarcadère de At-Till, les ruines du palais nord et le groupe nord des tombeaux, situés 2 km plus loin, au pied de la montagne. Le nom de Tell el-Amarna a été inventé de toutes pièces par les archéologues pour désigner les ruines de la "Cité du Globe" d'Akhénaton en référence à la tribu arabe des Beni Amran qui s'est établie ici. Le roi, lui, l'avait

Moyenne-Égypte 4

baptisée *Akhetaton* "horizon d'Aton", lorsqu'il quitta Thèbes vers 1339 av. J.-C. pour installer sa résidence dans cette région jusque là inhabitée. "Là où aucun dieu n'avait été adoré auparavant", il voulait faire de sa nouvelle religion monothéiste une réalité, avant de l'imposer autoritairement à tout le pays. Le cœur de la nouvelle capitale, qui avait surgi du sol en quelques années, étaient le Grand Temple d'Aton construit près de la résidence royale et le palais principal, sur une large avenue de prestige. Tout autour de ce centre se groupaient les quartiers résidentiels aux villas luxueuses entourées de jardins magnifiques, dont celle du sculpteur Thoutmosis à qui l'on doit le célèbre buste de Néfertiti (Musée Égyptien de Berlin), la ravissante épouse d'Akhénaton.

Le territoire de la ville s'étendait sur plusieurs kilomètres en une bande parallèle au Nil, dans la cuvette semi-circulaire formée par la vallée et traversée en son milieu par un large wadi. C'est là que le pharaon fit édifier son tombeau qui, comme tous les autres bâtiments de la ville, fut détruit après la mort de l'hé-

rétique, puis oublié. On s'intéressa de nouveau à la cité du soleil en 1887 grâce à un événement qui fit alors sensation. Sur le marché des antiquités apparurent soudain des tablettes portant des inscriptions en écriture cunéiforme et provenant des "archives du ministère des Affaires étrangères" d'Amarna ; celles-ci contenaient la correspondance de la Maison du roi avec les princes et les souverains du Proche-Orient. Suite à cette découverte, des fouilles furent entreprises et mirent à jour, non seulement le bâtiment des Archives d'État, mais les fondations de toute la ville.

Le sable a de nouveau presque tout recouvert, mais on peut voir encore, dans le ★**palais Nord**, le tracé des différentes pièces et des cours hypostyles, regroupées autour d'un grand bassin rectangulaire. On a réuni au Musée Égyptien du Caire des fragments de sol et de fresques murales venant d'Amarna, dont les charmantes scènes de campagne stylisées permettent d'imaginer l'élégance naturelle de la décoration du palais. (Salle d'Amarna et atrium central).

Carte p. 120, fiche pratique p. 138-139

Les reliefs des **hypogées**, en revanche, entièrement décorés dans le nouveau style, évoquent à merveille la vie des palais et des temples. Les lignes gagnent en souplesse et en rondeur, le dessin en mouvement. La décoration du mur est traitée comme une composition d'ensemble, qui ne rend compte que d'un événement unique, dont le sujet central n'est plus la vie du défunt dans l'au-delà mais le roi. S'y ajoutent des motifs nouveaux, révolutionnaires ; le corps du roi prend des formes pleines inhabituelles, on le montre sous son aspect humain : il mange, il boit, embrasse et joue avec ses enfants. Quoiqu'il fasse, l'image de son dieu l'accompagne, mais contrairement à tous les autres dieux égyptiens, il est représenté cette fois de manière abstraite, en tant qu'"Aton rayonnant", sous forme de disque solaire, aux mains figurant les rayons.

Les 25 hypogées, inachevés pour la plupart, se concentrent en deux endroits, éloignés de 6 km environ, sur le flanc de la montagne qui ferme la cuvette. Trois tombeaux surtout, sur les six qui forment le groupe nord, méritent d'être vus, bien qu'ils aient aussi souffert de la fureur iconoclaste de la restauration du culte d'Amon. Les tombes n° 1 et 2 sont séparées des quatre autres par une gorge et possèdent leur propre accès. Certains pans de murs ne sont vraiment visibles qu'à la lampe de poche, malgré l'éclairage électrique.

Dans le ***tombeau de Houya**, chef de harem (n° 1), on découvre sur les deux murs de l'entrée le couple royal en train de festoyer : à gauche, devant une coupe de vin en présence de Tiyi, mère de la reine, à droite, tenant respectivement à la main une oie rotie et une côtelette. Sur la paroi sud de la salle hypostyle (à droite), Akhénaton conduit sa mère dans un temple solaire construit à son intention en Armana ; en face, sur le

Ci-contre : sur la route de Kharga, comme depuis 2000 ans...

mur nord, le roi porté sur une litière arrive dans la salle d'audience pour recevoir les tributs d'ambassadeurs étrangers. Dans l'axe central de la chambre transversale se trouve la niche aux statues, et on y voit, fait unique en Armana, la représentation d'une procession funéraire.

Dans le ***tombeau de Mérirê II** (n° 2), construit sur le même plan, seule la salle hypostyle est partiellement décorée de bas-reliefs. La composition de droite, qui représente une réception officielle datant de la 12e année du règne d'Akhénaton, est tout à fait remarquable. Des lutteurs s'affrontent devant le couple de souverain se tenant par la main sous un dais, et de nombreuses délégations étrangères apportent leurs offrandes.

La plus belle ****tombe** était sans conteste celle destinée au **grand-prêtre Mérirê** (n° 4). Les reliefs polychromes de la salle hypostyle figurent : à gauche de l'entrée, le roi conférant au défunt ses colliers d'or qui, comparables à la distinction d'un ordre, étaient remis aux citoyens valeureux ; sur le mur attenant, le couple royal se rendant du palais au Grand temple d'Aton, composé d'une suite de cours à ciel ouvert contenant de nombreux autels à offrandes. À droite de l'entrée qui précède la salle hypostyle, on voit Akhénaton et Néfertiti célébrant le culte ; le groupe de musiciens du petit relief sur le soubassement mérite une attention particulière. Le sujet du mur en longueur est à nouveau une grande cérémonie d'offrandes. À noter aussi la représentation fastueuse de Mérirê sur le mur adjacent.

LES PROVINCES D'ASSIOUT (ASYUT) ET SOHAG

Assiout ⓮, chef-lieu de la province du même nom, est, avec 300 000 habitants, la plus grande ville de Haute-Égypte et le siège de la plus vieille université de la vallée du Nil. Elle n'offre pas beaucoup d'intérêt historique. Mais

Moyenne-Égypte **4**

le vieux quartier commerçant, à proximité de la gare, est intéressant pour son **bazar** très animé, ainsi que le **pont-barrage**, situé au nord de la ville et qui, grâce à ses 111 vannes, régule le débit du canal Ibrahimiyya et, partant, celui de la rivière de Joseph.

Le trajet d'à peine 100 km entre Asyut et Sohag est très plaisant sur les deux rives du Nil et permet de très beaux coups d'œil sur le fleuve. **Sohag** ⓯, qui ne compte que 50 000 habitants pour un chef-lieu de province, est reliée, depuis la construction du pont de 665 m de long, avec la ville d'**Akhmim** ⓰ sur l'autre rive, formant ainsi une vaste agglomération. C'est d'ailleurs à la périphérie est d'Akhmim que se trouvent les vestiges peu nombreux mais spectaculaires de la capitale du IXᵉ nome de Haute-Égypte. Ce n'est qu'en 1981 que l'on découvrit, lors de travaux, les ruines d'un temple dédié au dieu de la fécondité Min, ainsi que deux statues d'albâtre de 10 m de haut du roi Ramsès II et de sa fille-épouse Merit-Amon, qui comptent parmi les chefs-d'œuvre de la sculpture ramesside.

Sohag, plus récente, est surtout célèbre pour ses antiquités coptes. En lisière du désert, à 6 km à l'ouest de Sohâg, on peut voir notamment le couvent le plus ancien d'Égypte : le **★Couvent Blanc** (*Ed-Deir el-abyad*), fondé par le grand prieur Chénuté au début du Vᵉ siècle. Il doit son nom à l'épaisse muraille d'enceinte construite en blocs de calcaire blanc (aujourd'hui noirci), qui proviennent pour la plupart des temples pharaoniques des environs. La basilique est, dans sa forme actuelle, le résultat de l'agrandissement d'une église byzantine par Chénuté ; les fresques de l'abside datent du XIᵉ siècle.

Cinq km plus au nord, se trouve le **★Couvent Rouge** (*Ed-Deir el-ahmar*), un édifice en brique crue à peu près contemporain du précédent, et dédié au saint copte Amba Bichoï. La basilique est du Vᵉ siècle, seul le chœur trilobé et séparé est utilisé aujourd'hui comme église. Les fresques de l'abside ont été réalisées autour de l'an 1300.

Mais c'est certainement encore un monument de l'Égypte ancienne qui offre le plus d'intérêt dans cette région :

LE TEMPLE D'ABYDOS

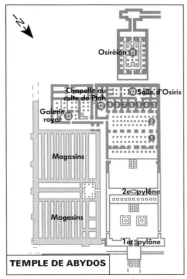

le ****temple d'Abydos** ⓱. À 50 km au sud de Sohag, une route balisée bifurque à la hauteur de Balyanâ, conduisant à travers champs et villages au temple situé à 11 km de là, en lisière des terres cultivées.

Depuis l'aube des temps pharaoniques, Abydos a toujours été un important centre religieux qui, de nécropole royale durant les deux premières dynasties, est devenu par la suite le lieu de pèlerinage le plus sacré de l'Égypte ancienne. La fixation sur la mort et l'audelà existait depuis toujours dans la figure du dieu Khentamentiou. Mais le "premier des Occidentaux" ne tarda pas à disparaître, identifié au grand Osiris, le dieu ressuscité qui donna aux hommes l'espoir en une autre vie après la mort. Dès le début du Moyen Empire et peut-être avant, on célébrait chaque année la résurrection d'Osiris dans la nécropole royale d'Abydos en jouant un mystère devant son tombeau. À des rites rigoureusement secrets s'ajoutait une grande

Ci-contre : bas-relief de Ramsès II au temple d'Abydos

procession, rappel de la procession funéraire. Des milliers de pèlerins participaient à la cérémonie, et ceux qui pouvaient se le permettre offraient au dieu une stèle ou une statue., Le fait d'être inhumé en Abydos, ou même d'y posséder un semblant de tombe était considéré comme une bénédiction . Les rois eux-mêmes faisaient bâtir de somptueuses chapelles et des temples en guise de cénotaphes en ce lieu de pèlerinage. Ceci explique les dimensions considérables de la nécropole d'Abydos qui s'étend au sud-ouest de la ville, aujourd'hui presque entièrement détruite, et du temple d'Osiris.

Puis vint le déclin, ce haut lieu de pèlerinage disparut, pillé et détruit. Seul un monument résista miraculeusement aux atteintes du temps et des hommes : le **temple de Séthi I**[er] (1290-1279); construit dans le calcaire blanc le plus fin, ses reliefs, d'une grande élégance classique, constituent un des sommets de l'art égyptien. Relié autrefois au Nil par un canal, son agencement est inhabituel : deux terrasses aux cours découvertes montent vers le temple proprement dit, où sept travées parallèles traversent les deux salles hypostyles pour aboutir à sept sanctuaires. Ramsès II, qui acheva la construction du temple après la mort de son père, fit murer les sept entrées prévues par le plan à l'exception du portail central, et les agrémenta de grands reliefs et d'inscriptions. Le décor mural de la première **salle hypostyle** aux 24 colonnes papyriformes date également du règne de Ramsès II. Même un profane reconnaîtra le style de Ramsès II qui, à l'encontre des gravures pleines de finesse et de grâce de Séthi Ier, préférait le relief creusé profondément dans la surface de la pierre. La paroi nord (à droite) nous en donne un bon exemple. on voit y Horus et Thôt pratiquant la toilette rituelle de **Ramsès** ➊, avant qu'il ne soit conduit par Horus et le dieu-chacal Anubis devant Osiris, Isis et Horus, et ne leur remette un coffret de rouleaux

Moyenne-Égypte

de papyrus. **Séthi Iᵉʳ** ❷ encense Osiris et Horus ; il est figuré debout, un grand encensoir à la main, devant le trône d'Osiris entouré d'une pléïade de déesses.

Les séries de reliefs en partie peints des sept **sanctuaires** sont particulièrement intéressantes ; ils sont respectivement dédiés à **Horus** ❸, **Isis** ❹, **Osiris** ❺, **Amon-Rê** ❻, **Rê-Harakthès** ❼, **Ptah** ❽ et à **Séthi Iᵉʳ** ❾ lui-même. Les scènes évoquées sont presque toujours les mêmes : le roi ouvre le sanctuaire le matin, encense l'effigie cultuelle, l'enduit d'onguent (avec le petit doigt) et la pare de bijoux et de bandes d'étoffe. Dans le fond de la chapelle, il sacrifie au dieu devant la barque divine, qui se trouvait en réalité devant le coffret contenant la statue du dieu.

En quittant le sanctuaire d'Osiris, on pénètre dans la **salle d'Osiris** ❿, un sanctuaire à part, avec de très beaux reliefs et 3 chapelles. Juste derrière, mais à l'extérieur du temple, se trouve le cénotaphe du roi, le fameux **Osiréion** ⓫ : c'est une salle souterraine monumentale, soutenue par des piliers, à laquelle on accède par une galerie de 110 m de long et plusieurs chambres. Il était sans doute recouvert autrefois d'un monticule planté d'arbres, symbole de la colline originelle, où commença la création du monde. À ce jour, on ne peut qu'apercevoir d'en haut les 6 piliers de granit monolithe, dont seule la moitié supérieure émerge des eaux.

On accède à l'Osiréion par l'aile latérale qui comprend la magnifique **chapelle** consacrée **au culte de Ptah** ⓬ et la célèbre **galerie royale** ⓭. Le prince héritier Ramsès se tient en compagnie de son père Séthi Iᵉʳ devant une liste de cartouches royaux recouvrant tout le mur, qui contiennent les noms de tous ses prédécesseurs depuis Ménès, le fondateur de l'empire. En étaient volontairement exclus les souverains illégitimes comme les Hyksos ou le pharaon d'Amarna, parce qu'ils ne respectaient pas le dogme royal officiel.

LA PROVINCE DE QENA

La seule ville importante entre Abydos et Qena, capitale de la province, est

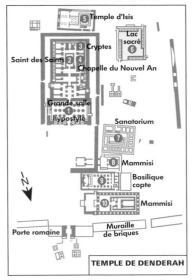

TEMPLE DE DENDERAH

Naj'Hammâdi ⑱, à l'extrémité nord du vaste coude décrit par le Nil, où le chemin de fer traverse également le fleuve. La ville, en plein essor, possède les plus importantes sucreries de Haute-Égypte et la plus grande usine d'aluminium d'Afrique. Le barrage, construit en 1930 au nord de la ville, commande l'apport en eau de la province de Sohag.

À cinquante kilomètres à l'est de Nag'Hammâdi, une route balisée part en direction du ****temple de Denderah ⑲**, haut lieu du culte **d'Hathor**, déesse de l'amour et de la musique, mère et déesse du ciel. Situé à l'origine au cœur de la capitale du VIᵉ nome de Haute-Égypte, ce grand ensemble architectural se dresse maintenant isolé en bordure du désert, enserré par un puissant mur d'enceinte de brique crue. On peut remonter l'histoire du site jusqu'à Khéops, mais les édifices qui se sont conservés ne datent que de l'époque ptolémaïque ou romaine.

Au centre s'élève le temple d'Hathor. Comme le pylône n'a jamais été

Ci-contre : le temple d'Hathor à Denderah.

terminé, on se trouve tout de suite, la porte romaine franchie, devant la **grande salle hypostyle ❶**, dont les puissants chapiteaux ornés du visage aux oreilles de vache de la déesse, dominent le fronton. vingt-quatre colonnes monumentales soutiennent le plafond de la salle, plafond qui, symbole du ciel, est décoré de motifs astronomiques, de soleils ailés et de vautours volants.

Suivant la structure classique des temples ptolémaïques, le chemin de procession monte à travers une deuxième salle hypostyle plus petite et deux vestibules abritant les tables à offrandes et les *naos* des autres dieux, jusqu'au **Saint des Saints ❷**, protégé par une couronne de douze chapelles.

Les tableaux muraux, dont une partie a été détruite par les chrétiens, montrent des scènes d'offrandes et du culte, que le roi, dont le nom n'est pas indiqué, pratique devant Hathor et son divin époux, l'Horus d'Edfou. Les plus beaux reliefs sont toutefois dans les **cryptes**, un labyrinthe de couloirs secrets qui ont préservé les fresques murales dont les thèmes sont également rituels (entrée ❸).

Depuis le vestibule intérieur, on accède à la **chapelle du Nouvel An ❹**, dont le plafond porte l'effigie de la déesse du ciel Nout. Renaissant de son sein, le soleil matinal baigne de ses premiers rayons le temple d'Hathor. Le jour du Nouvel An, les prêtres gagnaient, à partir de cette salle, le toit du temple (encore accessible aujourd'hui) et plaçaient l'image de la divinité, afin qu'elle "s'unisse avec le soleil", dans la petite chapelle hypostyle aux chapiteaux hathoriques.

C'est la même pensée de la force vitale se régénérant qui a inspiré les images des deux **chapelles d'Osiris**, sur le côté nord du toit. La résurrection est symbolisée par le motif du roi, couché sur une civière et se prenant le front en signe d'éveil de la conscience. Un relief qui provient à l'origine des chambres

orientales est bien connu : le *zodiaque de Dendérah* constituant une carte du ciel avec les signes des douze animaux du zodiaque. L'original se trouve au Louvre.

Depuis le toit, on découvre une superbe vue panoramique sur les environs et l'ensemble du site : on découvre ainsi, au sud, un petit **temple d'Isis ❺** datant du règne d'Auguste et le pittoresque **lac sacré ❻**, entouré de palmiers, au nord, les restes en brique brute du **sanatorium ❼**, sorte de clinique du temple, deux **mammisi ❽** et ❿, chapelles érigées à la gloire de l'origine divine du roi, et enfin, les ruines d'une **basilique ❾** copte datant du Ve siècle.

À trois kilomètres à l'est de Denderah, le dernier pont avant Louqsor enjambe le Nil et mène jusqu'à **Qena ⓴**, la capitale de la province. Malgré sa nombreuse population (250 000 habitants environ), la cité ne présente d'autre intérêt que celui d'être sur la route de deux des plus importantes destinations touristiques égyptiennes : Louqsor, distante de 62 km, et la mer Rouge.

LES OASIS DE L'OUEST

**Khârga

À une quinzaine de kilomètres au sud du pont qui enjambe le Nil à hauteur de Louqsor, la route des oasis (270 km), s'éloigne de la rive du fleuve pour rejoindre Esna ; elle se poursuit, au terme d'un périple de 3 heures à travers un désert de pierre, jusqu'à l'extrémité d'un promontoire rocheux d'où l'on découvre un panorama grandiose sur l'immense oasis de **Khârga**. Il s'agit de la plus méridionale (*Al-Khârija* signifie "l'oasis extérieure") des quatre oasis qui ponctuent le désert en direction du nord, les trois autres portant le nom de Dâkhla (*Ad-Dâkhilah*), l'"oasis intérieure", Farâfra (*Al-Farâfirah*) et Bahariya (*Al-Barhrîya*). L'exploitation des réserves souterraines d'eau douce devrait transformer ce chapelet d'oasis en une deuxième vallée du Nil, c'est du moins l'objectif, très ambitieux, d'un projet entamé en 1960 en vue de gagner de nouvelles terres cultivables. Les résultats obtenus ne sont pas tout à fait

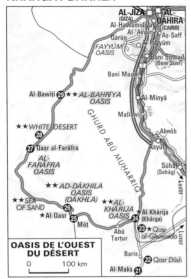

**OASIS DE L'OUEST
DU DÉSERT**

0   100 km

ceux que l'on escomptait car, ici aussi, on se trouve confronté à des conséquences imprévues : la salinisation du sol, la baisse de la pression de l'eau suite à la surexploitation des puits artésiens et le manque d'enthousiasme des paysans du Nil à venir s'établir ici malgré les sollicitations du gouvernement.

Une deuxième étape a été entamée vers la création de la Nouvelle Vallée – telle a été baptisée cette province frontalière du sud-ouest de l'Égypte – avec la construction du canal Toshka, prévue de longue date. Ce canal bétonné de 800 km de long devrait transporter l'eau du lac de retenue de Nasser jusqu'à l'oasis de Farâfra en passant par le sud de Khârga, et permettre d'accroître le pourcentage de terres arables à 25 %.

Située au sud de l'oasis de Khârga, **El-Meks** ㉑ se trouve sur le chemin des caravanes, la fameuse "piste de quarante jours" *(Darb al-'Arba'în)* menant au Soudan. Cet important chemin caravanier était protégé par une série de for-

Ci-contre : l'eau, un problème éternellement crucial.

teresses dont la plus méridionale, **Qasr Dush** ㉒ a conservé les ruines d'un temple romain dédié à Isis. Quelques kilomètres au sud de Khârga, centre administratif de la Nouvelle Vallée, s'élève la forteresse de **★Qasr el-Guheita** ㉓ qui abrite un temple d'Amon bien conservé, datant de l'époque perse.

À **★Khârga** ㉔, les souks des ruelles en dédale de la vieille ville invitent à la flânerie et le **musée archéologique**, ouvert en 1988, témoigne de la richesse historique de ces oasis. Devant les portes de la ville, une palmeraie abrite le **★temple d'Amon**, dédié au dieu par le souverain perse Darius Ier vers 500 av. J.-C. Il jouxte le vaste champ de ruines de la ville romaine d'**★Hibis** dont les tombes d'adobes du **★★cimetière de Bagawât** datent des premiers chrétiens.

★★Dâkhla

Les 200 km qui séparent Khârga de **Mût** ㉕, l'agglomération principale de la cuvette de **★★Dâkhla**, traversent des paysages désertiques d'une grande variété. L'oasis "intérieure" avec ses 800 000 habitants n'est pas seulement la plus grande mais aussi la plus belle de la Nouvelle Vallée. C'est à la pierre rosée et scintillante des falaises visibles à l'horizon qu'elle doit son nom d'"'oasis rose'", dont les palmeraies ombragées et les plantations d'arbres fruitiers soulignent le cadre idyllique. À la périphérie nord de Mut, un panneau indique les **Mût Tourism Wells**, sources chaudes typiques de ces oasis, aménagées ici en établissement thermal, ce qui les rend moins romantiques mais plus accessibles.

La ville la plus pittoresque de l'oasis de Dâkhla est **★El-Qasr** ㉖, dont le centre médiéval mérite une visite. À quelques kilomètres d'El-Qasr se trouvent les **★tombeaux romains d'El-Muzawwaga**, dont les peintures aux couleurs vives figurent le culte des morts dans l'Égypte ancienne. En continuant vers le sud-ouest, on arrive

au **temple d'Amon de Deir el-Hagar**, encore à demi-enseveli sous le sable du désert.

Qasr el-Farâfra

Une route asphaltée relie désormais Dâkhla aux deux oasis du nord de la Nouvelle Vallée. Elle décrit un grand arc de cercle à travers le désert de Libye, et effleure la ****Grande Mer de Sable** et ses énormes dunes, à une centaine de kilomètres à l'ouest de la localité de **El-Mawhub**. Quelque 130 km plus loin, on atteint **Qasr el-Farâfra** ㉗, principale localité de Farâfra, la plus petite des quatre oasis. Au nord de Farâfra commence le ****désert Blanc** ㉘, dont les formations calcaires, étrangement modelées par l'érosion, émergent de la plaine comme un bestiaire fantastique.

**El-Bahariyya

El-Bahariyya, l'oasis la plus septentrionale de la chaîne de la Nouvelle Vallée, présente autour de **Bawiti ㉙, sa capitale, la formidable luxuriance des jardins d'oasis. Une mer d'arbres fruitiers et de palmiers-dattiers entrecoupée de sources chaudes s'étend au pied des falaises de Bawiti et de la ville jumelle d'**El-Qasr**. Durant l'été 1999, l'oasis retint l'attention du monde entier grâce à la découverte d'une gigantesque sépulture et la mise à jour de 105 momies dont certaines entièrement couvertes d'or.

La Vallée des Momies dorées, où reposeraient quelque 10 000 sarcophages, n'est pas encore ouverte au public, mais un petit musée y expose six momies. Depuis novembre 1999, les visiteurs peuvent découvrir le ***temple d'Alexandre le Grand**, à El-Qasr, ainsi que quelques tombeaux à Bawiti, dont le fameux ***hypogée** de **Banentiu** (XXVIe dynastie) qui renferme de superbes fresques.

Une route relie Le Caire, encore distante de 370 km ; à mi-chemin, une bifurcation permet de rejoindre El-Alamein et la côte méditerranéenne. Depuis Bawiti, on peut également se rendre directement à l'oasis de Siwah.

Fiche pratique p.138-139   137

LA MOYENNE ÉGYPTE ET LES OASIS

i Entre le Caire et Louqsor, la vallée du Nil reste une zone à risque. On peut certes s'y rendre, mais la liberté de mouvement y est fort limitée pour les touristes : la poilce escorte les touristes étrangers sur l'autoroute du Sud ; le nombre de trains accessibles aux étrangers est restreint ; à Minya et Assiout, il est actuellement interdit de quitter l'hôtel sans escorte, la visite de sites archéologiques est protogée par une présence policière ou militaire massive. Les voyageurs individuels prendront donc soin de s'informer à temps des démarches éventuellement nécessaires pour se rendre dans certains sites touristiques (ambassade, office de tourisme, agences de voyage). Ils préviendront en outre la réception ou le service de sécurité de leur hôtel. Il faut s'attendre à ce que certaines routes et certains sites soient fermés au public. Au pire, on sera repoussé jusqu'à l'un des innombrables postes de contrôle. Fort heureusement, la traversée des oasis n'est toutefois soumise à aucune contrainte, à condition de passer par Assiout. **Un bon conseil** : emporter toujours son passeport, même pour une excursion d'une journée.

AVION : Egypt Air propose deux vols réguliers par semaine au départ du Caire à destination de Khârga et Dâkhla.

BUS : les cars de de la *Upper Egypt Bus Company* assurent plusieurs liaisons quotidiennes avec le Fayoum, ainsi que les principaux sites de la Vallée du Nil (départ du Caire : gare routière de Md. Turgumân, plusieurs rues à l'ouest de la gare centrale, ainsi que Md. Ahmad Hilmî, gare centrale). Si l'on souhaite voyager en car de luxe, retirer son billet 24h à l'avance au guichet de la compagnie de bus. Les cars de la même société désservent également tous les jours les oasis de El-Bahariya, Farâfra, Dâkhla et Khârga. Départ du Caire, de la gare routière de Md. Salâh ad-Din, au pied de la citadelle. arrêt des minibus prés de la mosquée d'Ibn-Tulûn. Depuis Le Caire, un car relie Khârga via Assiout; il existe une liaison quotidienne entre Khârga et Louqsor.

TAXIS COLLECTIFS : pour Madinet el-Fayoum, ils partent de Mîdân Gîza, à proximité de l'université du Caire. Les taxis collectifs à destination de la Moyenne-Égypte sont actuellement interdits de circulation.

TRAIN : plusieurs trains relient quotidiennement le sud au Caire, desservant les gares de Beni Suef, Minia, Assiout, Sohâg et Qena. Si l'on souhaite se rendre à Médinet el-Fayoum, on changera à el-Wasta. Une fois par semaine, un train assure la liaison Port Safaga-Qena-Khârga. **Un bon conseil:** se renseigner sur les trains qui peuvent être empruntés par les étrangers.

VOITURE : si l'on désire se rendre en Moyenne-Égypte, dans le Fayoum ou dans les oasis de la Nouvelle Vallée en utilisant son propre véhicule ou une voiture de location, on se renseignera à l'avance sur les éventuelles zones interdites et les autorisations nécessaires (s'adresser à l'**Automobile Club of Egypt**, Le Caire, 10 Sh. Qasr an-Nîl, tél. 5743355).

CIRCUITS / EXCURSIONS : si l'on se rend par ses propres moyens de Minia et Louqsor, on comptera une douzaine d'heures, incluant la visite des temples de Denderah et Abydos : Minia – Assiout (120 km) – Sohag (220 km) – Balyanâ (273 km) – Abydos (282 km) – Naj' Hammâdî (326 km) – Denderah (382 km) – Qena (390 km) – Louqsor (450 km). Un **conseil** : absolument se renseigner avant le départ sur les conditions de sécurité. La visite des temples de Denderah et d'Abydos est actuellement possible au départ de Louqsor. Des colonnes de voitures ou de bus s'y rendent en convoi pluisieurs fois par jour. Attention toutefois, la situation peut changer à tout moment, en bien ou en mal.

BENI SOUEF (☎ 082)

EXCURSION : la pyramide de Meidoum est accessible en transport en commun jusqu'à El-Wasta puis, de là, en continuant en taxi.

Si l'on circule par ses propres moyens, on pourra combiner une visite de la pyramide avec une excursion d'une journée dans le Fayoum.

L'OASIS DU FAYOUM (☎ 084)

Agence de tourisme, Governorate Building, Madînat al-Fayyûm, tél. 322586.

Les restaurants de poisson du lac Qa-rûn sont très appréciés des Cairotes et généralement bondés, surtout le vendredi. L'**Auberge Fayoum Oberoi** de l'Auberge du Lac est un endroit très élégant.

On peut en outre recommander les restaurants des hôtels **New Panorama Village** et **Oasis Tourist Village à Shakshûk**. La **Cafétéria Gebel az-Zêna**, à quelques km à l'ouest de l'Auberge du Lac, sert aussi de bons poissons.

ITINÉRAIRES / EXCURSIONS : la plupart des touristes découvrent le Fayoum lors d'une excursion d'un jour au départ du Caire. Les voyageurs individuels pourront emprunter l'itinéraire suivant : Gizeh – Gerza (70 km) – Mcidoum (78 km) – El-Wasta (88 km) – Beni Souef (115 km) – El-Lâhûn (137 km) – Hawwâra (147 km) – Médinet el-Fayoum (155 km) – 'Ain as-Sillîn (160 km) – Fidimîn (162 km) – Sanhûr (164 km) – Auberge du Lac/ lac de Qârûn-See (171 km) – Kôm Aushîm/Karanis (176 km) – route du désert du Fayoum – Gizeh/ hôtel Mena House (246 km) ou dans le sens inverse au départ de Gizeh.

MINIA (☎ 086)

Governorate Building, Corniche an-Nîl, tél. 320150.

À ne pas manquer : le **restaurant du Nefertiti Pullman**. Le restaurant panoramique de l'**hôtel Lotus** offre une cuisine simple mais délicieuse.

ITINÉRAIRES / EXCURSIONS : depuis Minia, on pourra visiter les principaux sites touristiques au cours d'une bonne **journée d'excursion**. L'idéal est de commencer le périple à Tall al-'Amârna, le point le plus éloigné, pour regagner Minia via Hermopolis et Banî Hasan. Itinéraire proposé : Minia

– Mallawi (48 km) – bac jusqu'à At-Till – en tracteur vers les tombeaux et le palais Nord – retour à Mallawi – Er-Roda (60 km) – El-Ashmunain – Hermopolis (66 km) – Tuna el-Djebel (76 km) – Abu Qurqas (96 km) – débarcadère – Beni Hasan – Abu Qurqas – Minia (120 km).

LES PROVINCES D'ASSIOUT, SOHAG ET QENA

ASSIOUT / ASYUT (☎ 088)

Si, autrefois, Assiout était un des principaux points de départ vers les oasis du désert occidental, la nouvelle liaison avec Louqsor permet de joindre cette même découverte des oasis à celle des grands classiques, Louqsor et Assouan, sans devoir faire de détour.

Selon les disponibilités de temps, il est possible, au départ de Louqsor, de partir plusieurs jours ou encore de parcourir les 1370 km qui la séparent du Caire (périple réalisable aussi en sens inverse).

SOHÂG ET AKHMÎM (☎ 093)

Governorate Building, Sohâg, tél. 322547.

LES OASIS DE L'OUEST

EL-BAHARIYA (☎ 018)

Agence de tourisme Al-Bahrîya, Bawîtî, City Coucil (à côté de la poste), tél. 802222.

EXCURSIONS : à Bawıtı, des excursions en jeep sont organisées vers le **désert Blanc** et les **sources d'eau chaude**. Renseignements à l'agence de tourisme.

FARÂFRA (☎ 046)

EXCURSIONS : à Qasr al-Farâfra, des excursions en jeep sont proposées dans le désert Blanc.

KHÂRGA (☎ 092)

La **New Valley Tourist Information**, en face de l'hôtel Oasis, procure des renseignements sur tous les oasis, tél. 901205.

Moyenne-Égypte 4

MEDITERRANEAN SEA

**THÈBES AUX CENT
PORTES**

**LOUQSOR
KARNAK
THÈBES-OUEST**

5 Louqsor et Thèbes

****LOUQSOR (LOUXOR)**

**Louqsor (Al-Uqsur), petite ville de 60 000 habitants, à 700 km au sud du Caire, sur la rive orientale du Nil dans la province de Qena, draine des visiteurs venus du monde entier depuis plus de deux mille ans. Aujourd'hui, avec ses élégants hôtels de luxe et son aéroport international, elle est devenue le centre parfaitement fonctionnel du tourisme des antiquités égyptiennes.

Ils sont des centaines de milliers à venir chaque année admirer les merveilles de la "Thèbes aux cent portes", nom donné par Homère à cette brillante métropole de l'Orient antique. Il voulait parler des énormes pylônes des temples, auxquels fait également allusion le nom arabe de la ville, *Al-Uqsur*, les châteaux forts. Les Egyptiens, appelaient *Niout* la capitale de la IVe province de Haute-Egypte, la *No* de la Bible.

La vallée du Nil est partout d'une beauté fascinante, mais à Louqsor elle posède un éclat particulier. Un sentiment d'éternité baigne les montagnes arides de la rive ouest, cadre austère des champs verts et fertiles. Le fleuve majestueux fait le reste. On comprend pourquoi les anciens Egyptiens ont choisi cet endroit pour y établir leur ville sainte.

Le Nil partage l'ancienne Thèbes en deux mondes : la ville des vivants et celle des morts. C'est sur la rive est que se concentraient les palais, les riches villas, les habitations du peuple, les marchés et les entrepôts. De petit chef-lieu de province, Thèbes était devenue une métropole mondiale débordante d'animation : résidence des pharaons du Nouvel Empire et centre du culte d'Amon-Rê.

Les premières traces de colonisation sont très anciennes, mais il fallut attendre le prince thébain Mentouhotep II, qui réunifia le pays après les violences de la Première Période Intermédiaire, pour que Thèbes accède à la notoriété. Elle devint la capitale du royaume vers 2037 av. J.-C., mais pour un temps seulement, car bientôt les rois de la XIIe dynastie regagnèrent le Nord, stratégiquement plus important.

Enfin l'heure de Thèbes sonna, 500 ans plus tard, à l'aube de la XVIIe dynastie ; avec elle commença l'ascension de la ville qui allait devenir le cœur du grand empire égyptien. Une fois de plus, des princes thébains avaient rétabli par les armes l'unité du pays, cette fois en chassant les Hyksôs, ces souverains asiatiques installés dans le Delta.

Pages précédentes : le colosse et l'obélisque de Ramsès II devant le temple de Louqsor. Ci-contre : dans la Grande salle hypostyle de Karnak.

Carte p. 144-145, fiche pratique p. 180-181   143

Thèbes était déjà la capitale depuis 200 ans, lorsque le roi Aménophis IV, plus connu, sous le nom d'Akhénaton, comme le premier grand prophète du monothéisme, abandonna la résidence de ses pères et transporta la cour en Amarna. Ses successeurs se fixèrent définitivement dans le Nord, mais Thèbes resta le centre religieux du pays. Le temple d'Amon-Rê à Karnak devint même le cœur d'un État divin, qui allait jouer un rôle politique important jusqu'à la destruction de la ville par les Assyriens, au VIIe siècle av. J.-C. La ville sainte ne devait plus jamais se relever, malgré la grande activité architecturale déployée par les Ptolémées, puis les Romains.

Aujourd'hui, cette métropole si prestigieuse a sombré depuis longtemps dans les sables, et ses vestiges reposent sous les maisons du Louqsor moderne et des villages voisins. Seuls les temples gigantesques du cœur de la ville et de la proche Karnak ont survécu aux millénaires, mais il fallut les dégager des montagnes de sable et de gravats qui les étouffaient.

De l'autre côté du Nil, à l'ouest, commence le "royaume des morts", dans un chapelet de collines dont la plus haute domine la plaine fertile comme une pyramide naturelle. Là se cache la Vallée des Rois, sépulture mystérieuse des pharaons du Nouvel Empire. Leurs temples funéraires jalonnent la lisière des terres cultivées.

Mais seules quelques-unes de ces "demeures d'éternité" témoignent encore de la magnificence de cette nécropole, qui était au demeurant et encore très animée. Les prêtres y vivaient, ainsi que les fonctionnaires chargés d'administrer la nécropole, et il y avait même un maire. Les artistes et les artisans employés dans les tombeaux vivaient à proximité de leur lieu de travail, dans une cité entourée de murs. Leurs hypogées, à Deir el-Medina, sont célèbres pour la beauté de leurs peintures. Il y a, sur les hauteurs de la chaîne ly-

bique, plus de quatre cent cinquante tombeaux privés, superbement décorés. La Thèbes ancienne est aujourd'hui un haut lieu touristique, ce qui ne va pas sans inconvénients. En certains endroits, les rues de Louqsor ne sont plus qu'un immense souk à touristes, où l'on vend absolument de tout, depuis le petit chameau-souvenir jusqu'au sac qui permettra d'emmener les trésors acquis. Les temples et les tombeaux ne sont pas non plus épargnés par ce tohu-bohu. Et ces lieux si vénérables, qui ont résisté à tant de millénaires, semblent parfois sur le point d'éclater sous l'afflux des groupes.

Mais il ne faut pas se laisser rebuter par tout cela. Il y a encore des endroits à Louqsor où l'Orient est authentique-

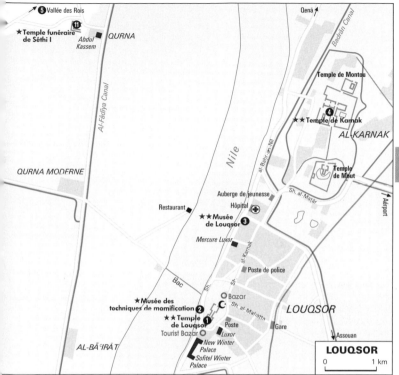

ment présent, comme la vieille rue du bazar derrière le temple de Louqsor le matin. De très bonne heure, ou à midi quand tout le monde est à table, on peut, même à Karnak, se promener seul au milieu des colonnes et s'imprégner de la solennité de cet immense sanctuaire.

Les plus romantiques ne manqueront pas le spectacle son et lumière donné tous les soirs dans le temple de Karnak. Ceux que le pathos des textes (qui n'a rien d'excessif) rebutent, visiteront toutefois le temple de Louqsor le soir. Les projecteurs sont branchés dès la tombée de la nuit, sans le son, et donnent aux colonnes et aux reliefs un éclairage plein de mystère.

En dépit de sa population en forte croissance, Louqsor est restée une invi-

tation à la flânerie, que ce soit le long du Nil ou dans les petites rues pleines de boutiques de souvenirs. Le vieux quartier du bazar, avec son marché aux fruits et légumes, se trouve derrière le temple de Louqsor. Un point de rencontre très apprécié aussi est la terrasse de l'hôtel *Mercure Coralia*, qui donne directement sur le Nil.

Le ★★temple de Louqsor

À quelques pas des murs du très traditionnel Winter Palace Hôtel, bâtiment de style colonial posé juste au bord du Nil, s'élève l'un des temples les mieux conservés d'Egypte : le ★★**temple de Louqsor** ❶, dédié à la triade thébaine, Amon, Mout et Khonsou. Une inscrip-

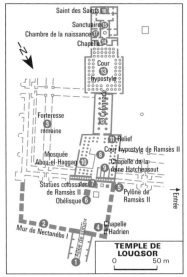

TEMPLE DE LOUQSOR

0   50 m

tion datant de l'Égypte ancienne relate que le roi Aménophis IV avait fait bâtir le sanctuaire dans le "grès le plus fin, sur un sol d'argent, sur un lit d'encens", avec une vaste cour dont "les colonnes sont des boutons de lotus". Mais cette description ne concerne que la partie postérieure du temple qui comprend les différentes chambres du culte, la grande cour hypostyle et la gigantesque colonnade. En effet, le temple n'acquit sa forme définitive que cent ans plus tard, lorsque Ramsès II fit ajouter, devant la colonnade, une autre cour hypostyle et un pylône monumental.

La visite du temple commence devant les tours massives de cette porte. C'est de l'**allée de sphinx** ❶, qui mène au temple côté nord, que l'on a la meilleure vue d'ensemble. Elle est le dernier tronçon d'un chemin de procession, qui conduisait au grand temple d'Amon à Karnak. Des centaines de sphinx flanquaient autrefois cette avenue prestigieuse agrémentée d'arbres et de fleurs,

Ci-contre : un "technicien de surface" devant le premier pylône du temple de Louqsor.

mais seule une partie d'entre eux a pu être dégagée jusqu'à présent. Sous le Nouvel Empire, il s'agissait de sphinx à tête de bélier, mais lors des travaux de restauration effectués sous Nectanebo Ier (XXXe dynastie), ils furent remplacés par des sphinx classiques, à tête de roi.

Le **mur d'enceinte** ❷ et son portail de grès, que l'on doit au même pharaon, ont aujourd'hui pratiquement disparu. Il ne reste de la **forteresse** ❸, comme des autres bâtiments romains, que quelques vestiges. Seule la **chapelle d'Hadrien** ❹ a été récemment restaurée. L'empereur romain l'avait offerte au dieu Sérapis le 24 janvier 126, pour son 50e anniversaire.

C'est à la lumière matinale que l'on peut le mieux admirer – et également photographier – les reliefs du grand **pylône de Ramsès II** ❺ (24 m de haut sur 65 m de large). Les scènes et les inscriptions ont pour thème la bataille de Qadech, que Ramsès II, ignorant la réalité historique, fit représenter dans tous ses temples comme sa victoire sur les Hittites.

La tour ouest (à droite) montre le camp égyptien et le roi, plus grand que nature comme son rang l'exigeait, tenant conseil avec ses généraux. Sur la tour est, on le voit lancer son char au cœur de la bataille, avec, à l'extrême-gauche, la forteresse crénelée de Qadech (Syrie), où se sont réfugiés les Hittites.

Quatre babouins décorent le socle de l'**obélisque** ❻ en granit rose de 25 m de haut dressé en avant du pylône. De la tour jumelle antique ne subsiste désormais que le socle, Méhémet Ali en ayant fait cadeau à la France en 1836. On peut l'admirer aujourd'hui sur la place de la Concorde, à Paris.

De tous temps, ces monolithes géants, qui sont devenus célèbres sous l'appellation irrespectueuse de "brochette" (du grec *obeliskós*), ont excité l'imagination des voyageurs.

Aujourd'hui encore, on continue de

s'interroger sur la finalité de ces flèches de pierre, érigées par paire devant les temples sous le Nouvel Empire. Des monuments de cette forme existaient certes déjà dans les temps anciens, mais les obélisques des temples solaires de la Vᵉ dynastie étaient uniques et constitués de pierres assemblées. Peut-être symbolisaient-ils un immense rayon de soleil figé dans la pierre, l'endroit mythique, caressé par les tout premiers rayons du soleil levant. Une interprétation plaisante, d'autant que la pointe en forme de pyramide et souvent même le fût étaient recouverts d'or. Les techniques utilisées pour dresser l'obélisque gardent aussi leur mystère. Sans doute fallait-il un système de rampes, afin de le faire glisser lentement sur son socle. Encore devait-on, en versant du sable, freiner la vitesse de descente de ces blocs de plus de 1000 tonnes qui, attachés à d'épaisses cordes, étaient lentement érigés.

Sur les six **statues colossales de Ramsès II** ❼, jadis dressées devant le pylône, seules ont résisté aux assauts du temps deux effigies de granit représen-

tant le pharaon assis (15,6 m de haut) et une en pied, très retouchée (à droite). Directement attenante, la **cour hypostyle de Ramsès II** ❽ (50 x 57 m) est ceinte d'une double rangée de 74 colonnes à fûts lisses et à chapiteaux papyriformes fermés. On retrouve ces mêmes superbes colonnades devant la **chapelle en granit de la reine Hatchepsout** ❾, même si celles-ci sont plus anciennes – elles remontent à la XVIIIᵉ dynastie – et d'une facture plus délicate et plus proche du modèle végétal. La **mosquée Abou el-Haggag** ❿, dans l'angle nord-est de la cour, séduit le visiteur par la beauté de son architecture intérieure et l'impression qu'elle donne de planer dans les airs. Elle permet de voir jusqu'où montaient les sables du désert.

L'aspect original du pylône est encore visible sur un **relief** du **mur sud** ⓫ de la cour hypostyle de Ramsès II attenante. Celui-ci figure la procession de la cérémonie inaugurale qui, conduite par 17 princes, se dirige vers le pylône, flanqué de ses deux obélisques, des six colosses et de quatre mâts enrubannés. La partie sud de la cour est dominée par

onze statues géantes, en pied – taillées dans le granit pour la plupart – et par deux colosses assis. Toutes portent le nom du grand Ramsès et pourtant, six d'entre elles sont l'œuvre d'Aménophis III. Ramsès les aurait tout simplement usurpées, selon une pratique fréquente chez les pharaons, qui se contentaient d'inscrire leur propre nom sur des statues existant déjà.

Le temple d'Aménophis III est bordé par une **colonnade** ⑫ (52 x 20m), dont les 14 colonnes papyriformes à chapiteaux ouverts s'élèvent à 16 m de hauteur. les reliefs, d'une grande finesse d'exécution, des murs latéraux (datant de Toutânkhamon et d'Horemheb) évoquent la *fête d'Opet*, la grande fête officielle du Nouvel Empire : chaque année, au moment de la crue, Amon, accompagné de son épouse Mout et de leur fils Khonsou, rendait visite à son sanctuaire du Sud à Louqsor. Les bar-

Ci-dessus : le mur extérieur de la mosquée D'Abou el-Haggag dans le temple de Louqsor. À droite : le marché aux bestiaux de Louqsor.

ques portant les effigies du culte effectuaient le court déplacement de Karnak à Louqsor dans un bateau d'apparat, qui remontait le Nil halé depuis la rive. Une foule bigarrée, des soldats, des musiciens et des danseuses accompagnaient la procession qui, une fois arrivée, sacrifiait solennellement au dieu par une importante cérémonie d'offrandes. (L'aller du grand navire d'Amon est représenté à droite, le retour à gauche).

Derrière la colonnade s'ouvre une nouvelle **cour hypostyle** ⑬ (52 x 46 mètres), ceinte d'une double rangée de colonnes papyriformes fasciculées et cannelées. Les photos de cette cour ont fait le tour du monde en 1989 : en sondant les fondations du temple, des archéologues égyptiens découvrirent en effet un dépôt datant de l'Antiquité, qui ne contenait pas moins de vingt statues pour la plupart en excellent état. Ces figures grandeur nature de dieux et de rois sont toutes taillées dans la pierre, les plus anciennes remontant à Thoutmosis III. Depuis janvier 1992, on peut les admirer au musée de Louqsor. La partie couverte du temple commence au

148   ***Plan p. 146, fiche pratique p. 180-181***

sud de la cour par une petite salle de 32 colonnes, semblable à un taillis de papyrus pétrifiés. Le **vestibule** ⓮ attenant également hypostyle, fut transformé en **chapelle** du culte impérial par des soldats romains au IIIe siècle apr. J.-C.. Ils recouvrirent les anciennes sculptures d'une couche d'enduit, qu'ils peignirent.

L'ensemble des salles réservées au culte commence avec la **chambre aux quatre colonnes**, qui renfermait autrefois la table d'offrandes. Elle est suivie du **sanctuaire** ⓯, le reposoir des barques. Le grand *naos* de granit est un don d'Alexandre le Grand et montre le conquérant en pharaon faisant l'offrande aux dieux. Puis vient une autre chambre et enfin le **Saint des Saints** ⓰, abritant l'effigie du culte. Avant d'entrer dans le sanctuaire des barques, une porte située sur la gauche conduit aux salles les plus célèbres du temple.

Malheureusement, les sculptures de la **chambre de la naissance** ⓱ ont beaucoup souffert du zèle iconoclaste des partisans d'Akhénaton. Mais grâce au soleil matinal (ou avec une lampe de poche), on peut apercevoir quelques registres de cette grande composition sur le mythe de la naissance divine du roi d'Egypte, ici, Aménophis III. La scène la plus intéressante se trouve à gauche de l'entrée, sur le bandeau médian du grand côté : Thot, le dieu à tête d'ibis et messager d'Amon-Rê, annonce à la reine qu'elle mettra au monde un enfant d'origine divine. Comment ne pas faire le rapprochement avec l'annonce faite à Marie ?

Le long de la promenade du Nil, en face du temple de Louqsor, un petit ★**musée du procédé de momification** ❷ a récemment ouvert ses portes. Momies animales, sarcophages et ustensiles en tout genre servant à la momification illustrent parfaitement l'aspect rituel du culte des morts, indissociable de l'ancienne Égypte.

★★KARNAK

C'est dans l'actuel village de Karnak, à deux kilomètres au nord de Louqsor, que se trouve le plus grand sanctuaire d'Égypte : la ville de temples

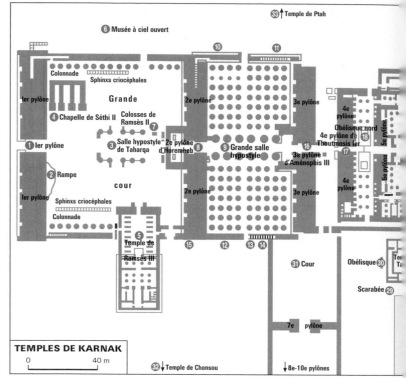

Temple de Ptah

Musée à ciel ouvert

Colonnade
Sphinx criocéphales
1er pylône
Grande
Chapelle de Séthi II
Colosses de Ramsès II
Salle hypostyle de Taharqa
2e pylône d'Horemheb
Grande salle hypostyle
1er pylône
Rampe
Sphinx criocéphales
Colonnade
Temple de Ramsès III
cour
Temple de Ramsès III
2e pylône
2e pylône
3e pylône
3e pylône
3e pylône d'Aménophis III
4e pylône
Obélisque nord
4e pylône de Thoutmosis Ier
5e pylône
5e pylône
4e pylône
Cour
Obélisque
Scarabée
7e pylône
Temple de Chonsou
8e-10e pylônes

TEMPLES DE KARNAK

0   40 m

consacrée au roi des dieux Amon-Rê. On s'y rend à pied par la promenade magnifiquement aménagé en bordure du Nil ; une demi-heure suffit pour s'y rendre, mais on peut également se laisser tenter par un fiacre, surtout s'il fait chaud.

On passe d'abord devant le bâtiment moderne du ★★**musée de Louqsor** ❸, à droite de la corniche. Ouvert en 1976, il offre un excellente rétrospective de l'histoire et de l'évolution artistique de Thèbes. Les objets sont disposés clairement et commentés en plusieurs langues.

À un kilomètre de là, une rue part en direction du ★★**temple de Karnak** ❹. Jadis centre religieux d'un grand empire, Karnak est un immense site ar-chéologique, d'une richesse architecturale sans précédent. Pendant plus de 2 000 ans, depuis le Moyen Empire jusqu'aux Ptolémées, tous les grands pharaons d'Égypte y ont fait construire temples, chapelles et monuments commémoratifs. Ils ont sans cesse restauré, agrandi et remanié. On distingue trois grands ensembles, séparés par de puissantes murailles de briques. Le **grand temple d'Amon** fait l'objet de l'essentiel de la visite puisque le **domaine** attenant du **dieu régional thébain Montou** ne se visite pas. Quant au **temple de la déesse Mout**, plus au sud, il n'en subsiste plus que les fondations.

La vue aérienne et le plan général placés dans le premier pylône du temple d'Amon permettent de se faire une idée

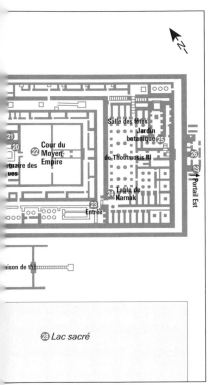

21
20
22 Cour du Moyen-Empire
tuaire des
ues

Salle des fêtes
Jardin botanique 25
de Thoutmosis III
26
27 Portail Est

23
24 Table de Karnak
Entrée

aison de thé

28 Lac sacré

5

Louqsor et Thèbes

de l'ensemble du site, mais montrent aussi à quel point il est difficile de démêler l'histoire des bâtiments, véritable jeu d'embrouille même pour les experts en dynasties les plus chevronnés !

Il est donc préférable de regarder le plan avant de pénétrer dans ce labyrinthe aux merveilles. Il existe une règle d'or pour comprendre le site : chaque temple égyptien est conçu de l'intérieur vers l'extérieur, depuis le Saint des Saints vers les cours et les pylônes.

Le cœur historique du temple d'Amon se situait donc à l'emplacement de l'actuelle **cour du Moyen-Empire**, aujourd'hui vide. Quelques seuils de granit nous indiquent encore l'endroit exact où se trouvait autrefois le sanctuaire. C'est tout ce dont on de-

vra se contenter. À en croire les inscriptions, les rois de la XVIIIe dynastie enlevèrent les *naos* de leurs prédécesseurs, remplacèrent les anciens bâtiments de brique par de plus beaux, en pierre, ou démolirent ceux qui étaient déjà en pierre pour en réutiliser les matériaux. Ceci nous explique pourquoi les archéologues découvrirent dans le 3e pylône des blocs provenant de 14 chapelles et non des moindres ! Certaines appartenaient aux sanctuaires les plus anciens de Karnak : ainsi la **chapelle de Sésostris I**er (1975-1929), du Moyen Empire, célèbre pour la finesse incroyable de ses reliefs, ou encore la **chapelle d'albâtre** d'Aménophis Ier (1525-1504).

Le cœur du temple actuel vit le jour sous Thoutmosis Ier (1504-1492) et fut protégé du monde extérieur par deux portes massives, les **4e** et **5e pylônes**. Sa fille Hatchepsout (1479-1457) et son rival impitoyable Thoutmosis III (1479-1425) modifièrent et agrandirent considérablement la demeure des dieux. Ils ajoutèrent de nombreuses chambres et chapelles tout autour du sanctuaire des barques (m), ainsi qu'une autre porte, le **6e pylône**. Plusieurs obélisques supplémentaires furent érigés, tandis que le site s'étendait vers l'est avec le **temple des cérémonies de Thoutmosis III**.

Mais le complexe de Karnak ne s'arrête pas là. Le temple principal, dont l'axe était orienté est-ouest, comme la course du soleil, reçut un nouvel axe nord-sud : les **7e** et **8e pylônes** devinrent le point de départ de l'allée de procession qui devait mener à Louqsor, le temple méridional d'Amon-Rê.

Aménophis III (1392-53) fut le prochain grand architecte de Karnak. Il fit bâtir le **temple de Montou** et le **temple** de Mout, et ajouta une autre énorme porte, le **3e pylône** du temple central d'Amon. Son fils Akhénaton (1353-1337) fit don à Karnak d'un nouveau temple : une cour ouverte, ceinte de piliers, à l'est du temple d'Amon, mais ce lieu de culte du roi hérétique ne tarda pas à être détruit par Horemheb (1320-1297) qui en utilisa les matériaux pour combler le **9e pylône**. C'est là qu'on les a retrouvés : des milliers de blocs distincts avec lesquels on a pu reconstituer un mur sculpté de 17 m de longueur dans le musée de Louqsor.

C'est encore Horemheb qui fit construire le dernier grand portail de l'axe nord-sud : le **10e pylône**, départ d'une allée de sphinx conduisant au temple de Mout. Le **2e pylône** de l'axe central était également son œuvre et cette porte majestueuse, flanquée de ses deux tours, devait rester le portail principal pendant près d'un millénaire. La place qui le précède a connu de nombreuses transformations avant de devenir la "**grande cour**" que nous connaissons. Ramsès II (1279-1213) la dota d'abord d'une allée de sphinx criocéphales, son petit-fils Séthi II (1202-1197) y ajouta une chapelle et Ramsès III (1191-1189) un temple tout entier.

Le roi éthiopien Taharqa (690-664) fit dresser un kiosque monumental en poussant sur le côté une partie des sphinx de Ramsès, et ce devant les portiques construits 300 ans plus tôt par les rois de la XXIIe dynastie, dite des Bubastites. Leur représentant le plus notoire, Sheshonq Ier (945-924), avait fait le projet de transformer l'avant-cour en une immense cour de temple, mais il en resta à la construction des portiques. Plus tard, Nectanebo Ier (380-362) mena le projet à son terme en édifiant le **Ier pylône**.

Le Labyrinthe des merveilles

Venant de la rue, on franchit d'abord un discret petit pont de bois. Le fossé qui est dessous faisait autrefois partie d'un bassin portuaire, relié au Nil par un canal, par lequel arrivaient les navires lourdement chargés de marchandises les plus variées et de tous les matériaux nécessaires à la construction des temples. C'est de là qu'appareillait également le grand bateau de cérémonie d'Amon-Rê pour se rendre aux processions de Louqsor ou dans la nécropole de la rive ouest. Deux **obélisques de Séthi Ier** ornaient autrefois les **quais**, encore bien conservés, mais il n'en reste qu'un seul aujourd'hui. Une allée de quarante **sphinx criocéphales** conduit maintenant directement au temple. On pourra noter que les animaux sacrés d'Amon reposent sur des socles élevés, et que les têtes de bélier abritent chacune une petite statue de Ramsès II.

C'est en passant le plus grand portail jamais bâti par un pharaon, encastré dans le mur d'enceinte en brique crue de 8 m d'épaisseur, que l'on pénètre dans la ville-temple d'Amon. Ce **Ier pylône** ❶ massif (113 x 43,5 x 15 m) demeura cependant inachevé. Les blocs ne sont pas polis, pas plus qu'ils ne portent sculptures ni inscriptions. On n'en connaît la datation exacte que depuis 1985, lorsque l'on découvrit dans les restes d'une rampe à l'arrière du pylône Sud une brique marquée du nom de Nectanébo Ier. Cette **rampe** ❷ offre un bon aperçu des techniques de construction des Égyptiens qui utilisaient ce type d'échafaudages.

Avec une superficie de 8000 m², la **Grande cour** constitue la plus vaste d'Égypte. Le regard est tout de suite attiré par la colonne de 21 m de haut, seul exemplaire encore debout sur les dix colonnes papyriformes fasciculées qui soutenaient autrefois la **salle hypostyle de Taharqa** ❸. Celles-ci étaient reliées entre elles par des architraves de pierre et portaient un simple plafond de bois ou de vélum.

Lorsqu'Amon-Rê partait en procession, il effectuait de nombreuses haltes rituelles. Deux de ces *temples-reposoirs,* qui ne servaient au culte que les jours de fête, se dressent dans l'enceinte de la grande cour : la **chapelle de Séthi II** ❹ et le **temple de Ramsès III** ❺. Ce dernier réunit de manière exemplaire

Ci-contre : sphinx criocéphales dans la Grande cour du temple de Karnak.

Louqsor et Thèbes **5**

tous les éléments du temple Égyptien. Le fronton du temple est en forme de pylône, dont les sculptures montrent le roi dans sa posture traditionnelle de vainqueur devant Amon. D'un geste triomphant, il écrase les ennemis de l'Égypte enchaînés, expression de sa volonté de domination sur le monde et du pouvoir de conjuration attribué aux images. Deux statues du roi flanquent le passage vers la cour bordée de portiques, qui ne sont pas faits de colonnes mais de *piliers d'Osiris* quadrangulaires, contre lesquels est appuyée chaque fois une statue du roi taillée à l'image d'Osiris dans son enveloppe de momie.

On accède par une rampe au vestibule à colonnes puis à la salle hypostyle attenante. Le Saint des Saints se compose des chambres du culte d'Amon, de Mout (à gauche) et de Chonsou (à droite).

Au nord de la Grande cour, s'étend le **musée à ciel ouvert** ❻, où sont exposés les fragments provenant des plus vieux sanctuaires de Karnak. Il a même été possible de reconstituer entièrement deux des chapelles.

À gauche de l'entrée, reposent plusieurs rangées de blocs de granit ou de quartzite finement sculptés. Ils appartenaient à la **chapelle Rouge,** située au centre du temple et qui servait de reposoir pour les barques sous le règne d'Hatchepsout. Peut-être est-ce déjà l'ennemi irréductible de la reine, Thoutmosis III, qui a procédé à son démantèlement et réutilisé les blocs pour combler le 3ᵉ pylône.

Mais le joyau du musée demeure la **chapelle Blanche** réalisée par Sésostris Iᵉʳ vers l'année 1945 av. J.-C. pour les cérémonies du 30ᵉ jubilé de son règne. Cet édifice élégant de calcaire blanc comportant seize piliers est la chapelle la plus ancienne de Karnak. Ses reliefs finement gravés sont un véritable chef-d'œuvre et représentent le roi sacrifiant à Amon-Min, fusion d'Amon et de Min, le dieu de la fertilité.

Les délicates sculptures de la **chapelle d'albâtre** d'Aménophis Ier, située juste en face, méritent également que l'on s'y attarde ; elles représentent une nouvelle fois le roi dans une scène d'offrandes à Amon-Min.

De retour dans la Grande cour, il faut se tourner vers le **2ᵉ pylône** d'Horemheb. Deux **colosses de Ramsès II**, en granit rose, flanquent l'entrée de ce portail très abîmé. La **statue en pied ❼**, de 15 m de haut, placée à gauche aux côtés d'une effigie de sa fille et épouse Merit-Amon, avait été usurpée au cours de la XXIᵉ dynastie par Pinedjem (vers 1065-1045), l'un des grand-prêtres de Thèbes.

C'est par un petit vestibule et une porte de 29,5 m de haut que l'on accède au **2ᵉ pylône ❽** d'Horemheb – très endommagé – et à la plus grande merveille architecturale de Karnak : la **Grande Salle hypostyle ❾**. Sur une surface de 5 406 m² (102 x 53 m) s'élancent pas moins de 134 colonnes papyriformes fasciculées, véritable forêt pétrifiée. Celles de l'axe médian sont hautes de 24 mètres et leur circonférence oscille entre 10 et 15 mètres, à

Ci-dessus : statue colossale de Ramsès II et de son épouse. À droite : Hathor menant le roi à Amon (relief de la Grande salle hypostyle).

l'endroit où les chapiteaux s'ouvrent en corolles.

Les 122 statues des nefs latérales ne mesurent "que" 14 m de haut pour un pourtour de 6,4 m. À l'origine, un toit recouvrait toute la salle. La différence de hauteur entre la nef centrale et les nefs latérales était compensée par d'immenses fenêtres à claustra (certaines sont très bien conservées). Elles éclairaient la procession de la barque divine tandis que les nefs latérales restaient plongées dans une demi-pénombre.

La Grande Salle hypostyle est restée en chantier pendant plus d'un demi-siècle : la travée centrale date d'Aménophis IV, Horemheb édifia le 2ᵉ pylône sur lequel s'appuient les nefs latérales, tandis que la décoration finale composée de scènes d'offrandes et de processions revient à Séthi Iᵉʳ et à son fils Ramsès II : le père apparaît délicatement sculpté en relief (à gauche), le fils sur un bas-relief (à droite).

Les plus beaux décors sont sur les murs extérieurs. Ils représentent les campagnes militaires de **Séthi Iᵉʳ** (❿ et ⓫) et de **Ramsès** II (⓬ et ⓭) en Syrie et en Palestine. On retrouve ici également illustré le motif favori de Ramsès II, la bataille de Qadech, avec en plus, le texte du fameux **traité de paix** signé entre les Égyptiens et les Hittites ⓮.

Les **sculptures et les inscriptions de Chechonq Iᵉʳ** ⓯ (le Sésac de la Bible), vainqueur de Roboam, roi de Juda et fils de Salomon, vers 927 av. J.-C., se sont révélées très précieuses pour les études bibliques. Parmi les villes conquises, figurées comme une muraille circulaire avec le haut du corps d'un prisonnier enchaîné, est cité le nom de Jérusalem.

Le **3ᵉ pylône** ⓰ d'Aménophis III, lui-aussi en très mauvais état, montre sur sa face postérieure la barque de trente mètres d'Amon-Rê, qui portait le dieu sur le Nil les jours de procession. Des quatre obélisques initiaux, (près de k), qui précédaient autrefois le **4ᵉ pylône** ⓱ de Thoutmosis Iᵉʳ, il ne reste

qu'un seul aujourd'hui : c'est un monolithe en granit rose de 23 mètres de haut et de 143 tonnes portant une dédicace du même roi, à qui l'on doit également le 5ᵉ pylône. La reine Hatchepsout fit ériger devant ce pylône une paire d'obélisques de près de 30 mètres. Le pyramidion de l'obélisque sud est couché près du lac sacré, l'**obélisque nord** ⑱ est encore debout. Les différences de teinte du granit permettent de voir jusqu'où montait le revêtement de pierre posé par Thoutmosis III. A-t-il, là encore, voulu effacer le nom de celle qui l'avait précédé et qu'il haïssait tant, même si les pointes dorées de ses obélisques brillaient encore au-dessus de Karnak ?

On pénètre dans le **sanctuaire des barques** ⑲ par le **6ᵉ pylône**, petit et très abîmé, de Thoutmosis III. En avant de celui-ci se dressent les deux **piliers héraldiques** du même pharaon. Les plantes sont sculptées en relief dans le granit avec une rigueur presque classique : côté sud (à droite), le lotus, emblème de la Haute-Égypte, au nord (à gauche), le papyrus de la Basse-Égypte. À gauche

des piliers, on a redressé deux chefs d'œuvre datant de l'époque de Toutânkhamon : les **statues** en quartzite (ayant en partie subi de sévères travaux de restaurations) d'**Amon** et d'**Amonet**, compagne d'Amon dans la cosmogonie d'Hermopolis.

Le **sanctuaire des barques sacrées**, en granit, fut construit par Philippe Arrhidée, le demi-frère d'Alexandre le Grand, à la place d'une chapelle plus ancienne. Il abritait la barque sacrée d'Amon-Rê, dans laquelle on plaçait l'effigie du dieu lors des processions. Le sanctuaire proprement dit, renfermant le naos de la statue du dieu, se trouvait derrière le reposoir des barques. Les bas-reliefs colorés qui ornent le mur extérieur sud, bien visibles depuis le couloir qui fait le tour du sanctuaire, sont de grande qualité. Sur les murs de ce couloir, Thoutmosis III fit graver les annales de ses dix-huit campagnes et la part du butin qu'il offrit à Amon pour le remercier.

Sur le **mur nord** ⑳, on peut voir des récipients en métal précieux, des bijoux et même deux obélisques. C'est dans la

salle située juste derrière ㉑ que la reine Hatcheptsout fit exécuter de merveilleux reliefs peints. Malheureusement, l'image de la reine a été martelée avec soin : encore un acte de vengeance de Thoutmosis III.

De l'autre côté de la **cour du Moyen-Empire** ㉒, aujourd'hui vide, s'élève le temple de cérémonies, la "**salle des fêtes" de Thoutmosis III**. L'accès à ce temple orienté perpendiculairement à l'axe principal, est situé au milieu de la salle hypostyle, quoique deux colonnes en marquent **l'entrée** ㉓, située un peu plus au sud. À gauche s'ouvre la salle abritant la copie de la fameuse **table de Karnak** ㉔ (dont on peut admirer l'original au Louvre) où l'on voit le roi procédant à l'offrande devant les statues nominatives de 62 de ses prédécesseurs. Le plan assez inhabituel de ce temple est dominé par une salle hypostyle à trois nefs : 32 piliers flanquent la nef centrale légèrement surélevée, sup-

portée par 20 colonnes en forme de poteaux de tente ; ce temple original est une sorte de tente de cérémonie faite en pierre.

À l'est de la salle hypostyle, la salle dite du **jardin botanique** ㉕, se révèle très intéressante. Sa particularité réside dans les hauts-reliefs sculptés avec finesse (il ne subsiste que le registre inférieur), où Thoutmosis III fit immortaliser avec une précision presque scientifique la flore et la faune rencontrées dans ses campagnes en Moyen-Orient.

Derrière, une petite colline permet un dernier coup d'œil sur l'ensemble du site et les édifices, en piteux état il est vrai, à l'est du temple des cérémonies : le **contresanctuaire** ㉖, un nouveau temple de Thoutmosis III, jouxte la façade arrière. Contrairement au Grand temple d'Amon, il est orienté à l'est, vers le soleil levant et un obélisque de près de 31 m de haut (aujourd'hui devant le palais Lateran à Rome). Cet obélisque était non seulement le plus haut d'Égypte mais aussi le seul à ne pas aller par paire. Ramsès II agrandit le sanctuaire à l'est de l'obélisque en y

Ci-dessus : à Karnak, des cochers de fiacre en grande conversation. Ci-contre : statue en quartzite d'Amon.

ajoutant un petit temple pour lui-même, devant lequel le roi Taharqa fit bâtir 600 ans plus tard une salle hypostyle de 20 colonnes semblables à celles qui précèdent le 2e pylône. Le **portail Est** ㉗ de Nectanébo ferme l'enceinte du temple d'Amon de ses 19 m de haut.

Le **lac sacré** ㉘ (200 x 117 m) servait aux rites de purification des prêtres, c'était aussi le théâtre des processions de barques et, spécialement à Karnak, l'étang réservé aux oies sacrées d'Amon. C'est à proximité du bassin qu'étaient regroupés les habitations des prêtres, les magasins, les écuries, les installations nécessaires à la préparation des offrandes. Les produits alimentaires qu'exigeaient le service du temple et l'approvisionnement des prêtres provenaient de terres exemptées de taxes parce que propriétés du dieu. Cette règle valait pour tous les temples, mais dans le cas de Karnak, sanctuaire de l'empire, cela représentait un pouvoir économique considérable.

À côté de l'édifice de Taharqa, en grande partie souterrain et que l'on considère comme le tombeau mythique d'Osiris, se trouve, seul bâtiment profane, une petite maison de thé, le "temple coca-cola", comme l'appellent avec humour les guides, un endroit très agréable où l'on peut se rafraîchir. À quelques pas de là, on découvre le monumental **scarabée de granit d'Aménophis III** ㉙ et le pyramidion de l'**obélisque** brisé **d'Hatchepsout** ㉚ .

Un passage conduit à la **cour** adjacente devant le **7e pylône** ㉛. C'est ici que commence l'axe nord-sud qui va jusqu'au 10e pylône, en une succession de cours et de portails. Cette cour, devant le 7e pylône, a été le théâtre d'une découverte fabuleuse au début du XXe siècle : plus de 800 grandes statues de pierre et de 17 000 figurines de bronze ont été sorties d'une *cachette*, aménagée à l'époque ptolémaïque, lors d'une "action de nettoyage".

De toutes les chapelles et des édifices annexes, deux méritent vraiment une

visite : d'abord le **temple de Chonsou** ㉜, à l'extrémité sud-ouest du site. Ramsès III en a entrepris la construction mais les reliefs ne datent que des rois-prêtres Hérihor et Pinedjem Ier. Il est précédé du puissant **portail Sud**, que Ptolémée III fit bâtir là où commençait, depuis le Nouvel Empire, la prestigieuse allée de sphinx qui menait de Karnak à Louqsor.

Face à celui-ci, légèrement en diagonale, s'élève le petit **temple de Ptah** ㉝, à proximité du **portail Nord**. Édifiée pour faire office de chapelle sous Thoutmosis III, il a été agrémenté de six jolis pylônes par les Ptolémées plus de mille ans plus tard. Il faut voir les statues de Ptah (sans tête) dans la chapelle centrale, et celles de sa divine épouse Sekhmet dans la chapelle de droite. L'effet est particulièrement saisissant lorsque le gardien ferme la porte : les statues ne reçoivent alors qu'un mince rai de lumière tombant d'une lucarne percée dans le plafond et s'éclairent d'une lueur magique, tandis que le reste de la pièce demeure dans une pénombre pleine de mystère.

THÈBES-OUEST

Le royaume des morts

Depuis les années 1990, un pont permet de traverser le Nil pour gagner la rive occidentale, même si la tradition veut qu'on le fasse en bateau. Pour les Égyptiens de l'Antiquité, l'Occident a toujours été synonyme de royaume des morts. Il faut être inhumé là où le soleil disparaît à l'horizon, dans "le bel Occident" comme le révèlent de nombreux textes. Le terme "beau" ne fait pas référence à la notion de paradis, mais à l'espoir d'une résurrection et d'une vie nouvelle après la mort. Le dieu-soleil ne sombre-t-il pas chaque soir, à l'ouest justement, dans les profondeurs de l'au-delà, pour resurgir chaque matin rajeuni et éclatant dans le ciel de l'Orient ? "Tu meurs afin de revivre", cette phrase, que l'on trouve dans les écrits religieux les plus anciens et dans les Textes des Pyramides, exprime l'une des vérités fondamentales de la croyance égyptienne.

En quittant le débarcadère, la route traverse des champs d'un vert juteux et longe des hameaux idylliques sur quelques kilomètres avant d'atteindre la lisière du désert et les premières hauteurs de la chaîne lybique. Là s'étend, sur près de huit kilomètres, l'un des plus grands cimetières d'Égypte. Trois rangs de tombeaux et de chapelles funéraires s'échelonnent parallèlement aux terres cultivées : les temples funéraires des pharaons dans la plaine, les tombes privées à flanc de montagne et, dans les lieux les plus reculés, à l'abri des gorges et des vallées du massif rocheux, les sépultures des rois et des reines, des princes et des princesses. Mais ce monde des morts est en même temps un lieu plein de vie à l'animation tout à fait profane. De nombreux petits villages sont éparpillés dans la plaine fertile aux cultures intensives. Beaucoup de familles

Ci-contre : souvenirs pour touristes à l'entrée de la Vallée des Rois.

vivent accrochées aux flancs de la montagne, parmi, sur, quand ce n'est pas dans, les tombes de leur ancêtres pharaoniques. Leurs maisons de brique crue peintes de couleurs vives sont devenues elles-mêmes une curiosité. Et même s'il est partout d'usage en Égypte d'illustrer la maison d'un pèlerin de scènes de son voyage à la Mecque, bravant en cela tous les interdits de l'islam, il semblerait qu'à Thèbes, on ne connaisse plus de frein à une soif débordante d'images, sans doute une retombée positive du tourisme. On ne se contente pas de représenter la pierre noire de la Mecque, le pèlerin plein de piété et ses divers moyens de transport, depuis le chameau à l'air un peu triste jusqu'à l'avion ; on y voit aussi toute une gamme de scènes charmantes, croquées sur le vif, et tirées de la vie quotidienne des habitants du village. Les occasions ne manquent pas d'aller voir ces maisons de plus près et même d'y pénétrer. Il n'est pas rare d'y trouver l'un de ces ateliers d'albâtre, dont les productions artisanales vont de ravissantes coupes de marbre aux statuettes égyptiennes très kitsch, dont les coloris et les formes atteignant des summums de laideur.

La **Vallée des Rois**

Lorsque Thèbes devint la capitale de l'empire réunifié, au début de la XVIIIe dynastie, les souverains y firent également bâtir leurs sépultures. Mais l'on cessa soudain de construire des pyramides, comme cela avait été l'usage pendant plus de 1000 ans, pour creuser des hypogées dans une vallée cachée de la chaîne Lybique, loin des temples funéraires situés au bord de la plaine fertile. Pourquoi ce changement ? Sans doute pour plusieurs raisons mais on ne renonçait pas complètement aux pyramides, symboles de l'immortalité du pharaon, puisqu'une pyramide naturelle, la montagne d'El Qurn (la corne), domine de 500 m la **Vallée des Rois ⑤**. La situation isolée de la vallée a sans doute été l'une des raisons du choix de ce site d'un genre nouveau. Il était facile à surveiller et donc à protéger des pillards.

On avait pu constater dans le passé que rien n'arrêtait ces voleurs sacrilèges, pas même les tombes royales. Il est possible que ce soit aussi pour ce motif que l'on ait séparé les tombeaux des temples funéraires, mais cette démarche nouvelle est avant tout le reflet d'une nouvelle conception religieuse du monde : c'est maintenant le dieu Amon qui occupe le centre du temple funéraire de Pharaon, et le culte du souverain défunt n'est plus célébré que dans les chapelles annexes.

Le tombeau le plus ancien de la Vallée des Rois remonte au règne de Thoutmosis Ier ; l'architecte Inene rapporte avec fierté qu'il est l'une des rares personnes à connaître l'endroit secret où se trouve la tombe du pharaon : *"je visite toujours tout seul les travaux d'excavation de l'hypogée de Sa Majesté, sans être vu ni entendu de quiconque".* Comme toutes les sépultures royales des débuts de la XVIIIe dynastie, elle se compose d'une descente raide, coudée, avec un escalier, d'un vestibule, de la chambre du sarcophage et d'une chambre attenante où sont déposées les offrandes. Par la suite, l'ensemble de la tombe s'agrandit, mais on n'en modifia le plan qu'après l'intermède monothéiste d'Akhénaton : de longs couloirs en ligne droite, flanqués de niches et de chapelles, guident la lumière du soleil jusqu'à la chambre du sarcophage, au cœur de la montagne.

Aujourd'hui encore, un halo de mystère enveloppe la Vallée des Rois. *"... le silence du royaume des morts, pesant comme la chaleur de midi. Ce pays dont on ne revient jamais, mais que chacun porte en soi, est soudain là sous vos yeux : l'au-delà."* (extrait de la *Vallée des Rois*, de E. Hornung).

Ci-contre : coucher de soleil sur le Nil, près de Louqsor.

Ce sont les murs des tombeaux royaux qui nous apprennent comment les Égyptiens se représentaient l'au-delà : avec une pléthore de textes et d'images, les *Livres du Monde Souterrain*, dont le symbolisme échappe encore, sur bien des points, à la compréhension des experts.

Les descriptions de l'au-delà, d'une précision parfois presque géographique, ont toujours été, depuis l'époque des pyramides, l'un des sujets favoris d'une abondante littérature sur les morts. Mais dans les *Livres des Morts* du Nouvel Empire, l'aspect visionnaire a fait place à une véritable "science de l'au-delà". Le thème central est le périple nocturne du soleil à travers "l'*Espace Caché*" et sa renaissance triomphante chaque matin. C'est d'ailleurs dans l'espoir de participer à ce miracle que le souverain faisait représenter dans son caveau ce parcours nocturne.

Le livre le plus ancien, l'*Amdouat*, partage "l'autre monde" en 12 domaines, qui correspondent au 12 heures de la nuit de l'ancien calendrier égyptien. Le dieu-soleil à tête de bélier parcourt sur sa barque dorée les régions obscures tout au long de la nuit et éveille ainsi les morts bénis à une vie nouvelle, leur apportant lumière et nourriture. Mais il participe aussi au jugement des damnés, les condamnant à périr dans les flammes ou à être décapités.

Les textes rappellent avec insistance combien il est essentiel pour le défunt de connaître avec exactitude les noms de tous les lieux des mondes infernaux, comme de tous les génies et les démons qui les peuplent. Car ce n'est qu'ainsi qu'il pourra maîtriser tous les dangers du royaume des morts, si différent et si menaçant. La dernière heure de la nuit montre enfin la renaissance du dieu-soleil, métamorphosé en scarabée, symbole du soleil levant ressuscité.

L'Amdouat reste le thème principal de la décoration murale des caveaux jusqu'à la fin du Nouvel Empire et ce

Carte p. 164, fiche pratique p. 180-181

n'est qu'avec Horemheb que l'on commence à écrire de nouveaux livres sur le monde des morts. C'est d'abord le *Livre des Portes*, qui décrit encore le voyage nocturne du soleil d'une manière proche de l'Amdouat.

Toutefois, les douze heures sont ici séparées les unes des autres par des morts armés de poignards et des serpents crachant des flammes. Le *Livre des Cavernes*, un peu plus récent, ne divise plus l'au-delà en heures mais en autant de cavernes, que le dieu-soleil, représenté en général ici par le disque solaire, éclaire l'une après l'autre.

L'originalité de ce livre réside dans les nombreux ovales qui figurent les sarcophages des morts bénis. À ces trois "grands livres" s'ajoute le *"Livre de la Terre"*, qui est une succession de scènes isolées, célébrant par des images attrayantes le retour du soleil des profondeurs de l'au-delà.

L'œuvre la plus célèbre de la littérature égyptienne sur l'au-delà est le *"Livre des Morts"*, qui rassemble des maximes illustrées. On en connaît désormais 190 chapitres, dont on remet-

tait au défunt un certain nombre (mais jamais la totalité) pour l'accompagner dans la tombe, ces formules magiques devant préserver sa nouvelle vie. Contrairement aux *Livres des Morts* royaux, ces écrits étaient accessibles au commun des mortels.

Tous ces textes et images n'étaient, il est vrai, pas destinés à être lus et vus par les vivants. Après les funérailles, les tombeaux étaient murés pour toujours, mais les immenses richesses que les rois emportaient avec eux dans la tombe ne tardaient pas à attirer les pillards. Les commissions d'enquête et les procès ne donnaient guère de résultats, car les voleurs avaient des complices même parmi les prêtres. Les violeurs de tombes brûlant les momies par crainte de la malédiction du pharaon, les rois-prêtres de la XXIe dynastie essayèrent de sauver au moins les dépouilles de leurs nobles ancêtres. Ils les cachèrent tant et si bien qu'on ne les retrouva qu'à la fin du XIXe siècle. Lorsque les momies furent transportées jusqu'au Caire en bateau, des milliers de personnes s'étaient rassemblées le long du Nil pour rendre un

dernier hommage aux princes et princesses d'antan.

Pendant près de cinq cents ans, de la XVIIIᵉ à la XXᵉ dynasties, les pharaons furent inhumés ici. Sur plus de 60 tombeaux au total, 25 sont des sépultures royales, les autres, simples excavations ou chambres funéraires, sont celles de hauts dignitaires. La découverte par Howard Carter, en 1992, du tombeau de Toutânkhamon fit l'effet d'une bombe dans le monde des égyptologues. Trois ans plus tard, l'Américain Kent Weeks provoqua un nouvel émoi en tombant sur une gigantesque galerie souterraine aménagée pour les princes de Ramsès II. Depuis, 108 chambres ont été découvertes et cinq des fils du pharaon identifiés. Si le plus grand tombeau de l'Égypte à ce jour n'est pas ouvert au public, il peut néanmoins être visité sur Internet qui lui consacre un site fort bien documenté (www.kv5.com) et informe sur l'état actuel des fouilles.

Ci-dessus : peinture du tombeau de Séthi Iᵉʳ. À droite : têtes ornant les vases canopes de Toutânkhamon (Musée Égyptien, Le Caire).

Voici une présentation des tombeaux les plus importants, ordonnés chronologiquement, afin de faciliter la compréhension et de permettre une approche plus aisée d'une iconographie de plus en plus sophistiquée au fil du temps. Les tombeaux sont indiquées par des panneaux (v. plan p. 144) et, à chaque entrée, un tableau comporte le plan du tombeau. Certains tombeaux étant parfois fermés provisoirement pour travaux, la visite comporte en règle générale une dizaine de sépultures.

*Tombeau de Thoutmosis III ❶ : l'entrée du tombeau se trouve dans une anfractuosité de la montagne, à l'extrême sud de la vallée. Une échelle de fer verticale permet d'y accéder facilement. Puis une succession d'escaliers et de rampes conduisent par un couloir en pente raide et taillé grossièrement, jusqu'à un vestibule dont le plafond figure une voûte céleste constellée d'étoiles. Sur les murs est gravé un catalogue de 741 divinités et démons du monde des enfers.

De là, un escalier descend dans la chambre funéraire, de forme ovale, dé-

corée elle aussi d'un ciel étoilé et d'un immense papyrus peint. Les douze heures de l'Amdouat sont figurées au trait et en hiéroglyphes cursifs sur les murs. Derrière lesarcophage en quartzite finement sculpté du pharaon, on reconnaît la scène de la résurrection. La barque du dieu-soleil criocéphale est tirée par un serpent. Devant la sortie, ovale comme la chambre, plane de l'Hadès, rajeuni, régénéré, le soleil matinal sous la forme d'un grand scarabée.

*Tombeau d'Aménophis II ② : comme son père Thoutmosis III, Aménophis II fit également orner sa chambre funéraire d'un plafond étoilé et de passages du livre de l'Amdouat. Mais le plan rigoureusement rectangulaire ainsi que la décoration des piliers diffèrent. Les silhouettes du souverain et des dieux infernaux ne sont qu'esquissées, mais le dessin est d'une perfection étonnante. Une sorte d'alcôve, située en contre-bas, abrite le sarcophage de quartzite dans lequel on découvrit la momie intacte, parée de fleurs. Dans les chambres adjacentes, les chercheurs trouvèrent d'autres momies royales, que les rois-prêtres de la XXIe dynastie avaient cachées ici.

**Tombeau de Toutânkhamon ③ : lorsqu'on a vu l'immense trésor de Toutânkhamon au musée Égyptien du Caire, on est tout étonné de la petite taille de cette tombe, la plus célèbre de toute la Vallée des Rois. Un couloir descend jusqu'au vestibule, où donnent la chambre du sarcophage, une petite chambre latérale et une chambre secondaire. Dans le sarcophage de quartzite, posé ouvert au centre de la pièce, le souverain défunt repose dans le plus grand des trois sarcophages momiformes dorés et richement décorés. Cela fait de lui le seul pharaon à du Nouveau royaume à avoir réintégré son tombeau dans la vallée des rois.

Les fresques de la chambre du sarcophage, seule pièce décorée du tombeau, montrent sur le mur est (à droite) la procession funéraire ; sur le mur du grand côté, à droite, le roi Aï, revêtu de la peau de léopard des prêtres, procédant pour le mort à la cérémonie de *l'Ouverture de la Bouche,* rôle qui incombe habituellement au fils du défunt ; au milieu,

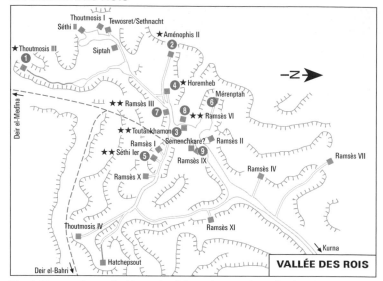

Toutânkhamon devant la déesse du ciel Nout, qui l'accueille dans l'au-delà, et à ses côtés Osiris, accompagné de son Ka, entoure de ses bras le souverain défunt. Sur le mur ouest (à gauche), les babouins et la barque solaire font allusion à la première heure de l'Amdouat, tandis que sur le mur sud (à l'extrême gauche), Toutânkhamon se tient entre Anubis, dieu qui embaume, et Hathor, maîtresse du royaume des morts de Thèbes.

★**Tombeau d'Horemheb** ④ : ce tombeau du dernier pharaon de la XVIIIᵉ dynastie s'enfonce de 150 m dans la montagne par un couloir droit. Les reliefs rehaussés de couleurs des deux premières chambres comptent parmi les plus beaux de toute la vallée. Ils représentent le roi conduit par les dieux à l'intérieur du tombeau, et faisant l'offrande. La décoration de la chambre du sarcophage est demeurée inachevée, et c'est ce qui fait aussi son intérêt. On voit ainsi la technique des

Ci-dessus : entrée d'un hypogée dans la Vallée des Rois.

artistes, qui esquissaient le texte et les dessins en rouge, apportaient des retouches en noir, tandis que d'autres commençaient juste à côté le travail de relief. Cette fois, le sujet est le *Livre des Portes*, comme le montre notamment la représentation agrandie de la salle du Jugement d'Osiris, où le souverain du Royaume des Morts statue sur la destinée des défunts. Le sarcophage de granit rose est également remarquable. Une petite chambre latérale avec une belle effigie d'Osiris s'ouvre sur la gauche.

★★**Tombeau de Séthi Iᵉʳ** ⑤ : cette tombe de 100 m de long du premier roi marquant de la XIXᵉ dynastie est justement célèbre pour l'élégance unique et la finesse de ses reliefs. Les deux premiers couloirs sont décorés des *Litanies du Soleil*, un hymne au dieu-soleil, et de scènes tirées de l'Amdouat. L'arrivée de l'escalier devant le 3ᵉ couloir est ornée de chaque côté de deux effigies pleines de grâce des déesses Isis et Nephthys. Les parois de ce couloir évoquent encore des scènes de l'Amdouat. La pièce attenante, avec le puits servant

à dérouter les pillards (pour lequel on propose aujourd'hui une autre signification, mythologique celle-ci), débouche dans la salle dite des quatre piliers. Les fresques illustrent le périple nocturne du dieu-soleil, mais la plus intéressante demeure celle des quatre races humaines connues à l'époque : quatre Égyptiens, quatre Asiatiques reconnaissables à leur barbe taillée en pointe, quatre Lybiens et quatre Noirs (mur de gauche, registre inférieur). En continuant tout droit, on arrive à la salle-des-deux-piliers, aux reliefs inachevés, inspirés encore de l'Amdouat. À gauche, l'axe du tombeau s'incurve légèrement, et deux couloirs s'enfoncent dans la montagne. Le motif choisi est ici la classique cérémonie de l'*Ouverture de la Bouche*. Puis on pénètre dans le vestibule, aux bas-reliefs d'une grande beauté figurant le roi devant plusieurs divinités, avant d'arriver dans la chambre funéraire qui se compose d'une salle à piliers légèrement surélevée, et d'une crypte surmontée d'une voûte. C'est là que Giovanni Belzoni, l'homme qui découvrit l'hypogée, trou-

va le magnifique sarcophage d'albâtre, actuellement au musée Soane à Londres. Le plafond est décoré de motifs astronomiques et de la *Constellation du Nord*, encore non identifiée aujourd'hui.Dans les chambres annexes, notons la petite salle où figure le *Livre de la vache céleste* (à côté du premier pilier à droite). Nout, déesse du ciel, est représentée ici sous l'aspect d'une vache gracile, et la barque du dieu-soleil glisse contre son flanc.

Tombeau de Mérenptah 6 : l'hypogée du fils de Ramsès II (dont la propre tombe est fermée) s'enfonce à 110 mètres sous terre. Les reliefs sont des scènes tirées du *Livre des Portes*, des hymnes au dieu-soleil ou des figures de dieux. À voir : la salle du sarcophage au couvercle de granit rose, dont les sculptures au relief accentué font apparaître le souverain mort sous les traits d'Osiris.

**Tombeau de Ramsès III 7 : d'une longueur totale de 125 m, cette sépulture est l'une des plus vastes de la Vallée des Rois. Les couleurs des bas-reliefs sont encore bien visibles dans les

Fiche pratique p. 180-181

chambres supérieures et les couloirs. Les deux premiers corridors, dont les décorations s'inspirent des *Litanies du Soleil* et d'extraits de *l'Amdouat*, ne desservent pas moins de dix chambres latérales, dont les scènes murales sont très originales et fort jolies. Tandis que celles situées sur la droite ont pour thème principal l'approvisionnement du tombeau, on voit à gauche des cérémonies d'offrandes et la célébration du culte. C'est dans la dernière salle que se trouve le célèbre relief des deux joueurs de harpe (malheureusement très endommagé), qui a valu à la tombe le surnom de *"tombeau des harpistes"*. La salle suivante enjambe un contournement que les chercheurs durent pratiquer lorsqu'ils découvrirent une autre sépulture en dégageant le couloir. Les parois portent de grandes figures de dieux et pharaons. Les décorations des chambres qui se succèdent ensuite sont consacrées au voyage nocturne du dieu du soleil à travers l'Hadès. Les salles de la partie inférieure sont presque entièrement détruites.

**Tombeau de Ramsès VI ⑧ : l'excellente conservation des sculptures et des peintures polychromes font de cette tombe l'un des joyaux de la Vallée des Rois. Une enfilade de couloirs et de petites chambres s'enfonce en ligne droite dans la montagne, et descend jusqu'à la chambre sépulcrale. Les murs latéraux sont couverts de scènes inspirées de l'Amdouat, du *Livre des Portes* et du *Livre des Cavernes*, les peintures du plafond symbolisent des constellations stellaires. De nombreux graffiti en caractères grecs nous apportent la preuve que, déjà dans l'Antiquité, ces hypogées attiraient les visiteurs. Les illustrations de la chambre du sarcophage sont ici un hymne à la gloire de la résurrection, dont toutes les variations tournent autour du même thème, la renaissance du soleil. Les reliefs des deux petits côtés illustrent le *Livre de la Terre* : d'innombrables paires de bras, des dieux et des déesses, tiennent le soleil levé comme un ballon, après l'avoir cueilli des profondeurs de la terre. Une

Ci-dessus : la reine Néfertari faisant l'offrande à la déesse Isis.

niche profonde s'ouvre au milieu de la crypte, derrière les restes du sarcophage de granit. On y voit l'image finale du *Livre des Portes*, lorsque le dieu Noun soulève la barque solaire, hors de la masse sombre des eaux primitives, vers la lumière du ciel. Le plus beau décor de cet hypogée est visible sur le plafond voûté de la crypte : la silhouette de la déesse du ciel, Nout, y apparaît deux fois, dans le ciel diurne, où elle est symbolisée par une seule étoile, puis dans le ciel nocturne, que le soleil traverse avant de renaître au matin du sein de la déesse.

Le tombeau de Ramsès IX ❾ : une enfilade de couloirs conduit à la chambre mortuaire à 82 m de profondeur sous la montagne. Les fresques représentent une fois encore le voyage nocturne du dieu-soleil dans les enfers et montrent le roi faisant une offrande aux dieux. Dans le troisième couloir à droite, on peut admirer une scène extraordinaire : la résurrection du pharaon d'entre les morts. Dans le langage symbolique des Égyptiens anciens, la momie du roi, le corps dressé à l'oblique et les bras levés, représente le réveil de la rigidité cadavérique. Si le scarabée au-dessus de la tête du pharaon symbolise la résurrection, l'image du coléoptère est aussi l'incarnation du dieu-soleil qui renaît chaque jour. Les murs de la chambre mortuaire sont ornés de portraits de dieux et de démons. Le mince silhouette de Nout apparaît deux fois – dans le ciel du matin et dans celui du soir – sur le plafond voûté.

La **Vallée des Reines**

C'est dans une petite vallée transversale, dans l'extrême sud de la montagne thébaine occidentale, que s'étend le *lieu de toutes les beautés,* soit le pendant de la Vallée des Rois : les sépulture des reines, princes et princesses du Nouvel Empire. Quatre-vingt tombeaux ont déjà été découverts dans la **Vallée des Reines** ❻, d'aspect plus modeste

que ceux des rois, parfois même dépourvus de toute décoration murale, les les plus beaux datant des règnes de Ramsès II et de Ramsès III.

Tombeau de Néfertari. Le tombeau de l'épouse de Ramsès II est célèbre pour la beauté de ses reliefs aux couleurs fraîches, restaurés après six ans de travaux menés de main de maître. Depuis novembre 1995, le tombeau est rouvert au public, le nombre des visiteurs étant néanmoins limité à 150 par jour et la durée de la visite à 10 mn.

Un escalier descend jusqu'au vestibule. Comme partout dans la Vallée des Reines, les reliefs sont taillés dans une épaisse couche de stuc qui recouvre le calcaire, trop friable. À gauche, ils illustrent les désirs des défunts, comme le décrit le XVIIe chapitre du *Livre des Morts :* jouer au zenet, devenir un oiseau-âme (*bâ*) et, pendant le jour, adorer le soleil (qui apparaît ici entre les lions de l'horizon ou sous forme de phénix sacré). On voit à côté la momie de la déesse, pleurée par Isis et Nephtys en faucons, la vache céleste couchée et six démons armés de poignards. On plaçait les offrandes sur le rebord situé dessous. À droite et dans la chambre latérale qui suit l'antichambre, il y a de magnifiques représentations de la reine et de divinités. Au bout du couloir oblique, sous une effigie de Maat, la déesse ailée, s'ouvre le passage menant à la salle du sarcophage et aux trois chambres adjacentes. La décoration murale, malheureusement attaquée par le salpêtre, et les quatre piliers montrent à nouveau la belle reine devant les dieux.

Tombeau de Tjiti. Si Tjiti était l'épouse de l'un des onze Ramsès, on ne sait toujours pas duquel d'entre eux. Des images de la déesse ailée Maat, personnification de l'ordre universel, ornent l'entrée du long couloir symbolisant le parcours de la reine vers le cœur du tombeau et les dieux. La chambre principale, décorée de reliefs de dé-

mons et de divinités, est entourée de trois petites pièces : à gauche le puits de la tombe, à droite une belle effigie de la vache Hathor dans les montagnes de Thèbes, et au centre Osiris, le maître de l'au-delà.

**Tombeau d'Amon-her-Khepechef. Cette tombe princière est l'une des principales attractions de la Vallée des Reines, en raison de l'intensité des couleurs des reliefs de stuc. On accède à une première petite salle par un escalier. Le prince, en jeune garçon, portant la fameuse boucle des enfants de l'époque, fait aux côtés de son père Ramsès III l'offrande aux dieux qui les accompagneront et les guideront dans l'Hadès. Car les portes ne s'ouvrent que devant celui qui connaît les noms des terribles gardiens. C'est pour cette raison que les couloirs sont illustrés de passages du 144e chapitre du *Livre des Morts* : ce sont des formules magiques

Ci-dessus : bas-relief dans le tombeau d'Amon-her-Khepechef. Ci-contre : une troupe de cavaliers dans les montagnes de l'Ouest.

qui viendront en aide au petit prince. Dans la chambre du sarcophage, vierge de décorations, se trouve la cuve funéraire en granit qui n'était certainement pas destinée à recevoir la momie du fœtus (dans un coffre de verre).

*Tombeau de Khâemouaset. Cet hypogée assez vaste est celui d'un autre fils de Ramsès II, et les thèmes sont à peu près les mêmes, mais on note une importante différence : la salle du sarcophage est décorée. Un lion et chacal gardent l'entrée du caveau, Ramsès III fait l'offrande aux dieux, il est accompagné d'Isis et de Neith (à gauche), de Nephthys et de Selkis (à droite), qui le conduisent à Osiris (mur du fond).

****Deir el-Médina**

Dans une gorge étroite, non loin de la Vallée de Reines, reposent les témoins de pierre d'une surprise archéologique : le village des artistes et des artisans qui œuvrèrent dans la Vallée des Rois et les autres cimetières de la Thèbes occidentale. Si les chercheurs français découvrirent à ****Deir el-Médina ❼** l'une des rares agglomérations de l'époque, le hasard leur livra également la chronique haute en couleurs de ses habitants. Dans une "fosse-dépotoir", ils découvrirent près de 5 000 *ostraca*, tessons de calcaire et d'argile, qui servaient de carnets d'esquisses, de papier à lettre ou de cahiers de rapports. On apprit ainsi le nom de ces maîtres jusque là anonymes, et l'on connaît leurs familles, leurs soucis, leurs humeurs et leurs querelles.

C'est vraisemblablement Aménophis Ier qui créa ce village, dont il devint le saint patron après sa mort avec sa mère, la reine Ahmose-Néfertari. Entre 40 et 60 artistes y vivaient avec leur famille. Les murs de leurs petites maisons à deux étages sont bien conservés, certains portent encore des traces de peintures.

Dans l'Égypte ancienne, la semaine comptait dix jours, le "week-end" et les

jours fériés étant chômés. Les artisans étaient payés une fois par mois, avec des céréales servant également de monnaie d'échange. Lorsque, sous la XXᵉ dynastie, le salaire se fit trop attendre, les artistes réagirent en organisant la première grève de l'histoire de l'humanité.

Au nord du village, on découvre des chapelles vouées aux dieux, ainsi qu'un petit *temple ❽ de l'époque ptolémaïque que des moines chrétiens transformèrent plus tard en un couvent. C'est lui qui donna son nom au site : *Deir-el-Médina*, la ville-couvent. Le versant à l'ouest du village abrite les tombeaux des artistes. Des édifices cultuels surmontaient jadis l'entrée de ces hypogées aux peintures merveilleuses, tandis qu'une petite pyramide de brique crue couronnait le tout. Deux tombeaux sont généralement ouverts au public :
**Tombeau de Sennedjem. "Serviteur dans la Place de Vérité", sous la XIXᵉ dynastie, Sennedjem appartenait à la corporation des artisans de Deir-el-Médina. Son tombeau fut retrouvé intact. Tout son contenu est maintenant exposé au Musée Égyptien. On descend par un escalier dans la chambre sépulcrale au plafond voûté, ornée de passages et d'illustrations du *Livre des Morts*. On y voit notamment, sur le petit côté à droite, la célèbre série de scènes appelée les "Champs Elysées", qui montrent le défunt et son épouse procédant aux semailles et à la récolte dans les champs de l'au-delà. La présence dans le caveau de la déesse arbre (à gauche sur la voûte du plafond), dont le corps jaillit d'un tronc, assure le bien-etre matériel des défunts dans l'au-delà.
**Tombeau d'Inherkhâon. Le tombeau d'Inherkhâon, contremaître des artisans sous Ramsès III et Ramsès IV, se trouve en face de celui de Sennedjem. On admirera les peintures de la plus profonde des deux chambres souterraines, remarquablement conservées. On perçoit nettement la liberté dont jouissaient les artistes pour la décoration de leurs propres tombeaux. N'ayant plus de consignes à suivre, les artistes donnaient libre-cours à leur talent et esquissaient directement "à pinceau levé" les contours de leurs sujets.

Ces images représentent le défunt et sa famille, des scènes d'adoration et des passages de la XVIIe maxime du *Livre* des Morts. La figure du "grand matou", symbole du dieu-soleil Rê, exterminant le mal incarné par un serpent, est particulièrement réussie.

**Tombeaux de Sheikh Abd el-Gurna

Aristocrates, familiers du pharaon, hauts-fonctionnaires, ainsi que de rares prêtres ou artistes jouirent du privilège d'installer leur sépulture à proximité de celle du roi. Outre les nombreux caveaux dépourvus de toute décoration, on recense à ce jour 450 de ces hypogées privés de l'ancienne Thèbes, ornés de peintures ou de bas-reliefs. Si nombre d'entre eux furent détruits, les **tombeaux de Sheikh Abd el-Gurna** ❾ constituent l'un des moments forts de tout voyage en Égypte. Un

Ci-dessus : le dur labeur du tailleur d'albâtre. Ci-contre : musiciennes dans la tombe de Rekhmiré.

groupe de tombes de la XVIIIe dynastie se trouve en plein village. Les scènes, joyeusement colorées, apparaissent plus accessibles que les images ésotériques des tombes royales. Les thèmes choisis pour agrémenter les tombeaux sont surtout des scènes de la vie campagnarde, des repas de fête, des voyages en barque mais aussi des processions funéraires émouvantes. Ces fresques étaient, là aussi, investies d'un pouvoir magique au service des morts. On sent ici une vision du monde beaucoup plus attachée aux préoccupations terrestres, qui s'adresse également au spectateur. En effet ces tombes recevaient de la visite chaque année, lors de la "*Fête de la Vallée du Désert*". Les familles, après avoir sacrifié aux rites du culte funéraire, fêtaient leurs morts par un banquet opulent.

La tombe thébaine classique se compose de quatre éléments : une avant-cour découverte, où l'on se réunissait pour les fêtes ; une salle transversale, transition symbolique entre le monde ici-bas et l'au-delà, et décorée encore de scènes profanes ; une salle en longueur, représentant l'itinéraire suivi par le défunt dans l'au-delà et où les thèmes évoqués sont essentiellement religieux ; enfin une chambre funéraire, souvent vierge de tout ornement. On commençait par creuser les chambres dans le calcaire friable, avant de lisser les murs avec un enduit de terre glaise et de les recouvrir d'une mince couche de stuc qui servait de support aux fresques, peintes à la détrempe.

Tombeau de Rekhmiré. La sépulture de Rekhmiré, qui exerça les fonctions de vizir sous le règne de Thoutmosis III, domine la plaine de son impressionnante silhouette. Les peintures de la salle transversale illustrent les activités de sa charge. Celles de l'aile gauche sont particulièrement intéressantes : des Asiatiques, des Nubiens, des Crétois et des habitants du royaume de Pount apportent leurs tributs : défenses d'éléphants, œufs et plumes d'au-

truche, vases précieux, encens et toutes sortes d'animaux exotiques, girafes, guépards, babouins, éléphants et même un ours brun. Dans l'aile droite, le mur d'entrée présente un atelier de statues royales, celui d'en face, une chasse au désert. La salle en longueur est très impressionnante avec son plafond en plan incliné. Les fresques murales représentent un repas de fête, la nombreuse assistance est entourée de servantes et de musiciennes charmantes. De l'autre côté, les activités artisanales sont détaillées avec tendresse. On découvre la fabrication des briques, des jarres, des bijoux, des meubles et des statues. Suivent des convois funèbres (à gauche), le service du culte devant la statue du défunt (à droite) et un voyage rituel de la statue en barque, sur un bassin au milieu d'une palmeraie. Des deux côtés de la niche du culte, le maître des lieux est assis devant une table d'offrandes richement garnie.

**Tombeau de Sennefer. Le tombeau du maire de Thèbes sous Aménophis II n'est qu'à quelques pas de celui de Rekhmiré. Si les salles non enterrées, réservées au culte, ne se visitent pas, Sennefer fit décorer somptueusement la chambre du sarcophage, ce qui est assez inhabituel. On descend à l'antichambre par un escalier de 44 marches, creusé dans le roc. On peut admirer le motif de vigne grimpante qui vaut au caveau le nom de "tombeau des vignes". Des pieds de vigne portent de lourdes grappes et leurs pampres montent jusqu'au plafond, dont les aspérités modelées imitent à merveille la structure naturelle de la treille. Sur les murs, des serviteurs apportent des objets du mobilier funéraire : meubles, masque mortuaire, colliers, récipients variés. Sur les deux côtés du passage menant à la chambre sépulcrale, Sennefer apparaît en compagnie de son épouse Sénetnéfret, portant le sistre et le menit, instruments de musique sacrée. Les murs et les piliers de la chambre funéraire sont recouverts de peintures magnifiques, représentant pour la plupart le défunt et ses épouses, en prière, faisant l'offrande, ou plus simplement à table. Les représentations des dieux de l'au-delà étaient dotées d'un grand pouvoir ma-

gique pour les défunts. On voit ici Osiris, Anubis et Hathor, son convoi funèbre (à gauche), des textes et des scènes extraits du 151ᵉ chapitre du *Livre des Morts* (à droite), qui ont pour objet de placer la momification de la dépouille sous la protection de l'embaumeur divin Anubis.

**Tombeau de Nakht. Minuscule, la tombe de Nakht, astronome et scribe du temple d'Amon sous le règne de Thoutmosis IV, constitue néanmoins l'une des plus belles de toute la vallée du Nil. On y entre par un avant-corps, dans lequel seul le vestibule transversal a été décoré — et où l'on a la possibilité de se familiariser avec les fresques que l'on peut alors admirer en petits groupes. À gauche, nous voyons tout le cycle agricole, depuis les semailles jusqu'aux moissons, avec quantité de détails très vivants. Le mouchetis rose de

Ci-dessus : Nubiens, Asiatiques et Libyens dans le tombeau de Ramose. Ci-contre : chapiteau hathorique, Hatchepsout. À droite : le défunt Nakht et son épouse faisant l'offrande.

la fausse porte doit transformer celle-ci par magie en granit rose inaltérable. Mais ce sont surtout les scènes du banquet, à côté, qui séduiront le visiteur. Les musiciennes d'une beauté émouvante, les femmes aux membres délicats, dont les vêtements finement plissés se teintent d'or au fur et à mesure que fondent les boules d'onguent qu'elles portent sur la tête. Dans l'aile droite, on voit Nakht et son épouse à la table d'offrandes, à la chasse dans un fourré de papyrus et en train d'attraper des oiseaux. La fresque représentant les vendanges est une merveille.

**Tombeau de Menna. Menna était un contemporain de Nakht, ce qui apparaît déjà dans la grande similitude des fresques. Dans le vestibule transversal, on voit le régisseur royal et scribe du cadastre, à gauche en train de surveiller le travail des champs et à droite participant à un banquet. Dans la salle suivante, ce sont d'abord les cérémonies funèbres qui sont immortalisées, puis vient le *Jugement des Morts* (à gauche), où l'on pèse le cœur du défunt, avec une statuette de la *Maat*, la vérité, posée sur

l'autre plateau de la balance. En face, figure une ravissante scène de chasse représentant Menna et son épouse au milieu des papyrus.

**Tombeau de Ramose. C'est un véritable palais que le vizir d'Aménophis III et de son fils Akhénaton se fit bâtir au pied de la montagne thébaine : avec une cour immense, une salle hypostyle monumentale en guise de vestibule transversal et une colonnade pour la salle en longueur. Mais lorsque Ramose mourut, prématurément sans doute, on avait juste entrepris la décoration murale du vestibule, dont les basreliefs et les peintures d'une finesse rare font partie des chefs-d'œuvre de l'art égyptien. On y voit Ramose en tenue de vizir aux épaulettes caractéristiques, faisant l'offrande (à droite de l'entrée), ou présidant un banquet au milieu de ses proches (à gauche de l'entrée). Sur le mur du grand côté, le convoi funèbre se dirige vers le tombeau, devant lequel est placée la momie du défunt, afin de procéder aux divers rites funéraires.

Au-dessous se trouve le départ de la rampe qui descend dans la chambre du sarcophage. Les bas-reliefs (inachevés) sur le mur du fond, sont un exemple remarquable de la véritable révolution artistique qu'a imposée Akhénaton, tournant le dos au style et aux conventions jusque là en usage. Sur les deux côtés du passage (bloqué) qui conduit à la longue salle, on voit le roi : à gauche, représenté de manière traditionnelle assis sous un dais, il reçoit l'hommage de Ramose. À droite, le style amarnien s'est imposé : le roi, accompagné de son épouse Néfertiti, et baigné par les rayons du dieu soleil Aton, se penche à une fenêtre du palais vers Ramose. Le vizir, venant de recevoir du roi les colliers d'or, est porté par une foule enthousiaste de courtisans.

Les **temples de Deir el-Bahari

Un petit cirque de montagnes entoure les ****temples de Deir el-Bahari ⑩** : trois édifices monumentaux auxquels menaient, depuis les terres cultivées, de larges allées à processions parallèles, dallées de calcaire blanc. Larges de 37 à 46 mètres, longées de murs et bordées

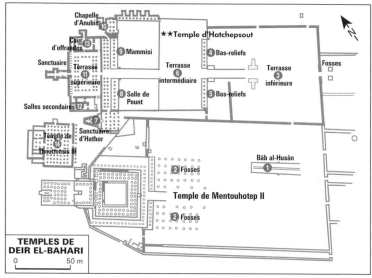

TEMPLES DE DEIR EL-BAHARI

0   50 m

de sphinx et de statues, elles débouchaient devant les terrasses des temples, dans des jardins plantés de tamaris et de sycomores, irrigués par des bassins entourés de parterres de fleurs.

Désormais, tout ceci a malheureusement disparu et n'apparaît plus que dans les anciens textes et les carnets des historiens. Cependant, ces quelques vestiges parviennent encore à refléter un peu de l'éclat d'autrefois. Avec leur architecture en terrasses si originale, qui s'appuie directement sur la falaise abrupte, ils servaient de cadre grandiose aux cérémonies religieuses, telle la "*Belle Fête du Désert*" célébrée chaque année, où la barque divine d'Amon se rendait en grand cortège aux temples de la rive occidentale.

Le **temple funéraire de Mentouhotep II**, site le plus ancien à Deir el-Bahari, est presqu'entièrement détruit et innaccessible au public. Le fondateur du Moyen Empire fit creuser son caveau à

Ci-contre : en attendant les touristes... devant le temple d'Hatchepsout.

150 m sous la montagne et bâtit devant une énorme terrasse entourée de 140 piliers disposés en rangées régulières. Aujourd'hui encore, les chercheurs ne parviennent pas à se mettre d'accord sur la conception architecturale et religieuse de cet ouvrage : la terrasse était-elle surmontée d'une pyramide, ou ressemblait-elle à un mastaba symbolisant la butte primordiale de la création du monde? Au milieu de la vaste esplanade située devant le temple, on découvre un grand cratère : baptisé **Bâb el-Hosân ❶**, la "porte des chevaux". En 1899, il se serait ouvert sous les sabots de la monture de Howard Carter, découvrant le passage menant à la chambre du sarcophage où se trouve la fameuse statue du roi assis, dont la peau noire symbolise la fertilité et la résurrection (Musée Égyptien, rez-de-chaussée, galerie 26).

Au nord du temple de Mentouhotep, un véritable chef-d'œuvre devait voir le jour 5 000 ans plus tard : le **★★temple à terrasses d'Hatchepsout**, unique par sa structure dans toute l'Égypte ancienne. Trois immenses terrasses mon-

tant en gradins jusqu'au sanctuaire, creusé directement dans le roc, atteignent des dimensions surhumaines. Lorsqu'on découvrit le temple au XIXe siècle, ce n'était plus qu'un tas de ruines, résultat d'une longue suite de destructions, entre les actes de vengeance de Thoutmosis III, la fureur iconoclaste d'Akhénaton et les catastrophes naturelles. La route qui conduit au temple depuis les terres cultivées, suit l'ancienne allée des processions, bordée autrefois de cent sphinx de calcaire. Le porche d'entrée, entièrement détruit, était planté au temps d'Hatchepsout de deux perséas dont on peut encore voir les souches, plus de 3500 ans après, dans des **fosses ❷** à peine protégées par des clotûres.

La **terrasse inférieure ❸** correspond exactement à la cour du temple. Il ne reste malheureusement plus aucune trace des luxuriants jardins d'autrefois ni des plantations de papyrus. De part et d'autre de la rampe montante, un portique constitue la façade de la terrasse intermédiaire. Les bas-reliefs, fort endommagés, illustrent à **gauche ❹** le transport d'une paire d'obélisques depuis Assouan jusqu'à Thèbes, et à **droite ❺** la reine à la chasse au milieu des papyrus.

Deux chapelles flanquent les travées de piliers de la **terrasse intermédiaire ❻** : à droite, une chapelle dédiée à Anubis, à gauche un petit **sanctuaire d'Hathor ❼**, creusé dans le rocher et pourvu d'une salle hypostyle. Les chapiteaux hathoriens des piliers sont pleins de charme et présentent de face (!) le visage de la déesse aux oreilles de vache. En revanche, les délicats reliefs muraux montrent cette fois Hathor complètement sous les traits d'une vache.

Les scènes les plus célèbres du temple racontent une expédition au royaume légendaire de Pount, le pays de l'encens, que l'on situe désormais dans l'est du Soudan et le nord de l'Erithrée. Le petit côté de la **salle de Pount ❽**, illustre l'accueil de la délégation égyptienne par les habitants de Pount et leur princesse (dont la silhouette épanouie évoque davantage la fertilité que la maladie), et l'échange

5

Louqsor et Thèbes

des marchandises : des poignards égyptiens, des colliers et de l'or contre de l'encens et des défenses d'éléphants. Les maisons sur pilotis des habitants de Pount, à l'arrière plan, sont particulièrement réussies. Sur le mur du grand côté, on voit le chargement du voilier de haute mer égyptien et la traversée de la mer Rouge. De retour en Égypte, Hatchepsout (effacée) offre le précieux encens au dieu Amon.

La série de bas-reliefs ornant la **mammisi** ❾ symétrique figure l'ascendance divine d'Hatchepsout (elle n'est visible qu'à la lumière du matin). Elle montre de gauche à droite : Amon devant Khnoum, le dieu à tête de bélier, qui, sur l'image suivante, est en train de donner forme, sur un tour de potier, à la reine et à son *ka* (incarné par un jeune garçon !) ; puis vient Thot, annonçant à la future mère la naissance d'un enfant d'essence divine et, sur la dernière image, la parturiente se dirigent vers la chambre d'accouchement.

Les reliefs aux couleurs somptueuses de la **chapelle d'Anubis** ❿, attenante, sont très bien conservés. Les tables, abondamment garnies en offrande aux dieux, de la salle hypostyle sont particulièrement attrayantes.

La **terrasse supérieure** ⓫ constitue le véritable temple et comprend une cour hypostyle découverte ouvrant sur le sanctuaire d'Amon en arrière-plan, des **salles secondaires** ⓬ réservées au culte funéraire de la reine et de son père et **une cour d'offrandes** ⓭ aménagées pour le culte du soleil.

C'est dans les années soixante que l'on découvrit à Deir el-Bahari les vestiges d'un troisième temple. S'il fut détruit dès l'Antiquité par un glissement de terrain et servit plus tard de carrière, le **temple de Thoutmosis III** ⓮ recelait toujours de splendides reliefs, dont certains sont exposés au musée de Louqsor.

Ci-contre : le colosse de granit brisé du Ramesseum.

Le ★temple funéraire de Séthi Ier

Si vous désirez jouir de la visite d'un temple égyptien en toute quiétude, c'est ici qu'il faut venir. À l'écart des circuits organisés, le **★temple funéraire de Séthi Ier** ⓫ se dresse près du petit village de Qurna. Les bas-reliefs sont d'une grande finesse d'exécution, comme tous ceux que l'on doit à ce pharaon.

Plus rien, ou presque, ne reste aujourd'hui des deux **pylones** qui séparaient les deux cours en avant du temple, mais la demeure des dieux, bâtie pour Amon et le roi défunt, est plutôt bien conservée. Un portique de **colonnes** papyriformes sert de façade à cet ensemble architectural en trois parties. On voit sur les murs Séthi Ier faisant l'offrande devant la barque divine à tête de bélier d'Amon. L'axe central traverse d'abord une salle hypostyle aux **colonnes papyriformes** fasciculées, avec de belles sculptures du roi faisant l'offrande. Les décorations des six **chambres latérales** illustrent différents rituels du culte divin, et Séthi figure parmi les dieux. Les chapelles réservées au culte succèdent à la salle transversale surélevée. Ce sont le sanctuaire contenant le socle sur lequel reposait la barque sacrée de procession d'Amon, puis la **salle-aux-quatre-piliers**, abritant l'effigie du culte. Dans la partie située à gauche de l'axe médian se trouvent les chapelles de Ramsès Ier, père de Séthi Ier. L'aile droite est décorée de bas-reliefs datant de Ramsès II, qui fit achever le temple à la mort de son père. Le sanctuaire était ici une cour en longueur, ceinte autrefois de colonnes et renfermant un autel pour le culte solaire.

Le ★★Ramesseum

Le "tombeau d'Osymandias", nom donné au **★★Ramaesseum** ⓬, temple funéraire de Ramsès II, par l'écrivain romain Diodore, représente l'une des plus belles ruines de Thèbes-Ouest. Les

ruines dégagent ici ce charme particulier qui rend si fascinante la découverte des anciennes civilisations. D'énormes blocs et fragments de statues jonchent le site, comme jetés là de la main d'un titan, tandis que d'immenses piliers d'Osiris se dressent vers le ciel, gardiens géants de ce lieu magique. Et tout cela sur le fond grandiose de la montagne aux tombeaux de Abd el-Qurna.

Mais l'architecture du temple et même une partie des bas-reliefs sont si bien conservés qu'on peut se faire une idée assez précise de la splendeur d'autrefois. Ceint d'une puissante muraille en brique crue, le temple se composait de deux pylônes précédant de vastes cours, d'une salle hypostyle et des sanctuaires d'Amon et du pharaon défunt, presqu'entièrement détruits. De nombreuses dépendances de briques, les habitations des prêtres et même une école de scribes se groupaient sur trois côtés autour du temple de pierre.

Les scènes du grand **pylône d'entrée** célèbrent une fois de plus les campagnes syriennes du grand Ramsès (tour nord, à gauche), et naturellement la ba-

taille de Qadech contre les Hittites (tour sud, à droite). L'escalier qui monte vers le deuxième pylône, dont seule la tour nord est encore debout, était flanqué autrefois de deux **colosses de granit**, de 17,5 m de haut. L'une des gigantesques statues assises est encore là, brisée en morceaux de dimensions inouïes, un simple index mesurant 1 m de long et la poitrine 7 m de large !

Le **2ᵉ pylône** illustre la conduite héroïque de Ramsès II à Qadech, s'élançant sur son char à l'assaut de la forteresse protégée par l'Oronte. À l'ouest de la deuxième cour, une double rangée de **piliers d'Osiris** et de colonnes papyriformes constitue la façade du temple, jadis couvert. Le temple proprement dit commence avec la **salle hypostyle**.

De superbes reliefs ornent les murs de la petite salle-à-huit-piliers qui lui fait suite, notamment sur le mur du fond à droite : Ramsès est assis devant l'arbre *Isched*, symbole de la vigueur du dieu Amon d'Héliopolis, qui, comme la déesse de l'écriture Séchat et Thot, écrit le nom du roi sur les feuilles de l'arbre sacré, lui garantissant ainsi un règne

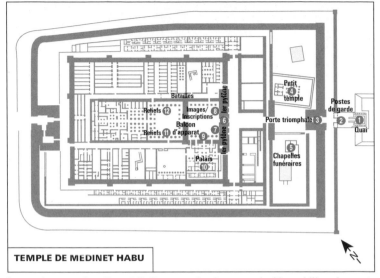

TEMPLE DE MEDINET HABU

long et heureux dans l'au-delà. Les autres salles sont détruites.

**Medinet Habu

La plus méridionale des "demeures d'éternité" – tel les Égyptiens de l'Antiquité avaient baptisés, pleins d'espoir, les sépultures de leurs dieux – est le **temple funéraire de Ramsès III à Medinet Habu ⑬**. Un double mur d'enceinte entoure ce site immense au centre duquel se dresse le temple du dernier grand pharaon (1189-1158 av. J.-C.) du Nouvel-Empire. Avec un tantinet d'imagination, on pourrait y voir une imitation du Ramesseum, la porte d'accès, semblable à celle d'une forteresse, reste cependant unique dans toute l'Égypte. Juste devant, les archéologues ont pu identifier un **quai ①** qui longeait jadis un grand bassin relié au Nil par un canal, aujourd'hui entièrement ensablé. Derrière les deux **postes de garde ②** antiques qui flanquent l'entrée du passage à travers des murail-

Ci-contre : le colosse sud de Memnon.

les basses crénelées, s'élève la **porte triomphale ③**, admirablement conservée, bâtie sur le modèle des forteresses syriennes. Derrière ce portail, on découvre sur la droite le **Petit temple ④**, de la XVIIIe dynastie, dont le grand pylone orné d'un magnifique soleil ailé ne remonte qu'à l'époque ptolémaïque, et face à lui, les **chapelles funéraires ⑤** des grandes-prêtresses d'Amon, épouses du dieu et véritables détentrices du pouvoir politiques à Thèbes sous les XXVe et XXVIe dynasties.

Les deux tours du **1er pylône ⑥** du temple principal présentent le roi dans une pose taditionnelle, exterminant ses ennemis, les Lybiens et les Peuples de la Mer, une coalition de plusieurs tribus d'Asie Mineure. Les innombrables victoires des Égyptiens sont également aussi le sujet des décorations de la cour qui célèbrent en Ramsès III le héros de guerre : sur le dos du pylône, il apparaît fièrement dressé sur son char ⑦, ou avec ses généraux ⑧ qui lui rapportent les mains et les sexes des ennemis tués.

Derrière le **balcon d'apparat ⑨** du mur sud de la cour subsistent les vesti-

ges d'un petit **palais** ⑩ où le roi et sa cour résidaient lors des fêtes, dans ce monde et dans l'au-delà. Les **reliefs** ⑪ / ⑫ bien conservés de la cour sont d'ailleurs consacrés à ces fêtes : à souligner, au sud, la représentation des festivités données en l'honneur de Sokar, dieu des morts à Memphis ; au nord, Min, dieu de la fertilité, est illustré lors de la fête des moissons dont l'apothéose est une procession conduite par un taureau blanc, l'animal sacré du dieu, qui porte sa statue. Des constructions suivantes, une salle hypostyle et une série de chapelles, ne subsistent désormais que les soubassements des murs et quelques colonnes mutilées.

Tout autour du temple, gisent les ruines d'autres édifices construits en brique crue : anciens bâtiments administratifs, entrepôts ou maisons d'habitation. Vers la fin du Nouvel-Empire, Medinet Habou devint le centre administratif de la nécropole pharaonique. Au début de l'ère chrétienne, des coptes s'y établirent, transformant le temple en église. Le site demeura un lieu de culte jusqu'au IXe siècle.

Les **colosses de Memnon

Deux géants de quartzite assis surgissent majestueusement des terres cultivées : les célèbres **colosses de Memnon** ⑭ dont les silhouettes massives s'élèvent à une hauteur de dix-huit mètres représenteraient le roi de légende tué par Achille devant Troie ; telle était du moins la conviction des Grecs et des Romains lorsqu'ils contemplaient ces statues d'Aménophis III. Ajoutons que ces énormes monolithes gardaient autrefois la porte du temple, l'un des plus somptueux du Nouvel Empire, et qu'ils en demeurent pratiquement les seuls vestiges. Selon la légende, Memnon saluait chaque matin sa mère Eos, déesse de l'aurore. Il n'en fallut pas moins pour que les colosses deviennent une merveille du monde qui attira les foules dès l'Antiquité. Ce chant mystérieux, dû sans doute au réchauffement de la pierre au soleil, cessa néanmoins brusquement lorsque la statue nord, dont le haut du corps s'était fendu lors d'un séisme en 27 av. J.-C., fit l'objet de restaurations 200 ans plus tard.

LOUQSOR (☎ 095)

Tourist Basar, à côté de l'hôtel New Winter Palace, tél. 372215 ; à l'aéroport, tél. 383294.

AVION : de nombreuses compagnies internationales (vols réguliers ou charters) desservent directement Louqsor ; *Egypt Air* propose plusieurs vols par jour au départ du Caire.

TRAIN : Louqsor est relié en train à toutes les grandes villes de la vallée du Nil. Plusieurs trains effectuent chaque jour le trajet Le Caire - Louqsor - Assouan.

CARS : des cars de la *Upper Egypt Bus Company* partent quatre fois par jour pour Louqsor de la gare routière du Caire (Md. Turgumân et Md. Ahmad Hilmî, à la gare centrale) ; ils s'arrêtent aussi dans toutes les grandes villes de la vallée du Nil. Si vous souhaitez prendre un car de luxe, vous devez acheter votre billet à la gare routière au plus tard la veille de votre départ. Plusieurs cars effectuent chaque jour la liaison entre Hurghada, sur la côte de la mer Rouge, et Louqsor. Pour des raisons de sécurité, ils ne peuvent actuellement circuler que sous escorte militaire.

TRANSPORTS URBAINS : les principaux moyens de transport sont les **taxis** et les **calèches**. Si vous voulez marchander avec le cocher, renseignez-vous à l'hôtel sur le tarif officiel de la course. Les cochers de Louqsor ont en effet toujours eu la réputation d'être une bande de brigands !

On peut louer des **vélos** dans les hôtels *Mercure Coralia Luxor* et *Jolie Ville Moevenpick*. Si vous voulez vous rendre à Thèbes à bicyclette, ne sous-estimez pas la chaleur. La route qui mène à la Vallée des Rois monte en pente douce sur plusieurs kilomètres dans une cuvette surchauffée ! Pour y parvenir plus confortablement, utilisez le petit train touristique ou *teuf-teuf*.

Depuis la construction d'un pont dans le Sud de Louqsor, le bac spécialement destiné aux touristes ne circule plus. Les voyageurs individuels peuvent toutefois emprunter le **bac** local (*local ferry*) réservé aux Égyptiens. L'embarcadère se trouve en face de l'hôtel Mina Palace. Près du débarcadère sur la rive ouest

se trouve une station régulière de taxis collectifs ou individuels, où vous trouverez toujours une voiture avec chauffeur. Négociez le prix de l'excursion (demi-journée ou journée complète) avant le départ !

Les excellents restaurants des **hôtels Mercure Coralia, Hilton Louqsor, Sheraton Louqsor** et **Jolie Ville Moevenpick** proposant une cuisine orientale et internationale. On trouve des restaurants égyptiens plus abordables derrière le temple de Louqsor et près de la gare.

Nous recommandons en outre : le **restaurant de l'hôtel Mina Palace**, Corniche an-Nîl ; le **restaurant Marhaba** (très belle terrasse donnant sur le Nil), Luxor Tourist Basar ; pour un petit en-cas, on se rendra au **café -terrasse** de l'**hôtel Mercure Coralia**, Corniche an-Nîl.

Les hôtels Hilton Louqsor et Mercure Etap possèdent des discothèques de type occidental, tandis que les **night-clubs** de l'Old Winter Palace et de l'hôtel Isis proposent de la musique live et des spectacles de danse du ventre (ainsi que du folklore international à l'hôtel Isis). Le **Jolie Ville Moevenpick** organise des *Oriental Dinners* avec danse du ventre et folklore.

Le **Fellah's Tent**, une grande tente dressée dans le jardin de l'hôtel Jolie Ville, sert aussi de cadre à des spectacles de danse du ventre et fait aoffice de boîte de nuit, même si les manisfestations n'ont pas lieu tous les soirs. Se renseigner à la réception de l'hôtel.

Musée de Louqsor, Corniche an-Nîl : ouvert ts les jrs 10h-13h et 16h-21h, en été 9h-13h et 17h-22h ; billet spécial pour la salle où sont exposées les statues du temple de Louqsor. **Musée de la momification**, Corniche an-Nîl : les heures d'ouverture correspondent à celles du musée de Louqsor.

LOUQSOR BY NIGHT : le **temple de Louqsor** est illuminé avec goût tous les soirs et est ouvert aux visiteurs de 18h30 à 21 heures.

LOISIRS : outre son patrimoine culturel, Louqsor offre au visiteur toute une palette d'activités et d'excursions : **promenades**

dans le désert de Libye sur de superbes **chevaux** arabes (renseignements au *Discovery Desk* des grands hôtels).

Excursions **en voilier** sur le Nil ou vers Banana Island, une presqu'île couverte de plantations de bananiers.

Promenades **en ballon** au-dessus de la vallée du Nil . Même si vous n'êtes pas client des hôtels Mercure Coralia Louqsor, Winter Palace et Isis, vous pouvez vous baigner dans la **piscine** (droit d'entrée).

EXCURSIONS À LA JOURNÉE : la plupart des agences de voyages vous proposeront une excursion en bus vers le **temple de Dendera.** Les bus partent à heure fixe, en convoi et sous escorte militaire. Actuellement, on peut aisément combiner cette visite avec celle du **temple d'Abydos**, situé à près de 180 km au nord, ce circuit est en effet de nouveau autorisé. En règle générale, deux convois quotidiens vers le sud permettent de se rendre aux **temples d'Edfou et de Kôm Ombo.**

KARNAK (☎ 095)

🏛 **Musée à ciel ouvert**, temple de Karnak, ts les jrs 8h-17h.

👉 *KARNAK BY NIGHT :* un spectacle son et lumière a lieu tous les jours au **temple de Karnak** à 18h (18h30 en été) et 19h30 (20h en été), présenté dans plusieurs langues (se renseigner à l'avance !). Pour accéder au site, on traverse d'abord le temple jusqu'à la Grande Salle hypostyle, avant d'assister à la fin du spectacle sur des tribunes installées près du lac sacré. Un bon conseil : emportez une veste et n'oubliez pas de vous munir d'une lampe de poche !

THÈBES-OUEST (☎ 095)

🏛 **Heures d'ouverture** : les sites sont généralement ouverts de 6h30 à 18h (17h en hiver). Une exception toutefois : le tombeau de Néfertari situé dans la **Vallée des Reines** (en hiver : 8h30 16h, en été 7h30 14h ; fermé de 12h à 13h).

On prévoira une journée entière, ou deux de préférence, pour la visite de Thèbes. Voici un planning possible d'une visite type : Vallée des rois : 2h, Vallée des Reines : 1h, Tombeaux de Sheikh Abd el-Gurna : 3 h, Deir el-Medina : 1h, temples de Deir el-Bahari : 1h, temple de Séthi Ier : 1h, Ramasseum : 1h, Medinet Habu, 1h.

On prendra soin de partir de bonne heure durant la saison chaude. En revanche, si les températures le permettent, on entamera de préférence l'excursion vers midi, lorsque les visiteurs commencent à être moins nombreux.

Ne pas oublier d'emporter une lampe de poche pour la visite des tombeaux.

Attention! La plupart des billets d'entrée pour la visite de Thèbes-Ouest ne peuvent être achetés qu'auprès de l'*Inspection du Service des Antiquités* (au carrefour qui se trouve derrière les colosses de Memnon).

D'autres cependant, pour la Vallée des Rois et le temple d'Hatchepsout par exemple, sont en vente directe sur le site. Dans la Vallée des Rois, on ne peut visiter actuellement qu'un nombre limité de tombeaux par jour, d'où la nécessité de prévoir plusieurs jours de visite pour ce site.

Malgré son prix relativement élevé, le billet donnant accès au tombeau de Néfertari, fermé périodiquement pour travaux, ne donne droit qu'à une visite de 10 mn. En outre, seuls 150 billets peuvent être vendus par jour. Il est donc conseillé de faire la queue très tôt (le guichet ouvre à 6h).

Attendez-vous toujours à ce que certains tombeaux soient fermés pour rénovation.

Il est interdit de faire des photos dans les tombeaux.

👉 *EXCURSIONS :* une **randonnée à pied** d'une heure environ entre la Vallée des Rois et les temples de Deir el-Bahari constitue une promenade de toute beauté. Munissez-vous de chaussures de marche. Le chemin est très bien indiqué et pullule de marchands ambulants qui ne demandent qu'à vous proposer leurs services.

Vous pourrez également faire une **promenade à dos d'âne** pour vous rendre jusqu'à la Vallée des Rois ou à travers les champs de canne à sucre. Des accompagnateurs locaux vous y mèneront.

5

Louqsor et Thèbes

DE LOUQSOR AUX TEMPLES NUBIENS

LA HAUTE VALLÉE DU NIL
ESNA, EL-KA'B
EDFOU, KÔM OMBO
ASSOUAN
LES TEMPLES NUBIENS

LA HAUTE VALLÉE DU NIL

La felouque (*feluka*) demeure la façon la plus romantique de parcourir les 220 km entre Louqsor et Assouan. Ces grands voiliers sont, depuis des millénaires, le moyen de transport le plus usuel sur le Nil. Plus luxueuses, les croisières font escale devant tous les sites touristiques, les temples d'Esna, d'Edfou et de Kôm Ombo. Mais la voie terrestre, le long de la vallée du Nil, ne manque pas non plus de charme, traversant des paysages très variés. Le nouveau pont de Louqsor permet aussi de choisir la route de la rive orientale du fleuve, même si la solution la meilleure reste la rive orientale.

★ESNA

La route d'★**Esna ❶** (*Isnâ*) bifurque de l'axe principal à 53 km au sud de Louqsor. Cette petite bourgade, sur la rive occidentale du Nil, fut dès l'Antiquité une ville de marché florissante : elle était en effet l'étape finale du chemin des caravanes. Mais elle devint aussi, au début du XXe siècle, un centre agricole important, grâce à la construction du **Grand barrage** (874 m de long, 9,5 m de haut) qui grâce à 120 écluses,

Pages précédentes : au temple d'Abou Simbel. Ci-contre : le faucon de granit d'Edfou.

régulait tout le système d'irrigation de la province Qena.

Le ★**temple de Khnoum** se trouve dans le quartier pittoresque d'Esna, en plein bazar, 9 m au-dessous du niveau actuel de la rue. Dès le Nouvel Empire, on y adorait le dieu de la création à tête de bélier, mais il ne reste que la salle hypostyle, fort bien conservée, qui était le premier élément du temple couvert. Elle fut ajoutée par les empereurs romains Claude et Vespasien, 200 ans après la construction du temple par les Ptolémées au IIe siècle av. J.-C. Les reliefs sont encore plus "récents" et mettent en scène toute une série d'empereurs postérieurs, qui, dans la meilleure tradition des pharaons, font l'offrande aux dieux et célèbrent les rites égyptiens. Deux particularités font l'originalité de ce monument : l'admirable travail des chapiteaux à motifs végétaux des 24 colonnes, et les textes quasi-interminables gravés en hiéroglyphes, trésor inestimable et peu exploité pour l'étude de la religion. La rédaction en est cependant si hermétique que deux inscriptions, à l'intérieur de la salle hypostyle, n'ont toujours pas été élucidées. Il s'agit sans doute d'hymnes à la gloire de Khnoum car ils sont composés presqu'exclusivement à partir des idéogrammes du bélier (angle sud, à gauche) ou du crocodile (angle est, à droite).

Haute-Égypte **6**

Carte p. 187, fiche pratique p. 205

185

*EL-KA'B

De retour sur la rive orientale, la route continue vers le sud, longeant des champs de cannes à sucre, de petites palmeraies, des plantations de fruits et de légumes, et bien sûr, omniprésent, le désert. Après un voyage de 39 km, on voit soudain, à droite de la voie ferrée, l'énorme muraille de briques d'*El-Ka'b ❷. Elle ceint les ruines de l'antique *Nékhib,* regroupées sur un carré de 540 m par 570. Sanctuaire de *Nekhbet,* déesse de la couronne incarnée dans le vautour blanc et divinité tutélaire de la Haute-Égypte. Comme sa jumelle *Nékhen,* la *Hiéraconpolis* des grecs, située sur la rive ouest, Nékheb était déjà un centre politique important bien avant l'unification du royaume par le premier pharaon Ménès vers 3000 av. J.-C. Mais il ne reste plus rien des temples, des chapelles ou des maisons de cette cité jadis si prospère. Seuls quelques hypogées sur le versant nord de la vaste cuvette méritent encore une halte à El-Ka'b.

Les reliefs polychromes du *tombeau de Paheri,* précepteur à la cour de Thoutmosis III, sont bien conservés, ainsi que ceux de la *tombeau de Renni,* grand-prêtre de Nekhbet au début de la XVIIIe dynastie et ceux du *tombeau de Setaou,* également grand-prêtre de la déesse-vautour, mais un peu plus tard, à la fin de la XXe dynastie. Les **hypogées d'Ahmôsis fils d'Abana** et **d'Ahmôsis Pennekhbet** sont surtout célèbres pour leurs inscriptions historiques et biographiques.

EDFOU

Quelques kilomètres seulement séparent El-Ka'b **d'Edfou ❸** (*Idfû*), petit chef-lieu de district de la province d'Assouan, la plus méridionale d'Égypte. Visibles de loin, les pylônes monumentaux du ****temple d'Horus**, sur la rive ouest, dominent toute la ville. Un large pont permet de traverser le fleuve. L'histoire d'Edfou remonte à l'Ancien Empire, voire plus loin. La cité antique est aujourd'hui en ruines ; elle gît sous les maisons de la ville moderne et les tumulus de décombres à l'ouest du temple. Le temple lui-même, dédié au dieu-faucon Horus, compte parmi les édifices religieux les mieux conservés de l'Égypte ancienne. Sa construction commença en août 237 av. J.-C., sous le règne de Ptolémée III et fut achevée 180 ans plus tard par Ptolémée XII, le père de Cléopâtre. On avait rasé pour ce faire des bâtiments plus anciens dont il ne reste que les fondations d'une porte de temple datant de Ramsès II, à l'est du gigantesque **Ier pylône ❶**. Le fronton de celui-ci (79 m de haut, 36 m de large) montre Ptolémée XII dans la scène classique du *sacrifice des captifs* devant les divinités majeures du temple : Hotus et Hathor, cette dernière vénérée à Edfou comme la compagne du dieu-faucon. Dans le mur, quatre échancrures profondes surmontées de quatre ouvertures carrées permettaient d'y ancrer les hampes des immenses drapeaux qui flottaient au-dessus des tours. Un magnifique soleil ailé, l'une des nombreuses représentations de l'Horus d'Edfou, orne le dessus du portail, gardé par deux faucons de granit.

La **Grande cour ❷** est entourée sur trois côtés d'une colonnade, dont les 32 chapiteaux présentent des motifs végétaux variés. Les reliefs colorés des murs décrivent, en plus des scènes rituelles et d'offrandes habituelles, le couronnement du roi : à gauche ❸, le pharaon ceint la coiffe et de la couronne de Basse-Égypte, à droite ❹, il porte la tiare de Haute-Égypte. Le registre inférieur montre chaque fois une procession de barques, allusion aux *"noces sacrées"* du couple divin. Chaque année, l'effigie de la déesse Hathor venait en grande pompe depuis Denderah, à 160 km en amont, jusqu'à Edfou, rendre visite à son divin époux. Les cérémonies duraient deux semaines et étaient

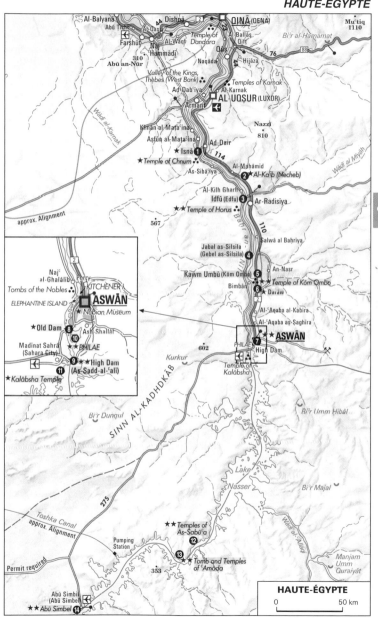

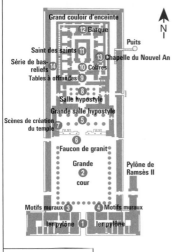

Grand couloir d'enceinte

12 **Barque**

Puits

Saint des saints 11

Série de bas- 14
reliefs

13 **Chapelle du Nouvel An**

10 **Coffres**

Tables à offrandes 9

8

Salle hypostyle

Grande salle hypostyle

Scènes de création
du temple 7

5

6

Faucon de granit

Grande
2
cour

Pylône de
Ramsès II

Motifs muraux 3

4 **Motifs muraux**

1er pylône 1

1er pylône

TEMPLE D'HORUS

chaque fois l'occasion de grandes festivités dans toute la ville.

On pénètre à l'intérieur du temple par la **Grande salle hypostyle** 5, qui repose dans une demi-pénombre à l'abri de ses murs de pierre ornés de reliefs. Elle est précédée de l'emblème d'Edfou, le célèbre **faucon de granit** 6, ceint de la double couronne. Noter les **scènes sur la création du temple** 7, encore perceptibles malgré les déprédations infligées par les chrétiens. On peut voir ainsi, de gauche à droite, le roi assistant aux différentes phases de la construction : lorsqu'on creuse les tranchées destinées aux fondations, lorsqu'on répand le sable rituellement pur à la pose de la première pierre, lors de la purification du sanctuaire avec des billes de natron qui forment un collier de perles autour du petit *naos*, ou enfin lors de la consécration du temple à Horus. Il faut encore traverser une deuxième **salle hy-**

Ci-contre : travaux de restauration au temple d'Edfou. Ci-contre droite : colonne à chapiteau palmiforme d'Edfou.

postyle 8 et deux vestibules qui contenaient autrefois les **tables à offrandes** 9 et les coffres des **dieux en visite** 10, avant d'arriver au **saint des saints** 11, où le *naos* de granit sombre renfermant l'effigie cultuelle, scintille au point mythique d'intersection entre le ciel et la terre. Cette conception se reflète également dans l'architecture du temple. Le niveau du sol s'élève en pente douce jusqu'au sanctuaire, tandis que les plafonds s'abaissent progressivement. Le *naos* de granit monolythe est précédé d'un socle de granit qui recevait la barque divine en bois. Les fresques murales montrent le roi, ici Ptolémée IV, offrant de l'encens devant la barque d'Horus (à gauche) et d'Hathor (à droite). Une **barque reconstituée** 12 a été placée dans la chambre qui se trouve juste derrière le saint des saints.

La décoration du plafond de la **chapelle du Nouvel An** 13 est particulièrement réussie. Elle représente la déesse du ciel Nout et les 12 étapes de la course du soleil, conçue comme un voyage en barque. Une fois accomplis les premiers rites de la fête du Nouvel An, les prêtres partaient d'ici pour se rendre sur le toit du temple.

Dans le **couloir d'enceinte** qui protège le temple telle une muraille, une **série de bas-reliefs** 14 évoque autre fête religieuse célébrée chaque année : il s'agit de la mise en scène théâtrale du mythe d'Horus, qui célèbre la victoire du Bien sur le Mal. Dans le langage imagé des Égyptiens, ce mythe est illustré de la manière suivante : dans une barque, Horus, reconnaissable à sa tête de faucon, harponne Seth, représenté sous la forme d'un hippopotame, incarnation du Mal.

KÔM OMBO

Lorsqu'on se rend d'Edfou à Kôm Ombo (*Kawn Umbû*), on franchit une importante frontière géologique. À 20 km environ au sud d'Edfou, le fameux calcaire nummulite, présent dans toute

la vallée du Nil, est tout à coup remplacé par le grès de Nubie. La bande de terre fertile devient plus étroite, parfois même, en arrivant au **Djebel el-Silsila ④**, (la chaîne de montagnes), les falaises avancent jusqu'au bord du fleuve. C'était là que se trouvaient, au temps des pharaons, les grandes carrières de grès qui fournissaient les pierres pour les temples de Haute-Égypte. Mais rien de tout cela n'est visible de la route, ni de la voie de chemin de fer, qui traversent le bassin verdoyant de Kôm Ombo. La mise en valeur de cette région, qui n'était que désert, n'a commencé qu'au début du XXᵉ siècle. L'agriculture y est aujourd'hui florissante et elle a permis l'implantation d'une sucrerie et d'industries agro-alimentaires. Près de 100 000 Nubiens d'Égypte, chassés de chez eux par la montée des eaux après la construction du barrage, se sont établis au bord de la bande fertile, en demi-cercle autour de la petite ville de **Kôm Ombo ⑤**.

La route qui mène au ****temple de Kôm Ombo**, bifurque à droite, à la périphérie sud de la ville. Ce temple jouit d'un site exceptionnel, sur une hauteur qui domine le Nil. On suppose qu'un édifice de pierre datant du Moyen Empire existait déjà à cet endroit, mais la construction du temple actuel a commencé sous le règne de Ptolémée VI (IIᵉ siècle av. J.-C.) et la décoration murale ne fut achevée qu'à l'époque romaine. Le temple étant dédié à deux divinités, les architectes résolurent le problème en ouvrant deux voies de procession parallèles conduisant à travers les salles du temple à deux sanctuaires, placés l'un a côte de l'autre. Ils créèrent aussi un double temple tout à fait original, dont la partie gauche est réservée au dieu à tête de faucon Haroéris (Horus l'Ancien), celle de droite étant le domaine du dieu-crocodile Sobek. On pénètre dans la **Grande cour** par le **Iᵉʳ pylône** dont il reste les murs de fondation. Une enfilade de 16 colonnes décorées de reliefs polychromes datant de Tibère conduit aux majestueux portiques qui précèdent le temple couvert. À gauche est figurée une très belle *scène de baptême*, où l'on voit les dieux verser l'eau purificatrice sur le pharaon, ici

Ptolémée XII, en signe de vie. Dans la **Grande salle hypostyle**, ce sont les magnifiques chapiteaux à motifs végétaux et les reliefs situés à gauche qui méritent votre attention. Ils montrent le roi en compagnie de différents dieux. La travée centrale de la deuxième salle hypostyle est décorée d'une jolie représentation du dieu Sobek en crocodile. Après avoir traversé deux petits vestibules, on accède au double sanctuaire, dont ne subsistent malheureusement que les arasements. Seuls les socles en granit des barques sacrées sont encore en place.

La fresque la plus célèbre du temple, le *relief des médecins*, se trouve sur le mur postérieur du couloir d'enceinte : Trajan à genoux (seul le haut du corps est conservé) offre aux dieux des instruments, pinces, scalpels et ventouses, mais aussi des amulettes au pouvoir de guérison. Avant de quitter le temple, il faut visiter la **chapelle d'Hathor**, assez

Ci-dessus : sourire espiègle d'une Nubienne. Ci-contre : Borax, le cheval ailé du Prophète.

bien conservée, à côté de la porte d'entrée. On y garde des momies de crocodiles, dont on a trouvé une grande quantité dans l'enceinte du temple.

La route qui mène à Assouan, 40 km plus au sud, longe la petite ville de ★**Darâw ⑥** où se tient tous les mardis un marché aux chameaux, but des grandes caravanes qui viennent du Soudan. Plus on approche d'Assouan en longeant le Nil, plus le paysage annonce l'Afrique.

★★ASSOUAN (ASWAN)

Pour bon nombre de visiteurs, ★★**Assouan ⑦** est la plus belle ville de la vallée du Nil. Le spectacle fabuleux, sur la rive occidentale, des dunes dorées plongeant à pic dans le bleu profond du Nil parsemé de grands rochers de granit sombre, certains aux formes grossières et archaïques, d'autres polis et arrondis telun dos d'éléphant. On comprend, en les voyant, que les pharaons aient donné le nom d'*Abu*, la ville des éléphants, à leur citadelle défendant la frontière sud, construite sur cette île toute en longueur qui, aujourd'hui encore, porte le nom

d'île Eléphantine. C'est la plus septentrionale des nombreuses îles de la Première cataracte, dont les rapides ont été irrémédiablement domptés par la construction du Sadd el-âli, le Grand barrage, qui remplaçait l'ancien.

Assouan la moderne s'est développée sur la rive orientale du Nil, face à l'île Eléphantine. La cité la plus méridionale d'Égypte est le chef-lieu administratif de la province du même nom, qui s'étend d'Edfou à la frontière du Soudan. Sur le plan ethnique, la province d'Assouan appartient déjà à la Nubie, une entité culturelle qui commence au Djebel el-Silsila, au sud d'Edfou, et va jusqu'à la 6e cataracte, non loin de Khartoum, au Soudan. Déjà à l'époque de l'Égypte ancienne, c'était la Ière cataracte qui marquait la véritable frontière avec l'Afrique, ceci pour des raisons stratégiques bien sûr, mais aussi parce que l'on voyait dans les remous de ce défilé les sources mythiques du Nil.

Bien que les Nubiens à peau noire soient depuis longtemps arabisés, des familles et même des villages entiers ont conservé leurs langues d'origine, le *kenusi* et le *mahasi*. Les traditions nubiennes sont encore bien vivantes dans d'autres domaines : les vêtements, avec les grands turbans blancs qu'on ne porte nulle part ailleurs en Égypte, ou les petits bonnets de couleur faits au crochet ; la danse et la musique qui comportent beaucoup d'éléments africains ; l'artisanat, avec des objets de vannerie aux motifs très plaisants ou encore l'architecture qui aime les cours intérieures spacieuses, les maisons crépies de blanc ou de bleu ciel, agrémentées d'ornements et de frises d'inscriptions.

Quelque 500 000 personnes vivent désormais à Assouan. Le développement économique, amené par la construction du nouveau barrage, est partout perceptible, mais il est encore loin d'atteindre l'ampleur souhaitée. Les usines ne sont guère nombreuses pour le moment, en dehors de la fabrique d'engrais KIMA et d'une modeste industrie agro-alimentaire. En revanche, la région produit toujours du fer, transformé dans les aciéries d'Helwân, près du Caire.

Carte p. 187, plan de ville p. 192, fiche pratique p. 205   191

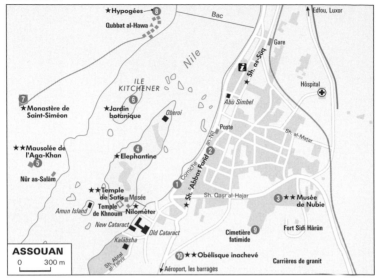

La physionomie de la ville a donc peu été altérée par l'industrialisation, si l'on ignore la tour, hideuse autant qu'inutile, de l'hôtel Oberoi, sur l'île Eléphantine. La *"city"* proprement dite ne comprend que deux artères : la **corniche** ❶ du bord du Nil, longue de 2 km et bien entretenue, bordée de magasins et de cafés, et la ★**rue du souk** ❷, (Sh. "Abbâs farîd / Sh. as-Sûq) parallèle à la première. L'éventail des marchandises proposées va de la bobine de ficelle au magnétoscope, des fruits et légumes à la mousse à raser. On ne trouve pas, paraît-il, d'épices plus fraîches dans toute la vallée du Nil et même les Cairotes se font rapporter tout spécialement d'Assouan des *ful sudanni* (cacahuètes) et le *carcadé*, une tisane de mauve couleur rubis.

Assouan a cependant bien d'autres curiosités à offrir, à commencer, à la périphérie sud de la ville, par le ★★**musée de Nubie** ❸ dont les vastes salles offrent aux visiteurs, depuis décembre

Ci-contre : curiosité et bakchich aidant, une jeune Nubienne pose pour la photo.

1997, un extraordinaire tour d'horizon de l'histoire et la culture nubiennes, de la préhistoire à l'ère islamique. Parmi les joyaux du musée, citons de superbes œuvres datant de la XXVe dynastie (713-656 av. J.-C.), époque de la domination nubienne en Égypte, ainsi que les fresques provenant d'églises de Fara (3e cataracte) qui atteste l'existence d'une culture nubio-chrétienne ayant perduré jusqu'au XIVe s. Des maisons villageoises reconstituées ainsi que des poupées les artisans mettent en scène le mode de vie et de travail des artisans nubiens.

En l'absence de pont, les déplacements sur le territoire d'Assouan se font obligatoirement en felouque. Les capitaines proposent également des excursions comprenant la visite d'un village nubien. Même si certains présentent encore un aspect très authentique, le développement du tourisme ne les a pas épargnés. Cela signifie, en général, une nuée d'enfants qui s'agrippe à vos basques en réclamant un bakchich, des mères avisées qui ont compris que la vente de bonnets et de colliers nubiens était d'un revenu non négligeable, et l'inévitable guide amateur vous proposant ses services pour la visite du village.

*Éléphantine

À l'extrémité sud de l'île *Éléphantine ❹, longue de 1,5 km, se dressait au temps des pharaons la ville forte d'*Abu*, chargée de protéger la frontière sud de l'Égypte. À l'abri de la citadelle, des temples, des palais et des habitations se construisirent, sans cesse remaniés, superposés, et imbriqués au cours des millénaires. À l'aube de l'histoire égyptienne, Abu était déjà la plaque tournante des caravanes qui allaient chercher les trésors de Nubie : l'or, l'ivoire, l'ébène et les épices. Assouan, en revanche, l'ancienne *Sunu* et la *Syène* des Grecs, demeura longtemps une simple ville de marché, qui ne prit de l'importance que sous la domination perse (au Ve siècle). C'est de cette époque que proviennent les fameux *papyrus d'Éléphantine*, écrits en araméen, qui relatent les graves litiges entre la colonie militaire juive et le clergé du temple de Khnoum. Les prêtres du dieu criocéphale ressentaient comme un affront et une provocation le fait que les soldats égorgent l'agneau sacré de Pessah.

Depuis plus de 20 ans, des archéologues suisses et allemands effectuent des recherches sur l'île Éléphantine, dont la splendeur passée se résume en un tumulus de ruines de 30 m de haut. Des fouilles ont permis la découvertes intéressantes à Assouan et dans les environs, exposées au **musée** proche du site, créé en 1912.

Non loin du musée se trouve l'un des vestiges les moins spectaculaires et pourtant les plus intéressants d'Éléphantine : le *nilomètre. Un escalier plonge dans le fleuve, les parois étant gravées d'échelons permettant de mesurer la montée des eaux. Selon l'importance de la crue, on calculait ainsi le rendement de la récolte à venir et le montant des futurs impôts. Les plaques

de marbre blanc indiquent que ce nilomètre romain fut restauré au siècle dernier. Depuis la construction du barrage, il a néanmoins perdu toute utilité, le niveau de l'eau demeurant constant.

Le **débarcadère** du **temple** de **Khnoum**, restauré à l'époque romaine, ressemble à une terrasse monumentale au-dessus des ruines accumulées de bâtiments en briques crues. Il ne reste de l'édifice qu'une **porte de granit** sculptée de reliefs et, un peu plus à l'ouest, un grand **naos de granit**, renversé et brisé. Les dimensions imposantes de ces vestiges laissent supposer que ce sanctuaire de la XXXe dynastie a dû constituer autrefois un ensemble très important.

Au nord de ce temple et légèrement en contrebas se dresse à nouveau le **temple de Satis**, l'épouse divine de Khnoum. Le petit périptère datant d'Hatchepsout a été entièrement reconstitué sur une dalle de béton, en utilisant des matériaux récupérés dans les fondations d'un sanctuaire voué à la même déesse, mais plus récent de 1200 ans, puisque de facture ptolémaïque.

Sans même parler des magnifiques reliefs, dont les parties manquantes sont simplement esquissées avec beaucoup de goût, le temple de Satis constitue une merveille d'archéologie, seul édifice pharaonique à posséder une généalogie complète, depuis la préhistoire jusqu'aux Ptolémées. Une fois les travaux de reconstruction terminés, on découvrira un exemple architectural de chaque époque. L'élément le plus fascinant est certainement un autel à sacrifices archaïque placé devant deux énormes rochers de granit poli et situé sous le Saint des Saints du bâtiment d'Hatchepsout, donc sous la dalle de béton.

À la pointe sud d'Eléphantine, une **chapelle ptolémaïque** a été reconstituée, les pierres provenant des fondations du temple de Kalabsha, découvertes en démontant ce dernier. C'est du Nil que cette petite chapelle est la plus belle, lorsqu'on la longe en felouque pour gagner la rive occidentale.

La rive ouest

En face d'Eléphantine, le ****mausolée de l'Aga-Khan** ❺ domine le Nil et la villa toute blanche de la Bégum au nom poétique de *Nûr as-Salâm* (lumière de la paix). Une large allée monte jusqu'au tombeau du chef suprême de la secte ismaélienne des Hodchas, qui compte 4 millions de fidèles et dont il était l'imam vénéré. Lorsqu'il mourut en 1957 à l'âge de quatre-vingts ans, son fils Karim Aga Khân lui succéda. Le mausolée est construit en grès et en granit rose, dans le style des Fatimides dont se réclament les ismaéliens vivant en Inde et en Afrique Orientale. Cet édifice sobre et élégant en forme d'atrium est couronné de créneaux et d'une coupole abritant le tombeau. Le cercueil de marbre blanc est gravé en filigrane d'inscriptions coraniques et fleuri d'une seule rose rouge, renouvelée

Ci-contre : à la voile vers le mausolée de l'Aga Khan.

chaque jour selon le souhait de la Bégum.

On découvre de là-haut une vue magnifique, depuis la Première cataracte jusqu'au Grand barrage d'Assouan, à 8 km au sud.

Au nord, les montagnes d'Assouan, que le minerai de fer colore de rouge, brillent au loin et les voiles blanches pressées les unes contre les autres indiquent le débarcadère de l'**île Kitchener**. Lorsque l'Égypte était sous protectorat anglais, l'île était la propriété du consul général britannique Lord Kitchener, qui, comme beaucoup de ses compatriotes, était grand amateur de jardins tropicaux. À partir de sa palmeraie, le gouvernement égyptien fit de l'île Kitchener un merveilleux ***jardin botanique** ❻.

Dans le désert occidental, proche du mausolée, se découpent les ruines étranges du ***monastère de Saint-Siméon** ❼. Depuis la construction du mur qui protège le site du mausolée de l'Aga Khan des nombreux marchands et chameliers, on ne peut plus emprunter le chemin cimenté qui part derrière le mausolée pour accéder au monastère. Il faut descendre jusqu'au Nil et louer un chameau. Ce monastère fortifié, que l'on appelle ici le deir Amba Sama'ân du nom d'un saint local, évêque d'Assouan au Ve siècle, a été fondé vers l'an 700, puis en grande partie restauré au Xe siècle, avant d'être abandonné au XIIIe siècle devant les raids incessants des Bédouins. Entouré d'une muraille de près de 7 m de haut, l'édifice s'étend sur deux terrasses rocheuses. Le centre du niveau inférieur est une **basilique** du IXe siècle, à triple nefs, dont la nef centrale était autrefois surmontée d'une coupole. Dans l'abside, on peut encore admirer une fresque représentant un christ en majesté. Dans une grotte sur le côté ouest de l'église, les belles peintures du plafond, dans le style des célèbres tapisseries coptes, ont résisté au temps. On accède par un escalier de pierre au niveau supé-

Haute-Égypte **6**

rieur, où étaient regroupés les dépendances, une cuisine, des pressoirs à vin et à huile, ainsi que les bâtiments conventuels, dortoir des moines, réfectoire et bains avec des baignoires en maçonnerie.

Pour se rendre du monastère aux ***hypogées** , on peut s'offrir une superbe randonnée dans le désert, en se laissant bercer par le pas d'un chameau, à la manière de Lawrence d'Arabie. La piste traverse le haut plateau avant de s'incliner vers une terrasse intermédiaire, choisie par les gouverneurs et hauts fonctionnaires d'Éléphantine de l'Ancien Empire pour y établir leurs sépultures.

Dominés par le **Qubbat el-Hawa**, le mausolée à coupole du saint musulman local Cheikh Ali Ibn el Hawa, d'antiques escaliers, séparés par une large rampe pour le transport des sarcophages, montent de la rive du Nil jusqu'aux tombeaux. Les chambres creusées dans le roc, qui servent de chapelles pour le culte, sont alignées, enduites d'une couche de stuc et peintes. Il ne reste que quelques pans de murs décorés dans la plupart des tombes, mais on y retrouve tous les motifs traditionnels : la fausse porte ouvrant sur l'au-delà, le défunt assis à la table d'offrandes couverte de victuailles, à la chasse ou à la pêche, des scènes de la vie agricole ou de l'activité artisanale. Bien sûr, on était ici loin de la capitale, le style sent un peu la province, et les proportions ne sont pas toujours très justes, mais ces petites imperfections font le charme du lieu. Les caveaux funéraires destinés à abriter le sarcophage sont dépourvus de décorations pour la plupart, et creusés dans le sol des pièces intérieures ou de l'avant-cour.

Un sentier longe la terrasse du milieu, qui regroupe les tombeaux les plus intéressants. La rangée commence au sud avec le ***double hypogée de Mekhou et Sabni** (nᵒˢ 25/26), hauts dignitaires de la VIᵉ dynastie. Ce grand tombeau inachevé est d'une facture très archaïque avec ses deux salles aux colonnes et piliers grossièrement taillés dans le roc. Une inscription raconte que Sabni fit rapatrier à Éléphantine le corps de son père Mekhou, mort au cours d'une

LES HYPOGÉES

Plan de ville p. 192, fiche pratique p. 205   195

expédition en Nubie, et lui offrit des funérailles princières.

Laissant de côté les tombes (n°s 28 et 30) de deux gouverneurs du Moyen Empire qui portaient tous deux le nom de Heqa-ib, on arrive au **★★tombeau de Sarenpout II** (n° 31), dont l'architecture imposante et sévère en fait une des plus belles de cette nécropole rupestre. À cela s'ajoutent les veines magnifiques du grès rouge laissé à l'état naturel des chambres intérieures. La tombe de ce monarque de la XIIe dynastie se compose de deux salles à piliers, reliées par un couloir voûté qui abrite six remarquables statues momiformes de Sarenpout. La petite niche du culte est décorée de peintures ravissantes aux couleurs encore très fraîches.

La tombe suivante, celle d'**Akou** (n° 32), mérite qu'on s'y arrête pour la beauté de sa niche à offrandes. Dans la **tombe de Khounès** (n° 34h), au plan compliqué, des scènes d'artisanat ont été retrouvées en excellent état, grâce à des moines coptes qui les avaient recouvertes d'une couche d'enduit, lorsqu'ils transformèrent le tombeau en monastère.

Puis c'est la **tombe de Herkhouf** qui domine les tombeaux suivants, tous de la VIe dynastie. Elle est surtout célèbre pour ses inscriptions biographiques d'une grande originalité. Le défunt y fait, non sans fierté, le récit de ses expéditions nubiennes, menées avec succès pour le compte du roi. Il rapporte aussi un écrit de son roi Pépi II qui félicite Herkhouf et semble surtout s'enthousiasmer pour le nain que celui-ci doit lui ramener du "pays des habitants de l'horizon". La lettre, où le souverain de 8 ans promet à Herkhouf une riche récompense si le nain "arrive au palais vivant et en bonne santé", est vraiment délicieuse. Le défunt ne nous donne pas

le fin mot de l'histoire, mais le fait qu'il fût autorisé à faire graver cette lettre au fronton de sa tombe laisse présumer que tout s'est bien terminé.

Son voisin **Pépinakht** (n° 35) se vante également de ses expéditions en Nubie, de nature militaire cette fois. Viennent ensuite les **tombes jumelées d'Heqa-ib et de son fils Sabni II** (n° 35, d et e). Bien qu'on se demande aujourd'hui, devant l'insignifiance des décors muraux, pourquoi ce double tombeau recevait autrefois la visite de nombreux pèlerins. Heqa-ib, gouverneur d'Éléphantine sous Pépi II, fut dès sa mort révéré à l'égal d'un dieu, peut-être parce que ses campagnes militaires contre les Nubiens avaient enfin ramené la paix. On lui éleva un sanctuaire en plein centre de la ville d'Abu dès le Moyen Empire, et celui-ci ne tarda pas à se remplir de statues.

Le sentier s'achève au nord avec le **tombeau de Sarenpout Ier**, prince d'Éléphantine au début de la XIIe dynastie. Cet hypogée se compose d'un large escalier montant vers le Nil jusqu'au portail richement décoré de l'avant-cour précédant la tombe. Un portique autrefois couvert se dresse devant la façade, où le défunt est représenté avec sa famille (à droite) et avec ses deux chiens (à gauche). Les superbes fresques des salles intérieures ont malheureusement disparu, hormis quelques jolies scènes isolées.

Un mince ruban de terre fertile s'étire au pied de la nécropole en direction du nord, le long du fleuve. Elle est cultivée par les habitants du village de **Gharbi-Aswân** (Assouan-Ouest). Une promenade à travers le village permettra d'admirer les peintures sur les murs des maisons. L'embarcadère du bac pour Assouan se trouve à l'entrée du village.

Les carrières de granit

Au sud-est d'Assouan se trouvent les fameuses **carrières de granit** qui ont fourni aux pharaons ce matériau si pré-

Ci-contre : aujourd'hui encore, on peut parfaitement reconnaître les techniques utilisées dans les carrières de granit.

cieux pour les cuves, les statues, les sarcophages, les obélisques, les naos divers et certains éléments des temples et des sépultures. La route qui y conduit longe un **cimetière fatimide** dont les pittoresques tombes à coupole sont aussi pour la plupart des cénotaphes de saints musulmans très populaires, encore aujourd'hui.

La principale attraction des carrières de granit rose est l'**★★obélisque inachevé** qui daterait du XVᵉ siècle av. J.-C. et du règne d'Hatchepsout. Ce gigantesque monolithe, haut de 42 m pour une base de 4,2 m et un poids de 1168 tonnes, aurait été de très loin, s'il avait été achevé, le plus grand obélisque de l'Égypte ancienne. Mais ce projet grandiose dut être abandonné, le granit s'étant fendu. La tentative de tailler un second obélisque plus petit dans le bloc du premier échoua aussi pour la même raison. Et on le voit aujourd'hui tel qu'on l'a laissé, le fût enraciné dans le sol rocheux tandis que les pans latéraux nous renseignent précieusement sur les techniques utilisées par les carriers des pharaons. En frappant sur des pierres de dolérit, un matériau encore plus dur que le granit, ils faisaient une profonde entaille dans le sol tout autour de l'obélisque, délimitant la surface à extraire, puis ils le dégageaient progressivement de la roche-mère. On sait maintenant, à la lumière de recentes recherches, que la fameuse méthode consistant à introduire des fiches de bois mouillés dans les entailles pour qu'ils fassent éclater la pierre en gonflant, ne fut jamais utilisée en Égypte, pas même à l'époque ptolémaïque. Les Égyptiens connaissaient déjà les outils en fer et travaillaient avec des coins de métal ou de bois très dur.

Les barrages

Les deux grands barrages furent édifiés au sud d'Assouan, sur la Première cataracte, le **★vieux barrage d'Assouan** entre 1898 et 1902 par des ingénieurs anglais. La digue de granit, de 2 km de long, mesure actuellement, après deux agrandissement successifs, 51 m de haut, pour une largeur de 35 m à la base et de 12 m à la crête.

On ne fermait les 180 vannes qu'au moment de la décrue, afin d'éviter que les eaux riches en limon du fleuve en crue n'envasent le barrage ; mais ainsi, une grande partie des eaux de la précieuse crue allaient se perdre en mer. Malgré cela, les eaux retenues par le barrage permirent d'accroître de 16% les surfaces cultivables dans la vallée du Nil.

Puis, la forte croissance démographique exigeant une augmentation rapide des ressources alimentaires, on réalisa, 8 km plus au sud, le **Sadd al-âli** ❾ (le Grand barrage) avec l'aide de crédits et d'ingénieurs soviétiques. Pendant 11 ans, de 1960 à 1971, 33 000 Égyptiens et 1 900 Russes travaillèrent à ce projet colossal, dont le coût s'est élevé à près de 2,2 milliards d'euros.

Ce barrage de conception anti-sismique décrit un grand arc de 111 m de haut et de 3,6 km de long, sa largeur est de 980 m à la base et de 40 m au sommet. L'intérieur de cet ouvrage cyclopéen se compose de 35% de sable, de 55% de blocs rocheux et de 10% d'argile. Le centre du corps de la digue, en contact avec le fleuve, large ici de 520 m, est formé d'un noyau d'argile dur qui se prolonge dans un tablier étanche, fait d'argile mais aussi de ciment, de silicates et d'aluminates, et injecté jusqu'à 44 m de profondeur au-dessous de la base de la digue. Le canal de dérivation, long de 1,6 km, passe sous la centrale hydro-électrique dont les douze turbines Francis produisant chacune 175 mégawatts, sont alimentées par six arrivées d'eau.

Le lac de retenue, qui absorbe maintenant toute l'année la crue du Nil, s'étend sur 500 km dont 200 sont en territoire soudanais. Sa superficie de 5 000 km² est 10 fois supérieure à celle du lac de Constance ! Si le niveau de l'eau atteignait la cote maximale prévue de 182 m au-dessus du niveau de la mer (14 m au-dessous du sommet de la digue), on atteindrait la capacité maximale envisagée de 164 milliards de m³, dont 30 milliards sont réservés au dépôt de limon, 90 milliards constituent la réserve normale et 44 milliards la marge de sécurité en cas de crue excessive.

Les effets du barrage soulèvent de violentes controverses (voir p. 228) mais rares sont ceux qui parlent du sort tragique des Nubiens. Près de 100 000 personnes durent s'expatrier lorsque le niveau d'eau commença à monter en 1965. Ceci a eu pour effet de littéralement noyer peu à peu leurs champs et leurs maisons. Les nouveaux villages où ils ont été transférés ne sont pour eux qu'une solution provisoire en attendant de pouvoir rentrer chez eux. Mais l'absence de crue pendant les "huit années de vaches maigres" de la sécheresse africaine, de 1982 à 1989, a fortement freiné le dépôt d'alluvions sur les rives du lac, ce qui retarde leur mise en culture.

LES TEMPLES NUBIENS

Le lac immense, qui devait recouvrir toute la vallée du Nil entre la Première et la Deuxième cataracte, ne menaçait pas seulement le présent mais aussi l'héritage culturel millénaire de la Nubie. Les flots allaient engloutir toutes les traces des royaumes nubiens depuis la préhistoire jusqu'à l'ère chrétienne et musulmane, plus de vingt temples du temps des pharaons, des sculptures innombrables et treize citadelles monumentales du Moyen Empire. Or, sans aide étrangère, ni l'Égypte ni le Soudan n'étaient en mesure de préserver ce patrimoine archéologique d'une valeur inestimable.

Le 8 mars 1960, le secrétaire général de l'UNESCO appela tous les pays à participer à une campagne internationale de sauvegarde des monuments de Nubie. Ce fut le début d'une action communautaire sans précédent, à laquelle collaborèrent un très grand nombre de scientifiques et de spécialis-

Ci-contre : les colosses d'Abou Simbel illustrent la toute-puissance de Ramsès II.

Haute-Égypte 6

tes du monde entier. Presque d'un jour à l'autre, la Nubie se mua en un gigantesque chantier de fouilles, d'une ampleur unique dans l'histoire de l'archéologie. Sans perdre une minute, cinquante équipes de chercheurs sondèrent et étudièrent les territoires inondés. Une grande partie des trésors voués à l'oubli furent ainsi sauvés, ne serait-ce que dans les notes prises par les archéologues.

Mais l'exploit le plus extraordinaire de cette campagne reste le déplacement de 22 monuments, démontés bloc par bloc et recontitués fidèlement en lieu sûr. Quelques-uns allèrent, en remerciement, enrichir les musées européens et américains, quatre temples et un tombeau sont aujourd'hui à Khartoum, capitale du Soudan.

La grande majorité des monuments se trouvent néanmoins répartis sur cinq sites égyptiens : l'île de Philae, sur le lac de retenue, les temples de la Nouvelle-Kalabsha (à 1 km au sud du Grand barrage), d'Amada, de Ouadi es-Sebua (140 km), d'Abou-Simbel (situé à 280 km, près de la frontière du Soudan).

L'île sacrée de **Philae

La construction du premier barrage représentait déjà une menace pour ⭐⭐**Philae ❿**. Chaque automne, à la fermeture des vannes, les temples s'enfonçaient lentement dans les eaux du lac artificiel. Peu à peu, l'eau détruisait les couleurs des reliefs, mais le grès n'en devenait que plus dur sous l'émergence des sels. Le nouveau barrage signifiait la ruine définitive de Philae. Depuis 1964 en effet, le niveau d'eau variait chaque jour de 6 m dans le bassin entre les deux digues, infligeant à Philae des inondations quotidiennes. Un consortium italo-égyptien vit alors le jour, qui réussit l'exploit de déplacer, en 1 mois seulement, tous les temples de Philae sur l'îlot granitique voisin d'**Aigelika**. Coût de l'opération : 30 millions de dollars. Protégés par un batardeau, les monuments furent nettoyés, cotés et démontés en 37 363 blocs. Afin de recréer le magnifique paysage de Philae sur Agilkia, on fit sauter $300\,000$ m^3 de granit, et remodela de vastes superficies que l'on planta de fleurs.

Carte p. 187, fiche pratique p. 205

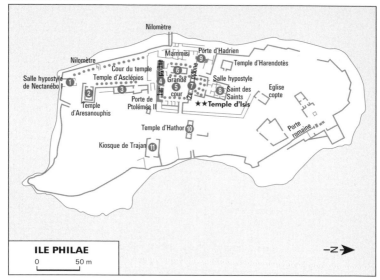

Le **★★temple** ptolémaïque d'**Isis** forme le cœur de l'île sacrée ; le culte de la déesse y était encore très vivant, quand les autres temples d'Égypte étaient déjà délaissés depuis longtemps. Et lorsque l'empereur Justinien ferma également celui-ci, au VIe siècle, il sonnait le glas de la civilisation de l'Égypte ancienne. La communauté chrétienne qui s'installa alors sur l'île et transforma les sanctuaires païens en églises, n'abandonna Philae qu'au XIIIe siècle.

Des barques à moteur vous attendent en aval du vieux barrage. Elles abordent près de l'ancien accès, au sud de l'île, après avoir longé de curieuses formations granitiques. La petite **salle hypostyle** ❶, aux chapiteaux hathoriques de formes gracieuses et variées, date de Nectanébo Ier (XXXe dynastie). Elle constitue la façade sud de la grande cour asymétrique du temple, dont les portiques aux chapiteaux inspirés de différents motifs végétaux, sont demeurés inachevés. À l'est, les colonnades

Ci-contre : le temple d'Isis à Philae, miraculeusement sauvé des eaux.

bordent les ruines d'un **petit sanctuaire** ❷ dédié au dieu nubien **Arensnouphis** et le petit **temple d'Asclépios** ❸, où l'on vénérait Imhotep, l'architecte de la pyramide à degrés de Saqqarah, élevé au rang de divinité.

Le **1er pylône du temple d'Isis** ❹ nous montre Ptolémée XII *massacrant les captifs* et faisant l'offrande aux dieux. Dernier bâtisseur de la dynastie des Ptolémées et père de la célèbre Cléopâtre, il acheva l'ouvrage commencé 200 ans plus tôt par Ptolémée II (IIIe siècle av. J.-C.). On suppose toutefois, que l'épouse d'Osiris possèdait un sanctuaire à Philae depuis le VIIe siècle, étant donné la présence de la tombe du dieu sur l'île voisine de Bigga, à l'ombre d'une palmeraie et entourée des 365 autels, où, dit-on, Isis et les prêtres venaient, tous les dix jours, déposer du lait en offrande. On célébrait chaque année à Philae sa résurrection, annoncée par la crue du Nil, en jouant des passions.

La **Grande cour** ❺ est limitée à l'est par un portique et les chambres réservées aux prêtres, et à l'ouest par la

mammisi ⑥, entourée elle-même de colonnes. À l'intérieur de la chapelle, les fresques murales racontent la naissance d'Horus, caché et élevé par sa mère Isis dans les marais du Delta, pour échapper à Seth. Le mur du fond de la chambre la plus reculée traite le même thème, en représentant le faucon Horus au milieu d'un bouquet de papyrus. Le 2ᵉ pylône ⑦, décoré de scènes d'offrandes de Ptolémée XII, n'est pas dans le même axe que le précédent. Il donne sur une salle hypostyle qui servait d'église du temps des chrétiens. On traverse ensuite plusieurs petites salles avant d'arriver au **Saint des Saints** ⑧ flanqué de deux chapelles. Il abrite de grands et magnifiques reliefs du roi devant les dieux ainsi que le socle de la barque sacrée de la déesse Isis.

Les fresques de la **porte d'Hadrien** ⑨, à l'ouest du temple d'Isis, sont consacrées à Osiris. Motif inhabituel, une scène sur le mur nord montre le dieu du Nil Hapi, reconnaissable à son ventre plantureux, dans une grotte. Il symbolise les eaux fertiles de la crue et les sources du Nil, que la mythologie

situe dans la région des cataractes. Des édifices du nord de l'île, seule la porte romaine a été transférée. Des reliefs ravissants ornent les colonnes de l'avant-cour du petit **temple d'Hathor** ⑩ (IIᵉ siècle av. J.-C.), sur la rive est. On y voit des singes musiciens et le dieu Bès jouant du tambourin. À côté s'élève le **kiosque de Trajan** ⑪, un pavillon de pierres supporté par de très belles colonnes à chapiteaux campaniformes, sans doute des reposoir pour la barque divine.

De Kalabsha à Abou-Simbel

Au delà du Sadd al-Ali, s'étend le plateau du nouveau site de ***Kalabsha** ⑪, îlot granitique aménagé en musée sur le lac de retenue et accessible par bateau (embarcadère au pied du barrage). Le centre du complexe est occupé par le ***temple de Mandoulis** qui, grâce à une aide financière allemande, fut l'un des premiers temples nubiens à être transféré ici en 1962-1963 depuis Kalabsha, son lieu d'origine, 50 km plus au sud. Kalabsha était l'antique

Talmis, située sur la frontière sud, où l'empereur Auguste l'avait fait édifier sur les ruines d'un sanctuaire plus ancien pour célébrer sa récente conquête de l'Égypte. Le temple est précédé d'une grande terrasse et d'un quai de 32 m longeant le lac. Au premier pylône vierge de décorations succèdent une vaste cour et le temple couvert composé de trois salles. Une fois de plus, les offrandes rituelles aux dieux constituent l'essentiel des thèmes évoqués par les reliefs, en partie inachevés, de l'intérieur du temple.

Depuis le toit, on jouit d'une vue magnifique sur le paysage lunaire des rives du lac, et sur le ***kiosque de Kertassi**, une jolie chapelle hypostyle construite à l'époque gréco-romaine près des carrières de grès de Qertasi, non loin de Kalabsha, et transférée ici avant même le temple de Mandoulis. À la périphérie de l'ancienne Kalabsha, se trouvait le petit ****temple rupestre de Beit el-Ouali**, qui a été reconstruit à une cen-

Ci-dessus : l'un des quatre colosses de 20 m de haut d'Abou Simbel.

taine de mètres du temple de Mandoulis ; des sept temples nubiens de Ramsès II, c'est le plus septentrional. Les reliefs de qualité, qui ont conservé une partie de leurs couleurs, célèbrent le pharaon en héros victorieux.

Bien que les voies d'accès aux deux nouveaux sites d'Amada et de Ouadi es Seboua soient depuis longtemps prévues, la seule possibilité de s'y rendre reste une – charmante – croisière de plusieurs jours sur le lac Nasser, entre Assouan et Abou Simbel. Le bateau accoste au nouveau site de ****es Seboua ⑫**, à 160 km environ au sud de Sadd el-Alî, sur la rive ouest du lac. On y découvre trois édifices impressionnants : Le ***temple de Ramsès II**, à 4 km de l'ancien Wadi es-Sebu noyé sous les eaux, le ***temple de Dakka**, achevé par les Ptolémées et les Romains mais commencé par le roi d'Ethiopie Ergamène au IIIe siècle, et le ***temple de Sérapis**, datant de la basse-époque romaine, hier à Maharraqa.

À 40 km au sud, on atteint le nouveau site d'****Amada ⑬** où l'on découvre trois monuments reconstitués : le **temple rupestre de Ramsès II**, provenant de Derr, le ***tombeau de Pennout**, excavé des rochers d'Aniba où résidait ce haut fonctionnaire de la XXe dynastie, gouverneur de la Basse-Nubie, et enfin le ****temple de Thoutmosis III**, en provenance d'Amada, dont le transfert relève d'une véritable prouesse technique. Il fut en effet transporté d'un seul bloc sur une voie ferrée de 2,6 km jusqu'à son nouveau site, où il se dresse aujoird'hui, surélevé de 65 m.

Édifié en l'honneur du dieu Amon-Rê, le temple ne pouvait être démonté en raison de superbes fresques, datant du XVe s. av. J.-C. Grâce à la transformation de l'édifice en église, ces superbes peintures murales ont été parfaitement conservés : afin de dissimuler au regard ces images considérées comme impies, mais aux forces magiques desquelles ils croyaient encore, les Chré-

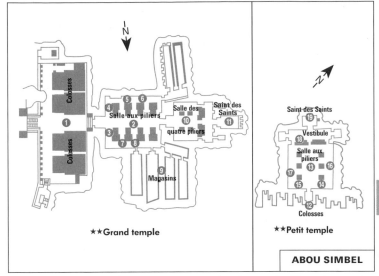

★★Grand temple

★★Petit temple

tions les avaient en effet recouvertes d'une couche de chaux.

Le miracle d'★★Abou Simbel

Les **★★temples d'Abou Simbel** ⑭ est accessible en bateau ou en avion, mais également par la route asphaltée qui mène au Soudan. Elle traverse le désert en ligne droite, parallèlement à la piste des caravanes où se pressent chaque fin de semaine les chameaux soudanais vendus au marché de Daraw. Les dunes de sable fins alternent avec les champs de cailloux, et plus on approche d'Abou Simbel, plus on rencontre de ces cônes rocheux en forme de pyramide qui, dans l'air surchauffée de midi, paraissent émerger des flots d'un océan. Les nombreuses ramifications du lac, qui, tels des fjords, pénètrent le désert parfois sur des kilomètres, ne sont visibles que d'avion.

Le sauvetage des deux temples rupestres d'**Abou-Simbel** relève des réalisations phénoménales d'un Ramsès II. Les montagnes sacrées ont été transportées à 180 m à l'intérieur des terres et 64 m plus haut, puis découpées en plus d'un millier de blocs, dont certains dépassaient les 30 tonnes, et reconstituées exactement telles qu'elles étaient, en respectant même leur orientation est-ouest. Mais aujourd'hui, une gigantesque voûte de béton coiffe les salles à l'intérieur du rocher, afin de supporter les falaises artificielles rapportées au-dessus des temples (visible lors de la visite du Grand temple). Les travaux durèrent trois ans (1965-1968) et leur coût s'éleva à 42 millions de dollar.

Les 4 **colosses assis** de 20 m de haut, représentant **Ramsès II** ①, montent une garde majestueuse devant le pylône taillé dans le rocher du **★★Grand temple**. Les statues debout des épouses et des enfants royaux sont aussi plus grandes que nature. Plus haut, une frise de 22 babouins couronne la façade. Les bras levés, ils adorent le soleil levant qui, 2 fois l'an, vers le 20 février et le 20 octobre, pénètre jusqu'à 64 m dans les profondeurs du sanctuaire creusé dans le roc et illumine le Saint des Saints, afin de "s'unir avec les statues des grands dieux", Amon, Rê et Ptah, sans

compter le pharaon lui-même. En Nubie plus que nulle part ailleurs, Ramsès apparaît comme un dieu parmi les dieux, honneur habituellement réservé au pharaon défunt. Ici, dans ce lointain secteur frontalier, Ramsès occupe donc un double rôle : c'est à lui-même que Ramsès rend hommage, lorsqu'il fait l'offrande au dieu-soleil à tête de faucon, Rê-Harakhtès, dans une niche au-dessus du portail : cette sculpture gigantesque fait partie d'un rébus en relief, qui symbolise le nom de couronnement du roi.

Les parties encavées du temple commencent par la **salle aux piliers ❷**, dont la travée centrale est flanquée de 8 statues du roi (10 m de haut). Les reliefs en couleurs des parois célèbrent une fois de plus l'héroïsme du grand Ramsès : à côté du traditionnel *"massacre des captifs"* où, suivant les points cardinaux, les **Asiatiques ❸** se trouvent à droite et les **Nubiens ❹** à gauche, on voit le pharaon donner l'assaut à une place forte syrienne, transpercer un Ly-

Ci-dessus : le Petit temple d'Abou Simbel.

bien de sa lance, présider un défilé triomphal avec des **prisonniers nubiens (❺-❻)** et participer aux différentes phases de la fameuse **bataille de Qadech contre les Hittites (❼-❽)**. Les chambres latérales servaient d'**entrepôts ❾**, destinés à recevoir agasins. Après avoir traversé la petite **salle des quatre piliers ❿**, décorée de scènes d'offrandes devant les barques divines, on arrive dans le vestibule et le **Saint des Saints ⓫**, où se trouvent les 4 statues taillées représentant Ptah (à gauche), Amon, reconnaissable à sa haute couronne de plumes, le roi et le faucon solaire Rê-Harakhtès.

Le ****Petit temple** est un don de Ramsès à son épouse préférée Néfertari et à la déesse Hathor, à qui la reine est identifiée ; de la même manière, les **statues colossales ⓬** de la façade figurent-elles la belle Néfertari, entourée de statues debout de son époux et coiffée des hautes cornes de la déesse.

La **salle du temple ⓭** est partagée par 6 piliers hathoriques. Au centre des reliefs, d'une facture très fine et bien conservée, on aperçoit différentes scènes : le **roi triomphant de ses ennemis ⓮** et **⓯**, des **dons d'offrandes ⓰**, le **couronnement du roi ⓱**. Le bas-relief représentant le couronnement de Néfertari par Isis et Hathor (**vestibule ⓲**) est particulièrement charmante. Bien qu'effritée, l'effigie cultuelle du **Saint des Saints ⓳** est facilement reconnaissable : un haut-relief de la déesse à tête de vache, Hathor-Néfertari, protégeant une statuette de Ramsès II.

Tous les soirs, un spectacle son et lumière époustouflant (Sound & Light Show) est présenté chaque soir, en huit langues différentes : des images en 3 dimensions, relayées par des jeux de lumière spectaculaires, font ainsi revivre l'histoire des temples. Même si ce spectacle n'est pas du goût de tout le monde, il constitue sans doute une présentation adéquate de l'œuvre de Ramsès, le plus mégalomane de tous les pharaons.

ENTRE LOUQSOR ET ASSOUAN

Esna, **El-Ka'b**, **Edfou** et **Kôm Ombo** se visitent généralement dans le cadre d'un voyage de Louqsor à Assouan. Excursions d'une journée aux temples, en bus ou en taxi, au départ de Louqsor et d'Assouan. L'armée escorte un ou deux convois quotidiens entre Louqsor et Assouan, la visite d'El-Ka'b n'étant pas prévue.

ASSOUAN (☎ 097)

ℹ **Office du Tourisme**, près de la gare, tél. 312811.

🍽 Les restaurants des hôtels de luxe proposent une cuisine orientale et internationale de qualité, en particulier le buffet du restaurant du **New Cataract**. On peut se faire servir un *dîner aux chandelles*, accompagné de musique classique, à l'**Old Cataract**, bien connu des fans d'Agatha Christie depuis le film *Mort sur le Nil*. Sur la corniche longeant le Nil, on trouve toutes sortes de petits restaurants de qualité. **L'hôtel Abu Shelib** propose des plats authentiques et copieux.

Danse du ventre et folklore nubien au night-club de l'hôtel **Aswan Oberoi** et dans la superbe salle à manger de l'**Old Cataract**. **Discothèque** à l'**hôtel Ramsès**. Spectacles moins touristiques au **palais de la Culture** (en égyptien *Qasr as-saqâfa*). Pendant l'hiver, cette construction en béton à toit plat (près du Tourist Market) présente tous les jours – sauf le vendredi – de 21h30 à 20h d'excellents spectacles de folklore nubien.

🏛 **Musée d'Éléphantine**, Elephantine Island, ts les jrs. 8h30-18h, en hiver 8h-17h. **Musée de Nubie**, en face de l'Old Cataract, 9h-13h et 17h-21h (en été 18h-22h).

AVION : *Egypt Air* propose plusieurs **vols** quotidiens pour Assouan à partir du Caire et de Louqsor.
CARS : les cars de l'*Upper Egypt Bus Company* assurent des liaisons entre toutes les grandes villes de la vallée du Nil et de la mer Rouge et Assouan.

TRAIN : plusieurs trains de jour et de nuit entre Le Caire et Assouan, certains ne sont toutefois pas accessibles aux voyageurs étrangers.
BACS : l'embarcadère des bacs pour l'île Éléphantine se trouve en face de l'agence de la compagnie Egypt Air (Sh. Abtâl at-Tahrîr), celui des bacs pour les hypogées et et Gharbi-Aswân environ à la hauteur du Tourist Market.

👍 **ASSOUAN BY NIGHT** : au temple de Philae a lieu tous les jours à 18h (18h30 en été) et à 19h30 (20h en été) un **spectacle son et lumière**. La langue varie ; le mieux est donc de se renseigner à l'avance. Les agences de voyages proposent un forfait comprenant le trajet en taxi ou en bus, la traversée en bateau et le billet d'entrée.

TEMPLES NUBIENS

Les excursions d'une demi-journée à **Philae** et **Kalabsha** peuvent s'accompagner d'une visite du barrage. En l'absence de transports en commun, le mieux est de prendre un taxi ou de s'adresser à une agence de voyages d'Assouan, de même pour les croisières entre Assouan et Abou-Simbel en passant par les nouveaux sites de **Sabû'a** et d'**Amada**.
Plusieurs navettes quotidiennes par avion entre Assouan et **Abou-Simbel**, le séjour y étant limité à deux heures. Il est possible de combiner cette navette avec un vol aller-retour Le Caire/Louqsor - Assouan. Longtemps fermée à la circulation, la route d'Abou-Simbel peut à nouveau être empruntée par les bus et les taxis. Se renseigner toutefois à temps sur les mesures de sécurité du moment.

ABOU SIMBEL (☎ 097)

👍 Tous les soirs, spectacle **son et lumière** – images 3 D et commentaires en huit langues – portant sur l'histoire du temple et de son transfert. Les agences de voyages proposent un forfait comprenant le billet pour le spectacle ; le mieux est de réserver une chambre pour la nuit, à moins de disposer d'une cabine sur l'un des bateaux qui sillonnent le Nil.

6

Haute-Égypte

**RÉCIFS DE CORAIL
ET SOMMETS
MYTHIQUES**

**LA MER ROUGE
LE SINAÏ
LE COUVENT SAINTE-CATHERINE**

La mer Rouge

7

LA MER ROUGE

La mer Rouge est en réalité un golfe de 2240 km de long, situé dans l'océan Indien, et dont le nom ne justifie en rien le bleu profond qui se transforme en bleu turquoise à l'abord des côtes. Peut-être les Anciens Égyptiens l'avaient-ils baptisée ainsi parce qu'elle baigne les côtes du pays Rouge, nom qu'ils donnaient au désert. La bande de 1000 km de long sur 250 km de large du désert Arabique est un territoire presque totalement aride, bordé au nord par les étendues caillouteuses du plateau d'el-Galala, qui, à Ras Zafarana, laisse la place aux premiers contreforts des monts de la mer Rouge, décor fantastique d'escarpements rocheux rouges et scintillants.

La mer Rouge naquit voici quelque 20 millions d'années, lorsque la péninsule Arabique se sépara du continent est-africain. L'océan Indien se déversa alors dans cette faille, divisée au nord en deux bras par la presqu'île du Sinaï. Tandis que le massif granitique du golfe d'Aqaba se termine par une falaise à pic qui rejoint les fonds marins 1800 mètres plus bas, le golfe de Suez, beaucoup plus plat, ne fait qu'une centaine de mètres de profondeur et les récifs coral-

Ci-contre : dans le Sud-Sinaï - à dos de chameau vers les plus beaux sites de plongée.

liens s'étendent jusqu'au sud de Hurghada. Ces coraux se développent sur des dépôts de calcaire millénaires et ne peuvent vivre que dans les eaux peu profondes et lumineuses des mers tropicales.

Les monastères du désert

Le réseau routier a considérablement été développé entre Suez au nord et Mersa'Alam au sud et sept routes relient désormais le Nil aux principales villes de la la côte. Au sud de suez, la route se révèle cependant peu attrayante, en raison des champs pétrolifères. Néanmoins, après **Ain Sukhna** ❶, le paysage gagne en attrait. Des sources d'eau chaude et la proximité du Caire (à 110 km) assurent à Ain Sukhna une bonne fréquentation, notamment le week-end, lorsque de nombreux Cairotes viennent s'y reposer, peu découragés par l'état de la plage, rarement nettoyée .

Depuis le terminal pétrolier de **Ras Zafarana** ❷, on peut faire une excursion fort intéressante aux couvents de Saint-Antoine et de Saint-Paul, fondés dans les montagnes du désert d'Arabie, là où Antoine le Grand et Paul de Thèbes vécurent en ermites à la fin du IIIe siècle. Pour se rendre au ****couvent de Saint-Antoine** ❸, on prendra une bifurcation à 30 km au sud de Ras Zafara-

LE SINAÏ ET LA MER ROUGE

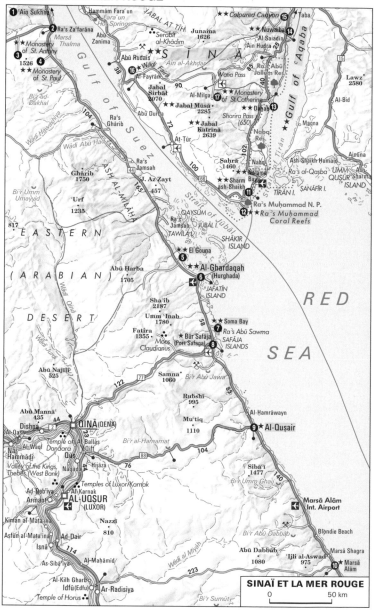

na. Le couvent, ceint d'une muraille de 12 m de haut sur 2 km de long haut, est situé au pied des rochers qui abritaient la caverne du saint, au milieu d'une agréable palmeraie. Le "père du monachisme" y vécut jusqu'à sa mort en 356, prodiguant son enseignement à une petite colonie d'ermites. Une chapelle existait sur sa tombe dès le Ve siècle, qui fut le point de départ de la création d'un monastère. Comme le couvent de Saint-Paul, il fut entièrement pillé et dévasté au XVe siècle et abandonné provisoirement. C'est pourquoi la majeure partie des bâtiments datent du XVIe siècle, époque à laquelle il fut reconstruit.

Il faut monter au **donjon** pour avoir une idée de l'étendue du monastère qui comprend de nombreuses dépendances dont les habitations des moines, un réfectoire du VIIe siècle, et des jardins. Des six églises du couvent, c'est **l'église titulaire** (X^e et XIe s.) qui est la plus intéressante, en raison de ses fresques. Les peintures les plus anciennes, à l'intérieur de l'arcade menant au sanctuaire, sont datées du Xe s., tandis que les autres remontent aux XIe, XIIe et XIIIe s. Les fresques de la petite chapelle adventice à côté du narthex sont également bien conservées. Elles représentent le Christ en majesté, entouré de quatre séraphins.

Une inoubliable randonnée d'une journée à travers les montagnes permet de gagner le couvent de Saint-Paul. Celle-ci doit impérativement être effectuée sous la direction d'un guide expérimenté.

On peut également accéder au **✶✶couvent de Saint-Paul ❹** par la route : à 25 km au sud de Ras Zafarana, on prendra à droite vers le monastère (indiqué) situé à 12 km de là. Créé au Ve s. au fond d'un cirque de montagnes, sur le site de l'ermitage et de la tombe du saint, ce monastère ressemble un peu à un château fort. Au centre du complexe monacal s'élèvent un **donjon** à cinq étages et **l'abbatiale**, rehaussée

d'une coupole. Ils sont entourés d'un jardin, des bâtiments conventuels et d'un hôtel. Un escalier relie l'église du haut (XIe s.) à celle du bas, bien plus ancienne encore, qui recouvre la grotte où s'était retiré saint Paul et sa chapelle funéraire. Les fresques des VIe et VIIe s. ont malheureusement subi une fâcheuses restauration au XVIIIe s.

Le paradis des plongeurs

Des plages de sable à perte de vue, une eau d'une pureté cristalline, 365 jours de soleil par an et des fonds sous-marins féeriques, comptant parmi les plus beaux de la planète, tels sont les atouts du littoral de la mer Rouge, égalés dans la région par les seules plages du sud-Sinaï. Peu étonnant donc qu'ici comme là, les promoteurs immobiliers aient littéralement pris d'assaut le littoral, transformant des tronçons de côtes totalement isolés, des ports endormis et des villages de pêcheurs en stations balnéaires à la mode. Plongée, snorkelling, surf ou voile, les amateurs de sports nautiques seront comblés. Des excursions dans le désert ou la vallée du Nil compléteront le programme de vacances réussies.

Centre du tourisme balnéaire, et de la plongée sous-marine en particulier, Hurghada est située sur la côte Ouest, à 400 km au sud de Suez. À 25 km au nord, une ravissante station balnéaire, remarquable par son architecture orientale, a été aménagée autour d'une lagune artificielle : **✶✶El Gouna ❺**. Outre les résidences d'Égyptiens fortunés, on y trouve plusieurs hôtels de qualité, de nombreuses boutiques, des cafés, bras et restaurants accueillants.

✶✶Hurghada

Ceux qui ont découvert **✶✶Hurghada ❻** (*Al-Ghardaqah*) au début des années 1990 reconnaîtront à peine les lieux. Hôtels, restaurants, boutiques de souvenirs et supermarchés y ont poussé

7

La mer Rouge

comme des champignons, transformant le centre-ville, **Dahar**, et le quartier portuaire attenant, **Sigala**, au point de les rendre méconnaissables. L'attrait principal de ce temple du tourisme réside dans les 32 îlots qui bordent la côte et aux récifs de coraux que l'on peut admirer en bateau à fond transparent si l'on ne pratique pas d'activités sous-marines. C'est sur les plages au sud d'Hurghada que se concentre le **centre touristique** d'Hurgada. Depuis la tour ronde ronde du **Sheraton**, les complexes hôteliers, souvent de très bon goût, s'étendent sur des kilomètres. Chaque année, de nouvelles constructions apparaissent, s'appropriant les dernières plages publiques qui, entre les villages de vacances, sont devenues rares. Evitez absolument les criques et les plages désertes, si tentantes soient-elles, la côte est en effet loin d'être entièrement déminée. Respectez impérativement les barbelés et les pancartes d'interdiction.

Les plages qui encadrent Port Safaga sont fort prisées des surfers, tandis que la très belle **★★Soma Bay ❼**, 15 km plus au nord, s'est imposée comme l'une des stations balnéaires les plus élégantes de la côte, très appréciée pour ses plages de sable fin, ses récifs de coraux, et son golf de 18 trous. **★Port Safaga ❽** (en arabe *Bûr Safâgah*) offre une alternative intéressante : au nord de la ville, se dressent plusieurs complexes hôteliers très soignés, bordés de plages très propres et de superbes bancs de corail. Longtemps domael' réservé des seuls amateurs de plongée, la côte au sud de Safaga connaît un engouement touristique de plus en plus grand. La charmante cité de **★Qoseyr ❾**, important port de l'Antique plus connu sous le nom de *Leukos Limen*, a conservé de très beaux quartiers anciens ainsi que les ruines d'une forteresse du XVIᵉ s. C'est cependant moins son patrimoine architectural que le luxe de ses palaces

Ci-contre : fascinant paysage de montagnes dans la péninsule du Sinaï.

4 et 5 étoiles bordant les plages qui attire les touristes. Et ces touristes, on les attend en masse, comme le prouvent les nombreux complexes hôteliers parsemant les 140 km de côtes entre Qoseyr et **★Mersa-Alam ❿**. Si ce village était resté jusqu'à présent à l'écart des itinéraires touristiques, le tourisme s'en approche irrésistiblement : les superbes plages désertes et les sites de plongée exceptionnels sont en effet accessibles par une route recemment aménagée. Enfin, l'ouverture de l'aéroport de Mersa-Alam devrait permettre de remplir les quelque 20 000 chambres d'hôtels prévues dans les années à venir.

LE ★★SINAÏ

La **★★péninsule du Sinaï**, (60 000 km²), ne représente pas seulement l'une des zones désertiques les plus célèbres du globe, c'est aussi l'une des plus fascinantes. Au sud de la côte méditerranéenne, les plaines de calcaire et de grès s'élèvent progressivement pour former le haut-plateau du Bâdiat el Tih, le "désert de l'errance", qui se termine brusquement, au sud, par des falaises de craie abruptes, dont l'effet est saisissant. C'est ici que commence l'univers grandiose des montagnes du Sud-Sinaï, avec ses géants de granit, de porphyre, de gneiss, aux formes bizarres, disloqués et entrecoupés de gorges, traversés de larges coulées de lave noire, qui suintèrent de la croûte terrestre il y a des millions d'années.

Isthme servant de pont entre l'Afrique et l'Asie, la péninsule du Sinaï et notamment le Nord du Sinaï a toujours été une route commerciale et stratégique importante, tandis que le Sud était convoité pour les richesses de son sous-sol. Les mines de turquoise et de cuivre des anciens Égyptiens sont épuisés depuis longtemps, mais les champs de pétrole d'Abu Rodeis les ont avantageusement remplacées. L'histoire de cette presqu'île inhospitalière commence longtemps avant celle des

pharaons, avec l'établissement de tribus nomades il y a quelque 20 000 ans. Dès le Vᵉ millénaire av. J.-C., on trouve des traces de civilisations sédentaires : celle d'Eilat (vers 4500-3500 av. J.-C.) et de Timna, qui, vers 2500 ans av. J.-C., fut absorbée par les premiers immigrants égyptiens. Des galeries et des crassiers datant de l'Antiquité, des inscriptions rupestres et les ruines d'un temple dédié à Hathor, la "*Maîtresse du pays des Turquoises*", témoignent des expéditions minières des pharaons sur le haut plateau du Serabit el Khâdem près d'Abu Zenima.

Mais c'est le IIᵉ Livre de Moïse, relatant la fuite hors d'Égypte du peuple d'Israël, qui fit connaître le Sinaï dans le monde entier. Le moment fort de cette errance de plusieurs années dans la péninsule du Sinaï fut, l'énoncé des Dix Commandements sur le mont Sinaï, que l'on identifie généralement au Djebel Mûsa, le mont Moïse (2 285 m). C'est d'ailleurs au pied de cette montagne que s'élève le couvent Sainte-Catherine. Récemment, une autre thèse a été avancée par les historiens : la "mer

Rouge" de la Bible de Luther serait en réalité le lac Bardawil, à l'extrême nord de la presqu'île, auquel cas la montagne des *Tables de la Loi* ne pourrait être que le Djebel Halâl (892 m).

Aujourd'hui encore, le Sinaï est parcouru par des nomades, mais la majorité des 70 000 Bédouins de la péninsule (sur un total de 180 000 habitants), est devenue sédentaire au cours des dernières décennies. Une politique menée dans ce sens, des offres d'emploi dans les mines, ainsi que le tourisme ont conduit les Bédouins à abandonner leurs tentes noires millénaires pour une maison en dur ou une cabane de tôle ondulée. Les coutumes traditionnelles et les structures tribales restent cependant bien vivaces. Le cheikh demeure l'autorité incontestée de la tribu, cellule de base de la société bédouine. S'appuyant sur un juge, le Cadi (*Qâdi*) et le conseil des Anciens, le cheikh règle, selon un droit coutumier séculaire, les différends quotidiens entre les membres de la tribu. Ce droit découle naturellement des exigences du désert et du nomadisme, l'une de ses règles les plus sa-

crées restant, aujourd'hui encore, celle de l'hospitalité.

Le golfe d'Aqaba

Malgré l'attrait des plages de sable blanc bordées de palmiers du nord de la péninsule, la plupart des touristes se sentent plus attirés par les extraordinaires paysages de montagnes et les merveilles sous-marines des récifs coralliens de la mer Rouge que l'on trouve réunis sur les côtes du ****golfe d'Aqaba**. Tout comme Hurghada, le sud de la péninsule a connu ces dernières années un essor touristique sans précédent : les baies aux eaux translucides et les oasis désertes bordant les 180 km de côtes du golfe entre Sharm esh-Sheikh et Tâbâ comptent désormais d'innombrables complexes hôtels et clubs de plongée. Phénomème digne d'être mentionné, ce développement s'est effectué dans le respect, jugé indispensable, de

Ci-dessus : superbes fonds marins de la mer Rouge. À droite : le couvent Sainte-Catherine.

l'environnement. On observe donc très peu de monstruosités architecturales dans les satations balnéaires. Un développement extrêmement positif dans un pays où l'écologie est considérée comme un luxe.

Le centre touristique incontesté du Sinaï reste cependant la localité de ****Sharm esh-Sheikh ⓫**, au sud de la péninsule, à proximité d'un aéroport international. Parmi les extraordinaires sites de plongée égyptiens, qui méritent tous les superlatifs, les récifs de ****Ras Muhammad ⓬**, dans le parc national du même nom, se distinguent encore. La ****Na'ama Bay**, à 12 km au sud de Sharm esh-Sheikh, arrive en première place des complexes hôteliers. Sur la promenade du bord de mer, les toits plats et les coupoles des grands hôtels se succèdent avec beaucoup de goût. Si elle reste la plus célèbre, car la première, des baies aménagées pout le tourisme dans la région, les autres rades qui l'entourent – la Maya Bay et Ras Umm Sid au sud, la Shark Bay et Ras Nusrani au nord – bénéficient de la même situation géographique exceptionnelle et ouvrent sur les mêmes extraordinaires récifs de corail.

À 70 km plus au nord, bordée de plages de sable blond protégées par des bancs de coraux d'une rare diversité, ****Dahab ⓭** offre une oasis de palmiers se découpant sur les coulisses grandioses des montagnes. Ici aussi, les constructeurs hôteliers ont élaboré d'ambitieux projets, comparés aux complexes de Sharm esh-Sheik, ceux-ci restent cependant modestes.

Resté relativement à l'écart de tout ce tumulte, ****Nuwaybâ ⓮** n'en possède pas moins de superbes plages ourlées de palmiers, des eaux turquoises et des sites de plongée exceptionnels. Du port, un ferry relie Aqaba, en Jordanie, en trois heures seulement. A une heure de voiture de Nuwaybâ, une excursion que l'on ne saurait recommander assez chaudement, permet de découvrir le ****Coloured Canyon ⓯**. Ici, au cours

des millénaires, le vent et l'eau se sont fait les artisans de la nature, creusant des précipices laissant parfois à peine le passage à un homme, et faisant apparaître les différentes strates de grès. Ces extraordinaires formations rocheuses, offrant une superbe palette variant de l'ocre au rouge, semblent davantage le fruit du travail d'un peintre que celui de l'érosion.

Toutes les stations balnéaires proposent des excursions : randonnée à dos de chameau dans les montagnes, dîner sous les étoiles dans le désert, visite des fonds marins en bateau à fond transparent, ou safari dans les vallées reculées. De tous les sites visités, le mont Moïse et le couvent Sainte-Catherine arrivent néanmoins toujours en tête.

LE **COUVENT SAINTE-CATHERINE

On peut se rendre au couvent par deux itinéraires : soit par la jolie route qui bifurque vers l'intérieur des terres entre Nuwaiba et Dahab, soit par la côte monotone qui longe le golfe de Suez,

passant tout de même par l'oasis de Feran. Dans ce cas, il faut prendre au sud des deux villes pétrolières d'Abu Zenima et Abou Rodeis en direction du **Wâdî Feran** ⑯. 30 km plus loin, on arrive aux agréables palmeraies de l'oasis, qui fut une colonie chrétienne importante jusqu'au VIIᵉ siècle et même un siège épiscopal. Les flancs des montagnes sont creusés de grottes où vivaient, au IIIᵉ siècle, des anachorètes chrétiens. De leur ermitage, ils pouvaient voir, au sud, la montagne de la loi de Moïse, le **Djebel Serbal** (2 070 m). Il reste, au milieu de l'oasis, les vestiges d'une basilique chrétienne, dévastée par les envahisseurs arabes au VIIᵉ s.

À 30 kilomètres de là, la route des oasis rejoint l'axe principal de Dahab et de Nuwayba, avant d'arriver au **couvent Sainte-Catherine** ⑰, 20 km plus au sud. Ce monastère fortifié se dresse dans un cadre unique ; il est situé au fond d'une vallée mais à 1 570 m d'altitude, entre le Déjebel Mûsa et le Djebel Katharin.

Des ermites s'étaient installés dès le IIIᵉ siècle en ce Lieu saint, où la légende

La mer Rouge 7

situe le *Buisson ardent*. Puis l'impératrice Hélène y fit édifier une église vers 330, que l'empereur Justinien intégra au VIe s. dans un monastère fortifié ceint d'une muraille de granit de 12 à 15 m de hauteur. Depuis lors, les moines sont restés fidèles à l'Église byzantine, donc grecque orthodoxe. Sainte Catherine d'Alexandrie, une martyre du IVe s., dont le corps fut retrouvé de manière quasi miraculeuse en haut du djébel Katharin, n'est la patronne de ce monastère du Sinaï que depuis le Moyen Âge.

C'est la **basilique de Justinien** qui occupe le centre du couvent. Si l'édifice remonte au VIe siècle, les somptueux aménagements intérieurs ne sont guère antérieurs aux XVIIe et XVIIIe siècles. La décoration comprend notamment les célèbres mosaïques de l'abside (VIe siècle), de style byzantin, dont le motif central représente la Transfiguration de Jésus sur le mont Tabor, celui de gauche Moïse enlevant ses sandales devant le Buisson ardent, et celui de droite le

Ci-dessus : lever du soleil sur les escarpements du Djébel Mûsâ.

même Moïse recevant les Tables de la Loi. Juste derrière l'abside, on pénètre dans la **chapelle du Buisson ardent** construite sur les racines du Buisson sacré. D'ailleurs, on peut voir encore un robuste rejet du dit buisson prospérer contre le mur de la façade postérieure de la basilique.

Il faut compter 3 pour faire l'ascension du ★★**Djebel Mûsa** (2 285 m), qui permet de découvrir un panorama extraordinaire. Deux chemins y conduisent : un sentier bien praticable qui serpente à flanc de montagne, ou l'escalier de 3 000 marches emprunté par les pèlerins, raide et fatigant. L'ascension nocturne du sommet pour assister, par beau temps, au lever du soleil, est presque devenue un classique. Le spectacle est certes inoubliable, mais il ne faut plus trop espérer en jouir dans le silence et la solitude. Si c'est ce que l'on recherche, il vaut mieux escalader le ★★**Djebel Katrînâ**, point culminant du Sinaï avec 2 639 m. La chapelle du sommet commémore l'endroit où l'on a trouvé les restes mutilés de Sainte-Catherine.

MER ROUGE

AVION : Egypt Air et les compagnies internationales desservent Hurghada et Mersa-Alam plusieurs fois par semaine.

CARS : plusieurs cars de la *Upper Egypt Bus Company* partent ts les jrs du Caire (gare routière : Mîdân Ahmad Hilmî) pour Hurghada ainsi que du sam. au jeu. un car de la *Travco Sharq ad-Delta Company* (départ : gare routière du Sinaï à Abbâsîya au N.O. du Caire). Plusieurs cars relient Louqsor (départ derrière le temple) à Hurghada via Port Safâga en convoi militaire.

TAXIS COLLECTIFS : départ du Caire, Mîdân Ramsîs (gare centrale) et Mîdân Gîza, et de Louqsor, Shâri' Abû Gûd (derrière le musée). Pour des raisons de sécurité, trajet uniquement en convoi.

HURGHADA (☎ 065)

Office du Tourisme, Sh. al-Mahafza, Tel. 446513.

Nombreux restaurants dans les hôtels et petits restaurants peu chers dans le centre *Al-Dahar*. **Felfela**, entre le Sheraton et Holiday Inn. Délicieuses entrées, belle vue sur le port.

The D.O.M., à l'hôtel Continental, ts les jrs à partir de 21h. Grande discothèque et musique internationale.

SINAÏ

AVION : Egypt Air relie Le Caire à Al-'Arîsh, At-Tûr, Sharm esh-Sheikh et au couvent Sainte-Catherine. En saison, la compagnie propose aussi des vols Hurghada - couvent Sainte-Catherine. Les aéroports internationaux de Sharm esh-Sheikh sont également desservis par plusieurs compagnies internationales de charters.

Les voyageurs arrivés directement par avion à Sharm esh-Sheikh et qui touchent pour la première fois le sol égyptien, feront bien de se procurer le **grand visa de tourisme**. Sinon, ils ne pourront pas se rendre dans le Parc National Ra's Muhammad, l'un des plus beaux sites de plongée de la planète.

CARS : les cars de la *East Delta Bus Company* desservent plusieurs fois par jour Tâbâ, Nuwaybâ, Dahab et Sharm esh-Sheikh. Départ du Caire : gare routière du Sinaï dans le faubourg d''Abbâsîya. Tous les jours, un car effectue une liaison directe entre Louqsor et Dahab.

BATEAUX RAPIDES : quatre fois par semaine, liaison rapide entre Hurghada et Sharm esh-Sheikh, une fois par jour entre Nuwaybâ et Aqaba.

SHARM ESH-SHEIKH (☎ 069)

Office de Tourisme, tél. 762704.

En dehors des nombreux restaurants d'hôtels, il y a à Sharm esh-Sheikh une foule de petits restaurants aux prix abordables, comme le **Sinaï Star**, à proximité du basar. Simple restaurant à poisson, excellents fruits de mer, apprécié aussi des gens du cru.

Hard Rock Café, Naama Bay. Un concept vieux comme le rock, pour danser toute la nuit.

PLONGÉE : la plupart des bases de plongée proposent des stages pour débutants. Toutefois, ne vous adressez qu'aux bases agréées par la *Underwater Sports Federation* qui se charge de contrôler régulièrement le respect des normes de sécurité.

La condition première pour pouvoir participer à un stage est un certificat médical attestant le bon fonctionnement et le bon état de votre appareil respiratoire et auditif, ainsi que de votre système cardiaque. Pour vous préparer le mieux possible, renseignez-vous au préalable auprès de la Fédération nationale de Plongée ou auprès de la PADI (Professional Association of Diving Instructors) dont les règles constituent la base de tout brevet de plongée international.

COUVENT SAINTE-CATHERINE

Le **couvent Sainte-Catherine** est ouvert ts les jrs (sauf ven., dim. et jours fériés orthodoxes) de 9h30 à 12h30.

La mer Rouge

7

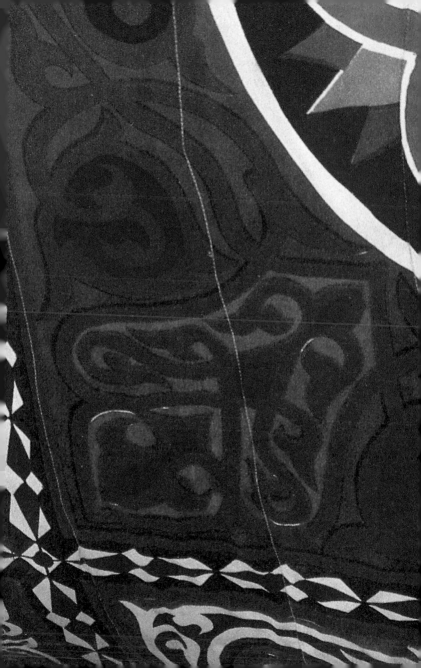

À LA RECHERCHE DE L'ÉGYPTE ANCIENNE

Les pyramides, la Vallée des Rois, la belle Néfertiti ou les trésors de Toutânkhamon – ces mots ont une résonnance magique ; ils évoquent le mystère et l'aventure, et le phénomène ne date pas d'aujourd'hui. Ce pays qui, selon Hérodote (Ve siècle av. J.-C.) possède plus de merveilles et d'œuvres étonnantes que tout autre, était déjà considéré dans l'Antiquité comme la quintessence de la civilisation. Lorsqu'on parlait des sept merveilles du monde, c'étaient toujours les pyramides que l'on citait d'abord, les savants et les philosophes se rendaient volontiers sur les bords du Nil pour y visiter les monuments des pharaons.

Au nom d'Hérodote s'ajoutent ceux de Platon, Diodore ou Strabon, et les récits de ces auteurs antiques, qui avaient vu l'Égypte ancienne de leurs propres yeux, allaient se révéler une

Pages précédentes : tente de fête. Ci-dessus : Gravure de G. J. Poyntner (1867).

source d'informations très précieuse pour les futures générations de chercheurs.

À l'ère chrétienne, les moines qui craignaient la force d'attraction magique exercée par l'Égypte païenne, détruisirent beaucoup d'édifices et de sculptures dans leur fureur iconoclaste, supprimant ainsi la connaissance de cette civilisation. Et il fallut attendre l'avènement de l'Islam pour que le halo de mystère et d'inconnu qui enveloppait le temps des pharaons fasse naître un intérêt croissant pour l'Égypte ancienne.

Les relations de voyage des auteurs arabes qui s'extasiaient, il est vrai, sur les merveilles du pays du Nil firent autant pour la célébrité des pyramides, que les incontournables contes des Mille et une nuits pour la célébrité de l'Orient en Occident. Ceci n'empêcha pas cependant les sultans mamelouks d'utiliser les sépultures millénaires et bien d'autres chefs-d'œuvre du temps des pharaons comme carrière pour la construction du Caire musulman.

En Europe, les racines de l'égyptologie remontent à la Renaissance, lorsqu'on entreprit la traduction des écrivains de l'Antiquité, d'abord en latin puis dans les autres langues. Simples souvenirs pour les empereurs romains, les obélisques devinrent le premier objet d'étude de ceux qui voulaient percer le secret mystérieux des hiéroglyphes. Lorsque l'exotisme devint à la mode dans l'aristocratie européenne des XVIIe et XVIIIe siècles, l'égyptomanie s'empara aussi des peintres et des architectes. C'est à cette époque que les premières grandes collections d'art égyptien virent le jour.

Il fallut attendre l'esprit encyclopédique du Siècle des Lumières pour que, dans le domaine de l'étude de l'Antiquité également, on commence enfin à traiter les données existantes de manière objective et systématique. Mais c'est la campagne d'Égypte de Napoléon qui jeta les bases de l'étude scientifique du pays. Tout un aréopage de savants suivit l'armée française sur le Nil et ils publièrent les relevés qu'ils avaient effectués sur le pays dans un ouvrage *in-folio* de 24 volumes, la fameuse *Description de l'Égypte*. Les dessins et les gravures d'une fidélité extraordinaire de Vivant Denon, qui reproduisaient avec une exactitude rigoureuse et dans les moindre détails les monuments millénaires de l'Égypte en remontant le Nil jusqu'à Philae, devinrent l'outil de référence de l'égyptologie naissante. Cette science nouvelle fêta néanmoins son véritable avènement en 1822 lorsque Jean-François Champollion annonça au monde qu'il avait déchiffré les hiéroglyphes.

Les pionniers de l'égyptologie

Cet érudit remarquablement doué (Champollion enseignait déjà l'histoire à Grenoble à l'âge de 18 ans) fut le premier à acquérir la conviction que les hiéroglyphes n'étaient pas une écriture purement symbolique, où une image ou un groupe de signes expriment un mot. La clé de sa découverte fut la *pierre de Rosette*, une stèle de basalte noir, trouvée par les soldats français en 1799 à Rosette, et portant une inscription rédigée en hiéroglyphes, en grec et en écriture démodétique.

Champollion était convaincu de la parenté de la langue copte, connue grâce aux textes chrétiens rédigés en grec, avec les hiéroglyphes. Ce fait établi, un grand pas venait d'être franchi sur la voie du décryptage des hiéroglyphes. Mais c'est au physicien anglais Thomas Young, père de la théorie des ondes lumineuses, que revint le premier grand succès. Il réussit à identifier dans leur version en hiéroglyphes de la pierre de Rosette, les noms de Ptolémée et de Bérénice figurant sur les cartouches royaux.

L'heure de gloire de Champollion sonna lorsqu'il comprit qu'il avait à faire à un système associant des pictogrammes et des lettres. À l'aide de textes en hiéroglyphes et en les comparant avec l'écriture copte, il put bientôt déchiffrer 79 noms de rois et en 1824, à peine deux ans après sa géniale découverte, il rédigea une vaste publication sur les résultats de ses travaux. On possédait désormais la clé du passé de l'Égypte permettant l'étude de cette civilisation millénaire.

Jusqu'au milieu du XVIIIe siècle, l'activité principale des expéditions scientifiques consistait à dessiner et à décrire les monuments accessibles de la Vallée du Nil, afin de rapporter un maximum de données que les savants étudiaient dans le calme de leur cabinet. À cette époque, les fouilles étaient davantage l'affaire de riches amateurs d'art et de collectionneurs ou, comme en Égypte, de diplomates accrédités, qui se livraient ainsi à un fructueux commerce d'antiquités égyptiennes.

Parmi les archéologues de la première heure, il faut citer aussi l'Italien Giovanni Battista Belzoni (1778-1823). Avant d'arriver en Égypte, où il venait vendre un nouveau système d'irrigation à Méhémet Ali, ce colosse d'une force

8 Égyptologie

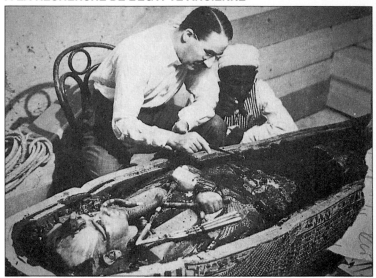

herculéenne avait déjà derrière lui toute une carrière de saltimbanque. Sa roue hydraulique n'obtint pas le succès escompté auprès du sultan, mais lui-même fut engagé par le Consul général britannique Henry Salt qui comptait sur la force peu commune de l'Italien pour le transport d'une tête colossale de Ramsès II de plus de 7 tonnes. Belzoni prit ainsi goût aux antiquités égyptiennes et, après un intermède à Abou-Simbel, il commença des travaux de fouilles à Thèbes. Sa découverte la plus importante fut celle du tombeau de Séthi Ier, l'un des plus beaux hypogées de la Vallée des Rois, qu'on appelle d'ailleurs, aujourd'hui encore, la "tombe de Belzoni".

Le jardin du musée Égyptien du Caire abrite un sarcophage de marbre blanc qui, visiblement, ne date pas des pharaons : c'est le mausolée de Mariette Pacha, le fondateur du musée. Le 2 octobre 1850, le bateau d'Auguste Ma-

riette (1821-1881) mouillait dans le port d'Alexandrie. Il était chargé d'acquérir des manuscrits coptes pour le compte du Louvre, mais une visite de la citadelle devait changer toute sa vie. Devant le panorama exceptionnel qui s'étendait à ses pieds, il écrivit dans son journal : *"ce dont j'avais rêvé toute ma vie devenait soudain réalité. Je me trouvais devant un monde de tombeaux, de stèles, d'inscriptions et de statues, à portée de main. Que dire de plus ? Dès le lendemain, j'engageai deux ou trois mulis..."* et le 27 octobre, il commença ses recherches dans la nécropole de Saqqarah.

Prélude magistral à une série de succès sans précédent, il mit à jour l'allée de sphinx et le sérapeum ; un peu plus tard, il découvrit au même endroit 115 tombeaux de l'Ancien Empire, dont certains parmi les plus célèbres d'Égypte. Nommé en 1858 directeur du tout nouveau *Service des Antiquités*, chargé de l'administration des antiquités égyptiennes, il supervisait désormais tous les travaux archéologiques ; il avait également pour mission de consti-

Ci-dessus : Carter devant la momie de Toutânkhamon. Ci-contre : lion en bois doré à la tête du lit funéraire de Toutânkhamon.

tuer et de gérer le musée Égyptien du Caire.

L'une des plus belles réalisations cinématographiques égyptiennes, le film "La momie", connu aussi en Europe, met en scène un événement auquel fut confronté le successeur de Mariette, Gaston Maspéro. Dans les années 1870 apparurent soudain sur le marché de l'art des objets qui, de toute évidence, provenaient d'une tombe royale de Thèbes. l'enquête con duisit à Qurna, chez les frères Abd-er-Rasûl. Après de longs interrogatoires et une détention de plusieurs mois, l'un des frères finit par avouer : au fond du cirque de Deir el-Bahari se cachait un tombeau qui regorgeait de sarcophages royaux. Comme on le constata bientôt, il y avait là les sarcophages des plus grands pharaons d'Égypte (Ahmosis, Thoutmosis III, Ramsès II). Par crainte des pilleurs de tombes, qui sévissaient déjà à cette époque, des prêtres de la XXIe dynastie, vers l'an 1000 av. J.-C., avaient fait transporter les momies royales dans cette cachette. Lorsqu'on les tranféra au Caire par le fleuve, les fellahs firent à leurs ancêtres une escorte funéraire digne des temps anciens. Tout au long du parcours, des femmes se tenaient sur les berges du Nil, poussant des youyous et s'arrachant les cheveux en signe de deuil, tandis que les hommes tiraient des salves d'honneur.

La chronique des grands égyptologues, de leurs découvertes spectaculaires et des résultats de leurs travaux remplirait plusieurs volumes, mais il faut encore parler du plus célèbre d'entre eux, l'anglais Howard Carter qui, en 1922, découvrit dans la Vallée des Rois le tombeau de Toutânkhamon. Carter était déjà un chercheur réputé lorsqu'il trouva, en 1914, en la personne de son compatriote Lord Carnavon, le sponsor qui devait financer les fouilles de la tombe du jeune pharaon. Depuis qu'il avait découvert dans la Vallée des Rois, quelques années auparavant, le tombeau d'Horemheb et d'autres, il était

absolument convaincu qu'il y trouverait aussi la sépulture de Toutânkhamon. Or il était le seul dans les milieux spécialisés à nourrir cet espoir, car la Vallée des Rois passait pour épuisée. Les travaux de fouilles commencèrent en 1917, mais Howard Carter jouait de malchance. Il manqua d'un cheveu l'entrée de la tombe, masquée par les décombres de maisons d'ouvriers datant de l'Antiquité.

Des années de recherches laborieuses et décevantes suivirent, mais Carter, profondément convaincu, ne renonça pas et il avait raison : en novembre 1922, la nouvelle se répandit comme une traînée de poudre à travers le monde : on avait découvert un tombeau royal. C'est ainsi que le pharaon Toutânkhamon, mort très jeune et d'une importance historique très relative, devint du jour au lendemain le roi le plus illustre de l'histoire égyptienne. Aucune autre découverte, aussi importante qu'elle fût, n'a atteint depuis un degré de notoriété comparable dans l'opinion publique au "pharaon d'or" de Howard Carter.

LE SECRET DES HIÉROGLYPHES

Plus que toute autre écriture, les pictogrammes de l'Égypte ancienne éveillent la curiosité. Semblables, en miniature, aux figures des bas-reliefs, ils sont apparus à la même époque que leurs "grands modèles", aux alentours de 3000 av. J.-C. Mais si les sept cents signes existant à l'origine – mille au temps des Ptolémées – étaient insuffisants pour une écriture uniquement figurative, ils étaient beaucoup trop nombreux pour une écriture alphabétique.

Et là intervient le génie de Champollion, qui comprit que les hiéroglyphes sont en réalité une synthèse complexe des deux systèmes, associant les signes porteurs de sens (sémogrammes) et les signes phonétiques (phonogrammes).

On parle de sémogrammes, lorsque la signification du mot est donnée par un pictogramme, une image : le plan simplifié d'une maison signifie "mai-

Ci-dessus : les hiéroglyphes se lisent de haut en bas. Ci-contre : minaret.

222

son", une palette et un pinceau, le mot "scribe", deux jambes en action égalent "marcher". Les phonogrammes sont des lettres ou des combinaisons de lettres qui n'ont plus de rapport de sens avec la figure représentée : ainsi la chouette a la valeur phonétique du "m", le lièvre de "w + n", le scarabée de "h + p + r".

Comme les voyelles ne se transcrivaient pas, on utilisait un phonème associant plusieurs consonnes pour exprimer des mots de sens différent. Pour définir la signification exacte, on rajoutait un déterminatif qui, dans ce cas, ne se prononçait pas. La direction de l'écriture peut donc varier, mais reste toujours facilement repérable, les figures regardant toujours vers le début de la ligne.

Comme pour les séries de scènes représentées sur les bas-reliefs des temples, on attribuait aux signes graphiques des textes religieux un pouvoir magique. Les Égyptiens croyaient tellement à l'efficacité de ces "paroles divines", qu'ils cherchaient à conjurer le danger de certains hiéroglyphes jugés néfastes par un contre-sortilège.

Ainsi voit-on parfois un couteau transpercer le corps de la vipère cornée, qui figurait alors la lettre *f*. Mais en corollaire, les images et les objets relevant du domaine sacré n'existaient que grâce au pouvoir magique de l'écriture : pour garantir la pérennité du culte pour l'éternité, il fallait qu'une statue soit nominative ou bien encore qu'une formule d'offrande soit écrite.

C'est pourquoi les Grecs qualifiaient ces caractères de "signes sacrés" (du grec *hieros* : sacré, saint) et distinguaient deux types de graphisme : les **hiéroglyphes** gravés avec soin dans la pierre, et l'écriture **hiératique**, cursive, pour laquelle on utilisait un jonc et de l'encre. Ils appelèrent **démotique** ("populaire", de *demos*, peuple) l'écriture cursive non figurative et fort abstraite utilisée pour la rédaction de textes profanes à partir du VIIIe siècle.

ALLAH AKBAR

Cinq fois par jour et dans tout le pays retentit du haut des minarets l'appel à la prière du muezzin qui commence toujours par ces mots, *Allah akbar*, afin de rappeler aux hommes que quoiqu'ils fassent, "Dieu est le plus grand". C'est "l'acceptation totale" de ce constat universel qui s'exprime dans le mot arabe *Islam*, dont la racine est la même que pour le mot *salâm* : "la paix". Et cette paix, le musulman croyant la trouve justement dans la soumission à la volonté divine, dans l'islam.

Les éléments essentiels de la religion islamique, proclamés par le prophète Mahomet sont : la foi en un dieu unique, clément et miséricordieux, créateur de l'univers auquel il a donné sa loi, valable en tous temps et en tous lieux ; la foi en ses anges, ses prophètes, les Livres révélés, la résurrection et le Jugement dernier.

Mais l'Islam n'est pas un simple dogme ; un ensemble complexe de préceptes et de lois en font en même temps une véritable règle de vie qui intervient dans toutes les activités quotidiennes des croyants et leur donne sens : il comporte des prescriptions alimentaires, définit les relations sociales, prône la solidarité et l'aide aux défavorisés comme étant les valeurs fondamentales de la société, et il comprend en outre un système juridique complet, appelé la *sharia*. La source essentielle de ce code social et juridique est le Coran (*Qur'ân* en arabe), les Saintes Ecritures des musulmans, révélées par Dieu au prophète Mahomet.

Aux 114 sourates (*suren*), les chapitres de longueur variable du Coran, s'ajoutent la tradition du *Hadit* (récits de la vie de Mahomet transmis par la tradition orale). C'est un recueil important de paroles et de faits du prophète, la *Sunna*, qui permet d'interpréter plus facilement le Coran, souvent trop hermétique pour les simples croyants. Les principes de base de la pratique reli-

gieuse sont résumés dans les "cinq piliers" : 1. la profession de foi, ou *shahâda*, récitée au commencement de chaque prière, et répétée à plusieurs reprises par le muezzin lors de son appel à la prière : "j'atteste qu'il n'y a pas d'autre dieu que Dieu et que Mahomet est son prophète" ; 2. la prière (*sala*), que chaque musulman doit dire cinq fois par jour en direction de la Mecque et selon des règles strictes ; 3. l'aumône annuelle de la *zakât*, sorte de prélèvement social obligatoire, s'élevant à 2,5% du revenu, qui sert à alimenter un fonds de secours pour les pauvres et les nécessiteux. En Égypte, la zakât prend la forme d'un don que l'on fait librement, en argent ou sous d'autres espèces. Le Coran parle aussi de la *sadaga*, la charité que l'on est invité à pratiquer aussi souvent que possible. 4. le jeûne (sawm) observé pendant le Ramadan, qui doit être absolu et interdit tous les plaisirs physiques du lever au coucher du soleil ; et enfin 5. le pèlerinage obligatoire à la Mecque (*El Hajj*), que tout musulman se doit d'effectuer au moins une fois dans sa vie.

8

Hiéroglyphes

VERS UN ÉTAT DE DROIT DIVIN ?

Depuis des années déjà, les actions et les activités des groupements islamiques font la une de la presse égyptienne et internationale ; mais depuis le 11 septembre 2001 et l'écroulement des tours jumelles du World Trade Center sous le regard horrifié des citoyens de ce monde, le terrorisme et le fanatisme passent pour nombre de personnes pour le synonyme de l'Islam. Muhammad Atta, l'un de ceux qui pilotèrent les avions détournés vers les tours, était un Égyptien, et quelques-uns des proches d'Ossama ben Laden, qui dirige l'organisation terroriste El Qaïda à l'origine des attentats contre les USA, viennent également d'Égypte.

Depuis de nombreuses années aussi, la pression islamiste se fait de plus en plus forte le long du Nil, et le groupe extrémiste *Jamî'a al-Islâmîca,* les *sociétés islamiques,* confronte la politique intérieure du gouvernement laïc du président Moubarak à de graves problèmes et à un dur rapport de forces.

Les discussions menées non sans émotion depuis les attentats aux États-Unis ont maintes fois démontré à quel point il est nécessaire de nuancer toute analyse entre l'islamisme et l'Islam, entre la foi instrumentalisée à des fins politiques et l'application simple de règles religieuses. C'est souvent une distinction délicate entre le monde politique et la religion, distinction qui n'a pas toujours été observée non plus dans le monde occidental, en particulier dans les actions de l'Église catholique.

L'origine de ce renouveau attaché à certains concepts et valeurs islamiques, émergeant après la révolution iranienne, remonte au XIXᵉ siècle. À cette époque, l'Orient colonisé, souvent sous domination britannique, était à la recherche de son identité nationale perdue. Pour beaucoup de ceux qui militaient pour cette prise de conscience, il devint évident que le chemin de l'avenir ne passait pas uniquement par l'indépendance politique, mais aussi par une redéfinition des valeurs sociales et morales. La réponse à cette remise en question fut un retour aux sources de leur propre culture, menacée par les usages et les modes de pensée importés de l'Occident.

En Égypte, l'un des principaux réformateurs était une personnalité de premier plan : le grand mufti Cheikh Muhammad Abduh (1849-1905). Sa conception d'un Islam s'appuyant sur la raison, devint la notion fondamentale d'une nouvelle orientation islamique, à laquelle des millions de musulmans adhèrent aujourd'hui. Et contrairement à un préjugé enraciné chez beaucoup d'Européens, cette façon d'envisager l'Islam ne voit aucune sorte de contradiction entre le progrès et la technique d'une part, et la vie religieuse d'autre part.

Face à ces tendances modernistes et libérales, des groupes fondamentalistes se formèrent, comme celui des Frères Musulmans, créé en 1928 par Hasan al-Bannâ, qui ne reculaient ni devant la violence ni devant la terreur, pour arriver à leur fin, l'instauration d'un Etat islamique. Pendant longtemps, ils ne jouèrent en Égypte qu'un rôle secondaire.

Si l'esprit de l'Islam domine aujourd'hui à nouveau tous les domaines du quotidien, c'est aussi le résultat d'une profonde mutation de la société. La quête d'une nouvelle identité nationale a entraîné une distanciation par rapport au mode de vie occidental moderne, qui ne peut être en Orient qu'une culture d'emprunt. Si les événements de l'histoire récente ne sont pas directement responsables de cette réflexion sur les valeurs de leur propre culture et de leur religion, les Égyptiens en ont cependant accéléré le processus : ce fut

Ci-contre : depuis le renouveau des pratiques islamistes en Égypte, beaucoup de femmes ne sortent que voilées.

d'abord une réaction à l'échec de la politique économique socialiste et de l'idéologie pan-arabe de Nasser, qui a sombré dans la catastrophe de la guerre des Six jours contre Israël, en juin 1967, puis, dans un deuxième temps, le refus de l'invasion du pays par les usages et les produits de consommation occidentaux, conséquence logique de la politique d'ouverture programmée par Anouar al Sadate.

C'est pourtant Sadate lui-même qui avait mis en route le processus de ré-islamisation et qui se présentait volontiers et souvent comme musulman croyant et pratiquant. Mais les esprits auxquels il avait fait appel ne lui furent pas favorables. La proscription par la famille arabe après le traité de paix entre l'Égypte et Israel s'est révélée être une cause de déflagration dans une situation où de plus en plus d'Égyptiens mettaient en doute ses déclarations sur les principes sociaux de l'Islam. Car sa politique économique n'avait pas seulement ouvert la porte aux produits de consommation occidentaux, mais aussi à la montée des prix, à l'inflation et à l'inégalité sociale préparant ainsi le terrain à l'agitation des groupes fondamentalistes ; et ceci, même dans un pays reconnu libéral comme l'Égypte. C'est aux islamistes que l'on doit l'assassinat du président Sadate, les actes de violence contre la minorité copte ou les actions terroristes isolées dirigées contre les touristes étrangers.

Cependant, la grande majorité des Égyptiens désapprouvent totalement ces excès, et même les dirigeants des *Jamî'a al-Islamica* ont condamné ou vertement les attentats de novembre 1997 au temple de Hatchepsout, à Louqsor, qui coûtèrent la vie de plus de 60 personnes. Leur appel à ne plus diriger d'attentats contre les touristes fut écouté jusqu'à ce jour.

Outre la dimension politique de la ré-islamisation, le mouvement égyptien de rénovation religieuse touche toutes les catégories de la population et même les coptes, et tend davantage, par sa profonde piété, vers une adhésion apolitique à la foi. Celle-ci prône le retour aux valeurs séculaires de la pensée religieuse dans la vie de tous les jours.

8

Islam

LA "PYRAMIDE DE ASSER" EST À ASSOUAN

"La pyramide de Nasser", c'est ainsi que le peuple égyptien a rebaptisé le Sadd el-Ali, le gigantesque barrage d'Assouan, qui devait être le garant et le symbole d'une Égypte prospère, entrée dans un âge nouveau et meilleur avec la révolution des "officiers libres". Du pain et de l'électricité pour une population en pleine croissance : telle était la devise de ce projet. Lorsqu'on commença les travaux du barrage, il y avait 26 millions d'Égyptiens, pour une estimation de 75 millions aujourd'hui. Alors que l'ancien barrage d'Assouan, achevé en 1902, laissait s'écouler dans la mer la majeure partie de l'eau sans qu'elle fût utilisée, le nouveau barrage contrôle le Nil dans son ensemble, et alimente le pays pendant toute l'année grâce à un immense lac de retenue.

Le barrage fut réalisé entre 1960 et 1971 selon des plans établis par des en-

Ci-dessus : sur le chantier. Ci-contre : la centrale électrique vue du Grand barrage.

treprises allemandes, plans qui furent légèrement modifiés pour des questions de coût par les ingénieurs soviétiques chargés de la construction.

Après la première euphorie, des voix critiques de plus en plus nombreuses se firent entendre, et les médias de la planète citèrent le nouveau barrage en exemple pour la catastrophe écologique mondiale à venir, sans toutefois tenir compte des publications scientifiques les plus récentes, où il est prouvé notamment que bien des maux imputés au barrage trouvaient leurs racines déjà bien avant sa construction.

Bien évidemment, un projet de cette ampleur ne peut être mené à bien sans que la nature ne subisse des interventions majeures. Or, à côté des risques calculés et des retombées négatives prévues, il faut toujours s'attendre à un certain nombre de conséquences. Le taux d'évaporation de l'eau, par exemple, est étonnamment élevé, ce qui a doublé la quantité de sel dans le Nil. L'eau du Nil étant moins limoneuse après le barrage, le courant est plus rapide, creusant davantage le lit du fleuve et les berges, sa-

pant à la base les ponts et les digues. Et si cette diminution des alluvions, riches en éléments nutritifs, ne joue finalement qu'un rôle secondaire pour la fertilité des sols, elle est en revanche responsable de l'effondrement de la pêche à la sardine sur les côtes de la Méditerranée. Or, ce qui ne convient pas aux poissons fait le bonheur des rongeurs nuisibles comme les rats et les souris qui prolifèrent en paix depuis qu'ils ne sont plus décimés par les crues annuelles.

Grâce à de premières mesures efficaces, on arrive maintenant à combattre les problèmes de la montée du niveau des nappes phréatiques et de la salinisation du sol, en développant les systèmes de drainage et en assurant la formation des fellahs qui, dans l'euphorie des débuts, utilisaient trop d'eau et d'engrais.Des arguments de poids, irréfutables même pour les plus pessimistes, parlent en faveur d'un bilan positif du grand barrage : les surfaces cultivables ont pu être augmentées sensiblement grâce à la mise en culture de nouvelles terres. Avec deux, voire trois récoltes assurées par an, la production agricole a doublé. Le courant produit par la centrale hydro-électrique du Sadd el-Ali n'a pas seulement profité à l'industrie, il apporte également à des milliers de villages le confort de l'électricité.

Un second projet gigantesque non moins controversé est en train de se greffer sur le barrage d'Assouan : le canal de l'émir Zayid, d'après le nom du président des Émirats Arabes Unis, protecteur de l'agriculture égyptienne. En janvier 2003, le président Moubarak inaugura une immense station de pompage qui permet de transporter les eaux du lac Nasser dans le canal situé 50 m plus haut et qui devrait relier la plaine de Toschka à la chaîne d'oasis du désert occidental.

À ce jour, 50 km ont été réalisés ; l'objectif à long terme est de constituer une seconde vallée du Nil, du lac Nasser à al Bahriya. Dans les années à venir, trois millions de personnes devraient s'installer entre le barrage et Baris pour faire du désert un jardin d'Éden ; les premiers pas ont déjà été faits.

8

Le barrage d'Assouan

PEU DE TERRE POUR BEAUCOUP D'ENFANTS

Un nouvel enfant naît en Égypte toutes les 30 secondes, ce qui veut dire que le nombre d'habitants augmente d'un million par mois. Selon des estimations publiées en 2003, 75 millions de personnes vivent aujourd'hui sur les rives du Nil, et on en comptera 83 millions en 2010. Des chiffres a priori normaux pour un pays grand comme deux fois la France, mais qui pèsent lourd compte tenu des données géographiques particulières de l'Égypte. Seuls 5 % du territoire sont cultivables et habitables, le reste, et quel reste, n'est que désert.

Les rendements agricoles, qui pourtant progressent, ne peuvent suivre cette énorme croissance démographique. Malgré des conditions très favorables, grâce à un sol extraordinairement fertile et à une irrigation à l'année, il a fallu renoncer au rêve de l'auto-suffisance alimentaire. Et ce ne sont pas les projets ambitieux visant à gagner de nouvelles terres ni la productivité croissante de l'agriculture qui changeront grand-chose. Depuis le milieu des années 1970, l'Égypte exporte davantage de produits agricoles qu'elle n'en importe, et achète déjà aujourd'hui à l'étranger un pourcentage élevé d'agro-alimentaire.

L'agriculture et la pêche, qui avec le commerce constituaient autrefois les activités essentielles de l'économie, ne jouent plus qu'un rôle secondaire, puisqu'elle ne comptent plus que pour 18 % du produit national brut, contre 40 % il y a une trentaine d'années. Le tableau est encore plus sombre si l'on regarde le nombre des paysans, des *fellahs*. Presque la moitié d'entre eux a émigré vers les villes, pour tenter leur chance dans l'industrie, comme manœuvres sur les chantiers, ou dans les innombrables petits métiers de services.

Ci-contre : deux enfants suffisent, décrète l'État. Mais qui garantit la retraite ?

Mais à l'encontre des autres pays en voie de développement, l'exode rural ici n'a pas donné naissance à une ceinture de bidonvilles autour des grandes villes, la terre agricole ayant trop de valeur. Les "émigrants" se concentrent de ce fait dans le centre des villes et occupent les vieux quartiers, plus pauvres. Le Caire surtout, qui attire davantage avec son prestige de capitale et l'espoir d'y trouver plus facilement du travail, semble parfois sur le point d'éclater. Les conséquences de cette évolution sont, d'une part, une crise du logement sans précédent et l'extension du territoire de la ville, au détriment de précieuses terres arables. Le tremblement de terre de 1992 a révélé, si besoin était, la gravité de la situation. C'est surtout dans les quartiers pauvres et surpeuplés, où l'on construit sans cesse et dans la plus parfaite illégalité de nouveaux étages sur les toits plats des maisons, que l'on a dénombré le plus de victimes.

La solution de ce problème se trouve dans le désert. Là où seuls les Bédouins étaient autrefois capables de survivre, des centaines de milliers de gens doivent trouver une nouvelle patrie, miracle de l'architecture et de la technique modernes. Pour soulager les agglomérations urbaines surpeuplées, on a commencé, vers le milieu des années 1970, à créer, au-delà des terres cultivables, six villes-satellites avec zones industrielles, essayant d'en faire des pôles d'attraction. Des prix au m^2 défiant toutes concurrence et une exonération d'impôts alléchante doivent favoriser l'implantation d'industries qui emploient déjà des milliers et des milliers de personnes. Mais beaucoup habitent très loin de leur lieu de travail, le prix des logements dans ces villes bien entretenues n'étant pas accessible à tous.

Les Égyptiens de moins de 15 ans représentent plus d'un tiers de la population. Pour leur assurer, ainsi qu'à leurs futurs frères et sœurs, une formation scolaire correcte au niveau du primaire,

il faudrait ouvrir une nouvelle école toutes les 30 heures. Là où ce n'est pas possible, on s'efforce de combler le déficit en instaurant un enseignement par roulement ou des classes nombreuses. Grâce à cela, la plupart des enfants savent maintenant lire et écrire, même dans les villages les plus reculés, ce qui n'est pas le cas des parents. Bien que la scolarité soit officiellement obligatoire depuis 1923, il a fallu attendre le gouvernement du président Nasser (1952), pour que cela s'inscrive dans les faits. C'est pour cette raison que l'Égypte compte encore un taux élevé d'analphabètes. Et pourtant, le niveau de culture et de formation de ce pays est donné en exemple dans tout le monde arabe, qui engage de préférence des professeurs égyptiens pour enseigner dans ses écoles et ses universités.

La situation d'un autre pays arabe fait rêver beaucoup d'Égyptiens : les États pétroliers du golfe Persique proposent des salaires dépassant largement tout ce qu'on peut espérer gagner dans son propre pays, même en pratiquant un double métier, ce qui est fréquent. Des millions d'Égyptiens, du professeur d'université au fellah, se sont expatriés au cours des 15 dernières années, surtout vers les pays du golfe. Leurs mandats apportent tant de devises au pays qu'on les désigne comme l'un des "quatre piliers de l'économie égyptienne".

Les trois autres piliers sont les revenus du pétrole, les taxes de péage du canal de Suez et le tourisme. Mais comme on a pu le vérifier dans un passé très récent, le tourisme et les envois d'argent des Égyptiens travaillant à l'étranger sont des sources de revenus très instables. Les troubles, la crise du golfe et la récession dans les pays pétroliers ont eu des effets immédiats.

En revanche, les redevances du canal de Suez, avec un montant de 1,8 milliard de dollars par an, et les exportations de pétrole, constituent des rentrées d'argent beaucoup plus fiables. Avec 40 millions de tonnes par an, l'Égypte fait partie des fournisseurs de la catégorie moyenne. La réintégration du Sinaï et les importants gisements de pétrole découverts dans le golfe de Suez

8

Démographie

et le désert de Lybie font monter, en Égypte aussi, la valeur de l'"or noir", qui est devenu le premier produit d'exportation. De plus en plus, on mise aussi sur le gaz naturel

L'Égypte ne dispose pas seulement de nombreuses richesses du sous-sol (outre le pétrole, gaz naturel, fer, manganèse, sel, toutes sortes de pierres, gisement de minerais non exploités pour la plupart) mais aussi d'une situation géographique favorable aux communications et d'une infrastructure relativement bonne dans les centres industriels du nord du pays.

L'industrie agro-alimentaire constitue actuellement le secteur d'activité le plus performant du pays, mais les entreprises chimiques, la pétro-chimie, la construction de machines et les industries électriques enregistrent un très bon taux de croissance. Près d'Hélouân, au sud du Caire, se trouve la plus grande aciérie et à Nag'Hammâdi en Haute-Égypte, la plus grosse fabrique d'aluminium du continent africain.

Le coton égyptien reste également une importante source de devises, même si l'industrie textile, autrefois florissante, connaît aujourd'hui de graves difficultés, comme bon nombre d'entreprises étatisées heritées de l'ère Nasser.

La décentralisation et la privatisation constituent donc les grands axes de la politique Moubarak dont l'ambitieux programme de réformes comprend une baisse des impôts, une libéralisation des prix et de l'importation, ainsi que l'aménagement d'un taux de change fixe. L'Égypte a en outre reçu d'importantes subventions du Fonds Monétaire International et bénéficie actuellement d'une bonne conjoncture : ainsi, le pays a-t-il pu, en l'espace de moins de dix ans, réduire presque sa dette extérieure de moitié.

Ces réformes engendrent toutefois une importante fracture sociale, les plus modestes ne profitant pas de l'essor économique. Ceci devrait changer, promet le gouvernement !

Ci-dessus : soirée télévision passée en commun. Ci-contre : "Ahlan we-sahlan" – soyez les bienvenus !

230

LE MATIN DU JASMIN

On peut se faire comprendre à peu près partout en Égypte avec l'anglais, mais quelques mots dits dans la langue du pays ouvrent bien des portes. Cela montre que vous vous intéressez aux gens, et permet aussi une petite incursion dans l'âme arabe. Les Égyptiens aiment rire avant tout et trouvent toujours le temps pour une plaisanterie, une blague ou apprécier le comique d'une situation. Mais ils ne passent jamais outre la politesse et le respect mutuel, comme on peut le constater dans le jeu plein de poésie des échanges de salutations. Les formules deviennent de plus en plus fleuries de réplique en réplique. Ainsi répond-on à un simple "bonjour" matinal – *sabâkh el-khayr*, par "un matin de la lumière" – *sabâkh an-nûr*, que le premier interlocuteur renforce d'un "matin du jasmin" – *sabâkh el-full*, que seul un "matin de la crème fouettée" – *sabâkh el-qiohtah* peut encore surpasser. Puis on s'inquiète de façon circonstanciée du bien-être de chacun – *kayf el-hâl ? de celui des enfants et de toute la famille. La réponse est toujours el-hamdu lelah* – "Dieu soit loué" une pieuse formule qui convient à tous les moments de la vie et à toutes les situations. Ce serait cependant une grave erreur de la mettre sur le même plan que le banal "Dieu merci" des Européens, qui s'est vidé de son contenu religieux, comme d'ailleurs de considérer le fameux *Inch'Allah* – "si Dieu le veut" comme une simple façon de parler. Et ce n'est qu'après cette cérémonie des salutations, très chaleureuse malgré son formalisme, que l'on aborde le sujet de la conversation proprement dit.

Si vous essayez un *salâm aleikum*, comme dans les livres de Karl May, personne ne vous comprendra en Égypte. En arabe, le salut de paix, surtout entre musulmans, est plutôt *as-salâmu'alaykum*. Les chrétiens se saluent volontiers d'un *sa'ïda* ou *nahârak sa'id* – "que ta

journée soit heureuse". Mais on entendra souvent *ahlan-we sahlan* et *marhaban* qui signifient tous deux "bienvenue". L'un des mots les plus importants est *momken* – "possible". Or en Égypte, tout est possible ou presque, et en tous cas on essaiera toujours de faire en sorte que cela le soit, avec beaucoup de bonne volonté. Et si finalement quelque chose se révèle vraiment impossible, alors on vous dira *mâlish*, – cela ne fait rien, cela n'est pas grave ! On aura peut-être plus de chance une autre fois : *Inch' Allah boukra* – "si Dieu le veut, demain".

Cette phrase n'exprime pas seulement la consolation, mais aussi une attitude très détendue par rapport au temps, qui s'exprime à merveille dans le mot le plus élastique du vocabulaire égyptien : *shouwayya*, "un peu" – Si cet adverbe s'applique au temps, il peut signifier "5 mn", "demain" ou autre chose. Quand au mot répété, *shuwayya-shuwayya*, il incite au calme "prenez votre temps, ne vous énervez pas ! ". Il faut enfin connaître le mot le plus important dans toutes les langues : "merci" – *shukran* !

8

Us e: coutumes

231

LE PRIX NOBEL
POUR NAGUIB MAHFOUZ

Les vieux quartiers du Caire, le dédale de ruelles tout autour du fameux bazar Khan el-Khalili, c'est dans ce cadre que se passent les romans de Naguib Mahfouz. C'est là que vit l'oncle Kamil, le gros marchand de bonbons, qui passe presque tous ses jours à sommeiller sur une chaise devant son magasin de la rue Midaq. Quelques maisons plus loin, la belle Hamida aux yeux de braise rêve au riche époux qui exaucera tous ses désirs et comblera ses vœux. Et l'un des cafés du quartier est le célèbre *café Kirsha* aux murs couverts d'arabesques venues d'un lointain passé, qui s'effritent et se délabrent, où plane une odeur forte d'herbes médicinales vieilles comme le monde, mais qui nous semblent aujourd'hui dégager les parfums les plus suaves.

Naguib Mahfouz est lui-même un enfant de cet univers de cafés, de ruelles tortueuses et de petites rues des vieux quartiers qu'il dépeint avec beaucoup de détails et de sensibilité dans *La rue Midaq*. Il est né d'un père fonctionnaire le 11 décembre 1912 à Gamaliya, le vieux quartier médiéval qui s'étend du *midân* el Hussein et du Khan el-Khalili jusqu'aux portes fatimides de Bâb en-Nasr et de Bâb el-Futûh. C'est là qu'il passa son enfance, entre de très vieilles maisons, hautes et étroites, sans voir beaucoup de verdure, dans l'intimité d'une ruelle qui "à l'écart du bruit et de l'agitation, connaît encore les secrets du vieux monde disparu et sait les préserver". Dans ses nouvelles pleines d'émotion, reviennent encore et toujours les souvenirs de cette enfance.

Après avoir terminé ses études de philosophie, le jeune Naguib Mahfouz commença par travailler quelques années dans les services administratifs de l'Université, puis il entra en 1939

Ci-contre : un personnage digne d'un roman de Naguib Mahfouz .

comme fonctionnaire au ministère des Donations religieuses. C'est à cette époque qu'il écrivit ses premiers romans : des ouvrages qui transposent les problèmes du présent au temps des pharaons. Mais ce sont surtout ses romans réalistes sur l'Égypte contemporaine qui l'ont rendu célèbre, cycle dont fait partie la "*rue Midaq*" publiée en 1947. Il décrit ses personnages avec beaucoup d'amour et de vraisemblance. Ceux-ci n'ont rien de héros, ce sont des gens simples, issus de la petite bourgeoisie. Leurs aspirations, leurs souhaits, leurs conflits, leurs regrets et leurs échecs constituent la trame de ses romans, qui sont en même temps l'expression d'une époque, laquelle imprime sa marque aux être humains. Naguib Mahfouz manie admirablement la langue et l'art de raconter. En quelques mots, il parvient à créer une atmosphère d'une densité presque douloureuse, et habitée d'un bout à l'autre du livre par la conviction profonde que c'est la destinée qui préside à l'existence humaine. Sans jamais tomber dans la sentimentalité mais avec beaucoup d'engagement personnel, il nous montre les tentatives des hommes pour se retrouver dans le monde moderne et pour découvrir de nouvelles valeurs, tentatives qui n'aboutissent souvent qu'à des échecs.

C'est entre 1951 et 1957 que vit le jour la fameuse trilogie qui devait faire de Naguib Mahfouz l'un des tout premiers écrivains du monde arabe. Chacun des trois volumes de ce triptyque porte en titre le nom d'une rue ou place de la vieille ville du Caire : *Le palais de la nostalgie*, *Entre les deux palais* et *La petite rue au sucre*. Le sujet de cette saga familiale, qui est en même temps le roman d'une génération, est l'histoire d'une famille de commerçants entre 1919 et 1944. On y voit aussi les espoirs et les désillusions des mouvements nationalistes, la désagrégation de l'ancien ordre social et la recherche de nouveaux contenus et de nouvelles valeurs. Avec ce cycle romanesque, Naguib Mahfouz

accéda à la reconnaissance officielle de son pays. Le président Nasser lui accorda le Prix national de littérature et lui confia de hautes fonctions au ministère de la Culture. Il fut directeur du Centre cinématographique national de 1966 à 1968, puis enfin conseiller du ministre de la Culture. Mais sa carrière ne l'amena jamais à produire des œuvres de propagande pour le régime de Nasser, bien au contraire : le roman *Le Voleur et les Chiens*, paru en 1961, contient une première critique de la politique sociale du nouveau régime. Quant aux romans et aux nouvelles des années qui suivirent, ils montrent avec toujours plus d'âpreté, comme dans la *Péniche sur le Nil*, la déception croissante de tous les laissés pour compte des promesses non tenues de la révolution. La recherche d'un ordre social idéal, l'interrogation sur la meilleure façon de mener sa vie, l'aspiration à une existence vécue dans le respect de la justice sociale et de la dignité humaine, tels sont les thèmes qui reviennent inlassablement dans son œuvre d'une ampleur considérable. C'est aussi la préoccupation majeure des ouvrages à tendance mystique et symboliste des années 1980, mais que l'on sentait déjà poindre dans *Les enfants de notre quartier* (1959). Dans cette parabole, Mahfouz projette les mythes rédempteurs des juifs, des chrétiens et des musulmans sur l'histoire d'un vieux quartier du Caire. Après l'échec des trois grands fondateurs de religions, il fait intervenir un quatrième messie. Mais le savant moderne, qui souhaite l'avènement d'une ère de justice, est responsable de la mort de Dieu. En conclusion, seule l'observance des principes éthiques fixés par Dieu représente un espoir pour l'avenir.

En 1988, le prix Nobel de littérature rendit Naguib Mahfouz célèbre dans le monde entier. Dans son pays, il n'était pas apprécié de tous ; en 1994, il survécut à un attentat isalmiste. Les médias de l'Occident le fustigèrent en 2003 pour avoir pris position contre les USA et la guerre d'Irak. Il fut même traité de sympathisant des terroristes - ce qu'il démentit dans l'Al-Ahram.

Naguib Mahfouz s'est éteint au Caire le 30 août 2006.

8

Naguib Mahfouz

PLAISIRS CULINAIRES

Beaucoup de recettes de la cuisine égyptienne font apparaître une influence turque ou arabe ; elles exigent des heures de préparation et forces ingrédients. Mais le plat le plus simple est déjà un régal grâce à l'association d'épices exotiques et d'herbes fraîches : coriandre, cumin, piment, poivre, clou de girofle, gingembre et sésame, et pour les herbes, aneth, persil et menthe.

La nourriture de tous les jours ne comprend presque jamais de viande mais elle tient au corps. La base de l'alimentation populaire est le *fûl* ; ce sont de grosses fèves brunes que l'on achète sous le nom de *fûl mudammas*, sorte de ragoût que l'on achète pour quelques piastres dans les petites gargotes, où ils mijotent à feu doux du matin au soir dans des pots d'étain ventrus. Additionné d'huile, d'ail, de citron et d'un œuf dur, on le mange avec des *aysh baladi*, des pains ronds et creux. L'une des mille et une façons d'accomoder le *fûl* est le *ta'amîja* (ou *felafel*) – ce sont des boulettes très parfumées à base de purée de fèves et d'herbes. Mangées avec un pain rond fourré de tomates et d'oignons, elles constituent déjà un solide en-cas. Une spécialité des marchands ambulants est le *kûsharî*, mélange de riz, de macaronis et de lentilles, servi avec de la sauce tomate et des oignons rissolés.

Pour les grandes occasions, les fameux plats de viande égyptiens refont leur apparition sur des tables richement mises. Comme dans la cuisine italienne, on peut distinguer les hors-d'œuvre, l'entrée, le plat principal et les desserts, à la différence qu'en Égypte, ces plats sont servis plus ou moins en même temps.

Les **hors-d'œuvre** se composent de délicieux amuse-gueule, les *mâzza*, et de salades, les *salatât*, qui n'ont pas

grand-chose en commun avec nos salades européennes, à part la *salata baladî*, mélange de tomates coupées en dés, de concombres, de persil et d'oignons, et la *salata tomâtin*, tomates en tranches assaisonnées d'une sauce piquante à l'ail et aux herbes. Les autres "salades" s'appellent : *bâlingân*, des aubergines marinées et frites, *bâbâ ghanûg*, de la pâte de sésame avec des aubergines grillées, coupées en morceaux, *bîsâra*, de la purée de fèves à l'ail avec des oignons rissolés, *hummus*, du sésame, des pois chiches et de la sauce, *tahîna*, de la pâte de sésame avec du cumin et de l'ail, *turshî*, des petits morceaux de carottes, de cornichons et de betteraves marinés. Toutes ces salades sont servies avec du pain frais que l'on trempe savamment dans les sauces.

L'entrée est constituée de soupes, de plats de riz et de légumes, comme par exemple la *shurbat'ads*, une soupe de lentilles passée très fin, servie avec du cumin et du citron, la *mulûkhîja* (miloukhia), une soupe à l'huile légèrement amère, faite avec le légume du même nom qui rappelle les épinards, le *mahshî*, légumes farcis de riz aux herbes (selon la saison des courgettes, des tomates, des poivrons, des aubergines, des choux blancs etc...), les *waraq'aynab*, des feuilles de vigne farcies de riz et parfois de viande, que l'on mange chaudes, les *bâmija*, des poivrons jaunes à la sauce tomate, la *mussâqa* (moussaka), gratin d'aubergines et de viande hâchée avec des tomates et de la sauce béchamel.

Comme **plat principal**, on sert généralement de la viande, de la volaille ou du poisson : le *shish'kebab*, des brochettes d'agneau, de foie et d'oignons grillés sur charbon de bois, ou de volaille (*furâkh*), le *kebab halla*, délicieux ragoût d'agneau au cumin, les *kufta*, petites saucisses de viande hachée, le *fatta*, de l'agneau servi sur des petits pains ronds et rehaussé d'une sauce épicée, les *hamâm mahshî*, des pigeons farcis, le *shâwizma*, de l'agneau à la broche.

Ci-contre : désirez-vous goûter un morceau de basbusa ?

À Alexandrie et au bord de la mer Rouge, on trouve beaucoup d'excellents restaurants de la mer, où l'on sert différents poissons (*samak*), des fruits de mer comme les crevettes (*gambari*), préparés de façon très variée.

Les **desserts** égyptiens sont riches et sucrés, mais irrésistibles pour les gourmands : les *baqlâva*, feuilletés aux amandes, aux noix et au miel, les *basbûsa*, gâteaux au sucre, les *kunâfa*, faits avec des nouilles finement rapées cuites au four avec des noix et du miel, l'*umm âli*, un délice feuilleté servi chaud avec des raisins secs, des noix, de la canelle et de la vanille, garni de lait et de crème.

Il n'y a pas de bon repas sans une petite tasse de café, l'*ahwa*, à boire *mazbût* (moyennement sucré, littéralement : juste à point), *ziyada* (très sucré) ou *sâda* (sans sucre, soit pur). Dans les grands restaurants, on le sert à la bédouine, avec de la cardamone et de la muscade. Un verre de thé, *shay*, agrémenté d'une feuille de menthe fraîche, *bina'na'*, est toujours bienvenu. Les Égyptiens musulmans boivent en général de l'eau à table, mais dans beaucoup de restaurants fréquentés par les touristes, on peut commander des boissons alcoolisées. La bière locale, la *stella,* est agréable et légère, et dans les vignobles d'Etat du Delta, on récolte des vins gouleyants : l'*Omar Khayyam*, un vin sec, fort en alcool, le *Château Gianaclis*, un vin sec mais plus velouté, le *Rubis d'Égypte*, un rosé sec et rafraichissant (mais qui se madérise lorsqu'il est entreposé dans des conditions inadéquates), le *Cru des Ptolémées*, un vin blanc demi-sec assez moelleux, ou le *Village Gianaclis*, un vin blanc sec un peu vert.

Parmi les boissons sans alcool, les jus de fruits frais pressés sont un vrai régal (oranges, citrons, goyaves et mangues selon la saison, que l'on trouve aussi en boîtes d'une très bonne qualité), le *carcadé*, une infusion de mauve fruitée et sucrée que l'on boit chaude ou froide, et le *tamarhindi*, jus de tamarins additionné de sucre.

Pour trinquer, on se dit *Hani'an*, et comme partout, avant le repas, on se souhaite un bon appétit – *Bel Hana'wa al Sheffa'* (littéralement : avec plaisir et bonne santé).

8

Cuisine

PRÉPARATIFS DE VOYAGE

Climat / Saisons favorables

L'Égypte, qui s'étend entre 22° et 32° de latitude nord dans la ceinture subtropicale sèche de l'Afrique du Nord, a donc un climat désertique avec des étés brûlants et des hivers doux. Les variations de températures entre le jour et la nuit peuvent atteindre 17° C.

Au sud du Caire, il ne pleut pratiquement jamais, mais depuis la construction du Grand barrage d'Assouan, on note tout de même une plus grande humidité de l'air et davantage de formations nuageuses. Le Delta et la côte de la Méditerranée bénéficient du climat méditerranéen, avec des pluies abondantes l'hiver. Dans le Sinaï, les précipitations sont rares mais violentes entre novembre et avril, et les wadis (lits de rivière à sec) se transforment alors en torrents dangereux qui emportent tout sur leur passage. La neige est présente tous les hivers.

Le printemps est l'époque du *Khamsîn*, un vent du désert sec et brûlant qui peut souffler plusieurs heures mais aussi plusieurs jours de suite.

Pour Le Caire et la Haute-Égypte, la meilleure saison va d'octobre à avril, mais il faut compter avec un afflux de touristes à Noël et à Pâques. À Alexandrie, l'hiver, entre novembre et avril, peut-être frais et pluvieux. C'est également vrai pour le Sinaï et la mer Rouge, mais la température de l'eau ne descend jamais en dessous de 21° C.

Pendant les mois chauds de l'été, les températures montent fréquemment jusqu'à 40° dans le sud du pays, mais étant donné le faible degré d'hygrométrie (environ 30 %), elles sont généralement bien supportées.

Pour ceux qui supportent la chaleur, c'est même la saison idéale, car les agences et les hôtels proposent des réductions intéressantes, les temples et les tombeaux sont presque déserts. En revanche, c'est la pleine saison pour Alexandrie.

Choix des vêtements

Il est recommandé d'emporter des vêtements de coton légers, des chaussures confortables et de quoi se couvrir la tête. L'hiver, il faut prévoir des vêtements plus chauds car il peut faire très frais même pendant la journée. Une garde-robe de style loisirs convient, à condition qu'elle reste décente, même quand il fait très chaud.

Les Égyptiens ont dû s'habituer avec le temps à voir les touristes occidentaux se déshabiller plutôt que s'habiller pendant la canicule estivale, mais si vous désirez respecter la sensibilité, momentanément plus exacerbée, du pays, sachez que les bras et les jambes nus sont inconvenants aussi bien pour les hommes que pour les femmes. Mieux vaut donc renoncer aux chemises-débardeurs, aux shorts et aux pantalons moulants, et ceci pas seulement dans les mosquées et les églises.

Conditions d'entrée / Visas

À l'entrée dans le pays, on exige un passeport ayant encore 6 mois de validité à partir de la date de retour et un visa égyptien. On peut se procurer un visa valable un mois à l'arrivée dans tous les aéroports et les ports d'Égypte, excepté ceux du Sinaï. Même si un visa d'entrée pour l'Afrique du Sud figure dans votre passeport, vous serez désormais autorisé à entrer en Égypte ; attention, par la route, aucun visa ne sera établi aux postes frontières (excepté à Eilat/Tabâ). Vous pourrez également obtenir un visa auprès du consulat ou de l'ambassade d'Égypte :

en France : Ambassade d'Égypte : 56 av. d'Iéna, 75 016 Paris, tél. 01 53 67 88 30, fax 01 47 23 06 43. Consulat Général d'Égypte, 58, av. Foch, 75 016 Paris, tél. 01 45 00 77 10, fax 01 45 00 35 28. Consulat d'Égypte, 166, av. de Hambourg, 13008 Marseille, tél. 04 91 25 04 04, fax 04 91 73 79 31.

en Belgique : Ambassade d'Égypte, 19 Uruguaylaan, 1000 Bruxelles, tél. 02 663 58 00, fax 02/675 58 88.

En Suisse : Ambassade d'Égypte, Elfenauweg 61, CH-3006 Bern, tél. 031/352 80 55. Consulat Général d'Égypte, 47 route de Florissant, 1206 Genève, tél. 022/ 347 62 55.

Le visa touristique est délivré pour une durée de 4 semaines, la durée maximale d'un séjour, 3 mois, pouvant au maximum être prolongée jusqu'à 6 mois. Si l'on désire faire des excursions dans les pays voisins, on demandera un visa spécial, permettant d'entrer et sortir du territoire durant le séjour. Aux postes frontière de Nuwaiba, Sharm ash-Sheikh et Eilat/ Taba, on recevra un visa pour le Sud-Sinaï, permettant de séjourner 14 jours seulement dans le golfe d'Aqaba et de visiter le monastère Ste-Catherine. Il ne sera pas possible de visiter la vallée du Nil. Si vous changez d'avis au dernier moment, vous devrez demander un visa à l'ambassade d'Égypte à Tel Aviv.

Pour faire prolonger un visa (au maximum de 15 jours), on se présentera muni d'une photo d'identité et de beaucoup de patience. Au **Caire**, le service chargé de l'**enregistrement des passeports** et des prolongations de visa se trouve dans l'immeuble de la Mogamma, sur le Midân el-Tahrir dans le centre-ville, à Alexandrie, Sh. Tal'at Harb 28, pour les autres villes, dans les commissariats de police.

Entrée avec véhicule personnel

Munissez-vous avant tout de beaucoup de patience pour pouvoir remplir les modalités fastidieuses et onéreuses d'entrée en Égypte. En outre, vous devez être titulaire d'un permis de conduire international, d'une carte grise internationale et d'un carnet de passage en douane qui autorise provisoirement la libre entrée du véhicule dans le pays à titre temporaire et sans payer de taxe, exception faite des voitures de location venant d'Israël. Les 4x4 et véhicules diesel ont droit de passage à tous les postes frontière sauf à Tâbâ. On obtiendra ce carnet auprès de l'Automobile Club de France, contre le versement d'une caution minimale de 3000 euros, remboursée après constat par les douanes du retour de la voiture dans le pays d'origine. La carte verte n'étant pas valable, il faut contracter une assurance au tiers à durée limitée sur place.

Une somme forfaitaire représentant un droit de péage sera en outre prélevée au passage de la frontière. Le carnet de passage est valable six mois au maximim et expire avec le visa. Le nom et l'adresse indiqués sur le carnet doivent correspondre à ceux du permis de conduire. Les coordonnées du véhicule seront inscrites dans le passeport, le conducteur recevant des plaques d'immatriculation égyptiennes qu'il devra fixer sur les plaques nationales. Si vous quittez le pays par un autre poste-frontière, demandez au préalable aux autorités douanières comment et à qui remettre ces plaques provisoires à votre départ. Les frais de douane dépendent de la cylindrée du véhicule. En Égypte, toutes les consignes sont respectées à la lettre, afin d'éviter l'importation illégale de véhicules. En cas de difficultés dans l'accomplissement de ces formalités douanières, on pourra contacter le service touristique du club automobile égyptien **ATCE** à Alexandrie, tél. 03/ 548 14 94 / 95 ou au Caire, tél. 02/ 574 33 55, 574 31 76. Une assurance complémentaire peut se révéler précieuse.

Douanes

À l'arrivée en Égypte, on remet à chaque voyageur un formulaire pour la déclaration de douane ; depuis quelques temps, les contrôles sont rares. Dans votre propre intérêt, remplissez-le et faites le viser, surtout si vous voulez sortir du pays des sommes importantes en devises ou en chèques. Les objets de valeur et les camescopes doivent être déclarés et figurer sur le passeport.

L'importation et l'exportation d'argent égyptien n'est autorisée que pour un montant maximal de 20 LE. On peut passer gratuitement jusqu'à 200 cigarettes, 25 cigares ou 200 grammes de tabac, un litre d'alcool, ses effets et objets personnels. On peut acheter des marchandises détaxées en arrivant à l'aéroport du Caire.

Monnaie / Change / Devises

La monnaie nationale est la livre égyptienne, LE. Elle est divisée en 100 piastres, PT. En dialecte arabo-égyptien, la livre se dit *Ginêh* et la piastre *Qirsh* (prononcée "irsh" au Caire).

À l'automne 2006, une LE équivalait à 0,3 EURO et 1 CHF correspondait à 4,67 LE.

Les cartes de crédit usuelles et les chèques de voyage sont acceptés presque partout, les eurochèques sont déconseillés, ils ne sont en effet acceptés que dans quelques banques et à l'aéroport. Les filiales de banques dans les hôtels sont ouvertes en général 24h/ 24. Il faut garder les quittances de change jusqu'au départ d'Égypte car on les demande lors des contrôles douaniers et du réglement de l'hôtel. Dans les hôtels internationaux le paiement doit s'effectuer en devises !

Vers la fin du séjour, ne changez que le strict nécessaire : vous ne pourrez échanger les livres égyptiennes excédentaires qu'en dollars américains. Pensez à avoir toujours sur vous suffisamment de petite monnaie (billets de 50 piastres et d'une livre pour les bakchichs et pour régler les taxis). Les boutiques hors-taxes des aéroports n'acceptent pas d'argent égyptien.

Précautions sanitaires

Aucun vaccin n'est obligatoire pour entrer en Égypte. Mais pour les voyageurs en provenance de territoires infectés, ou qui ont traversé un territoire infecté moins de 6 jours auparavant, les vaccinations contre la fièvre jaune et le choléra sont exigées. Renseignez-vous, le cas échéant, auprès de vos services de santé avant de partir. *Conseil* : une injection de gamma-globulines qui assure une certaine protection contre l'hépatite

A. En été, il est vivement conseillé de prendre des anti-paludéens à titre préventif. Nous vous recommandons en outre de contracter une assurance-maladie complémentaire pour la durée du voyage.

La pharmacie de voyage devra inclure des médicaments contre tous les types de refroidissements (très fréquents en Égypte !), la fièvre, la grippe, les affections intestinales et les problèmes circulatoires. Une pommade antiseptique, du sparadrap, une trousse de secours sont tout aussi indispensables qu'une crème solaire avec un indice de protection élevé, et une lotion contre les piqûres d'insectes (qui prévienne et soulage).

La plupart des dérangements intestinaux, souvent bénins, sont généralement provoqués par les boissons trop froides. Les grands écarts de température entre le jour et la nuit, la climatisation souvent un peu excessive dans les chambres d'hôtel et les cars, sont aussi une source de refroidissements.

Enfin, on prendra soin de ne jamais se baigner dans le Nil, ni dans les canaux et les lacs d'eau douce, en raison de la redoutable bilharziose.

COMMENT SE RENDRE EN ÉGYPTE

En avion

L'aéroport **Cairo International Airport** constitue la plaque tournante du trafic international entre l'Europe, l'Afrique et l'Asie, et il est desservi par presque toutes les grandes compagnies aériennes. La compagnie Egypt Air, Air France et Swissair proposent des vols quotidiens directs à destination du Caire.

Enfin, des compagnies de charters offrent toute l'année des tarifs intéressants et des prix forfaitaires. Des vols très intéressants permettent désormais de se rendre directement à Hurghada, Louqsor, Sharm esh-Sheikh et Assouan.

En bateau

Le voyage par bateau, autrefois le moyen le plus classique pour se rendre en Égypte, est peut-être encore celui qui a le plus de charme. Le service de lignes régulier entre Venise et Alexandrie ayant été suspendu, on ne peut donc envisager aujourd'hui qu'une traversée par navire cargo, à déconseiller cependant à ceux dont l'emploi du temps est calculé au jour près. En effet, les trajets et les horaires, dépendant essentiellement de la nature de la cargaison et des conditions de chargement, ne sont fixés définitivement qu'au dernier moment. En général, ces bateaux assurent le transport de la voiture lorsqu'on réserve son passage à temps.

Il est également possible de se rendre en ferry du Pirée à Haïfa en Israël, ou d'Italie en Tunisie pour vous rendre ensuite en Égypte par la route.

Par la route

La voie terrestre n'est recommandée qu'à ceux qui ne sont pas pressés, qui aiment l'aventure et sont des passionnés de l'Orient. Un voyage de 4 000 km environ vous emmène à travers l'Allemagne ou l'Italie, la Hongrie, la Bulgarie ou la Grèce, la Turquie, la Syrie et la Jordanie, pays au fil desquels on voit les paysages, les climats, les gens, les cultures se succéder et changer peu à peu. Les routes sont bien praticables mais on peut aussi prendre le train ou le car. Avant votre départ, renseignez-vous sur la situation intérieure des pays traversés.

Un ferry assure tous les jours la traversée Aqaba / Jordanie et Nuwaybâ / Sinaï (durée : env. 3 h.). Les cars assurant la liaison directe Amman / Le Caire empruntent également le ferry entre Aqaba et Nuwayba. Des cars réguliers circulent quotidiennement entre Tel Aviv et Le Caire, le poste frontière d'Eilat/ Tâbâ permettant d'accéder au Sinaï. Depuis quelques années, la frontière entre la Lybie et l'Égypte est de nouveau ouverte, à Mursa'id et As-Salum.

Il paraît prudent, cependant, de se renseigner au préalable sur les conditions d'entrée dans le pays et l'obtention de visas auprès de l'ambassade ou des consulats d'Égypte.

Actuellement, les frontières entre l'Algérie et la Libye, et entre l'Algérie et le Maroc sont fermée ; il est donc impossible de longer toute la côte nord-africaine, du Maroc à l'Égypte. On peut en revanche emprunter le ferry pour se rendre d'Italie à Tunis, avant de passer en Libye. Une liaison ferry entre l'Italie et la Lybie devrait également être bientôt aménagée.

COMMENT SE DÉPLACER EN ÉGYPTE

La sécurité

Même si depuis le massacre perpétré à Louqsor le 17 novembre 1997, le calme est pratiquement revenu, les autorités insistent sur le fait qu'un séjour en Égypte comporte encore certains risques car, dans certaines régions et à grands intervalles, on déplore encore des attentats. Avant de partir, renseignez-vous auprès du ministère des Affaires étrangères (www.diplomatie.gouv.fr).

Il n'existe pas à proprement parler de secteurs interdits aux touristes. mais il peut arriver que certains lieux ou certaines routes, plus rarement une région entière, soient temporairement fermés. Le gouvernement égyptien est néanmoins très soucieux de la sécurité des touristes ; c'est ainsi que les étrangers voyageant vers le sud sont invités à emprunter des trains placés sous escorte militaire.

Dans la vallée du Nil, entre Minia et Louqsor, Louqsor et Assouan, ainsi que jusqu'à Abou-Simbel, les véhicules individuels, les taxis transportant des étrangers et les cars de tourisme ne sont autorisés à circuler que sous escorte militaire. Les organismes de voyages organisés se chargent de toutes les démarches à effectuer dans ce sens ;

9

Guide pratique

les voyageurs individuels devront en revanche impérativement se renseigner sur les mesures de sécurité en vigueur auprès des agences de voyage, des offices de tourisme et du personnel des hôtels.

Chemins de fer

Pour voyager dans le Delta et dans la vallée du Nil, c'est un moyen de transport bien adapté et bon marché. Sur le trajet Le Caire-Louqsor-Assouan, deux trains circulent tous les jours, et plusieurs la nuit, avec des wagons-lits de la Société Nationale des Chemins de Fer Égyptiens. Les billets (nettement plus chers) des wagons-lits pour 2 personnes comprennent le petit-déjeûner et le dîner. Le voyage jusqu'à Louqsor dure 11 h et 15 h jusqu'à Assouan. Il faut acheter son billet une semaine à l'avance dans une agence de voyage ou dans les gares du Caire, de Louqsor ou d'Assouan. La *Compagnie Internationale des Wagons-Lits* possède ses propres guichets à la gare principale du Caire.

Entre Le Caire et Alexandrie, il y a un départ toutes les heures. Un train express très confortable fait le voyage plusieurs fois par jour (durée : 2 h 30). En été, un train de nuit avec voiture-couchettes circule quotidiennement entre Le Caire, Alexandrie et Matrûh. On retirera son billet et sa réservation au minimum 24 h avant le départ dans la gare concernée. Il est fortement conseillé de réserver, surtout pendant la saison touristique.

Liaisons aériennes

Les tarifs des vols intérieurs ne sont certes plus aussi attractifs qu'avant, mais les horaires annoncés sont en général bien respectés, sauf en période de tempête de sable au printemps.

Egypt Air assure plusieurs fois par jour les liaisons Le Caire-Alexandrie, Le Caire-Louqsor, Le Caire-Assouan-Abou-Simbel, Le Caire-Hurghada, Le Caire-Sharm esh-Sheikh ainsi que, plusieurs fois par semaine Le Caire-Dâkhla-Khârga, Le Caire-Matrûh, Louqsor-Hurghada, Louqsor-Sharm esh-Sheikh et Assouan-Sharm esh-Sheikh. Bureaux au Caire : Nile Hilton, tél. 02/ 575 97 03, Sheraton Gîza, tél. 02/ 348 86 30, 9 Sh. Tal'at Harb, tél. 393 03 81.

Air Sinaï assure également des vols réguliers entre Le Caire, Louqsor, Hurghada et le Sinaï. Dans le Sinaï, cette compagnie dessert les aéroports de Sharm esh-Sheikh, At-Tûr, Sainte-Catherine, El-Arish et, depuis peu, Ra's an Naqb, près de Tâbâ. Renseignements aux bureaux d'Air Sinaï, sous les arcades du Nile Hilton Hôtel sur le Midân el-Tahrir au Caire - tél.02/ 76 09 48. On y effectuera également les réservations pour tous les vols Air Sinaï, y compris ceux au départ de Louqsor ou de Hurghada.

Liaisons fluviales

Une croisière sur le Nil a toujours fait partie des classiques d'un voyage en Égypte. Sur les 400 luxueux paquebots-hôtels qui sillonnent le Nil, la plupart effectuent un parcours standard entre Dendera et Assouan. Il existe également des croisières de trois jours sur les nouveaux sites d'Amada et Sabû ainsi qu'à Abou Simbel. Les croisières incluent généralement la pension complète et des excursions guidées vers les principaux sites touristiques. Ces croisières peuvent être réservées à l'avance dans toutes les agences de voyage. Pour les amoureux des expériences plus originales, une croisière en felouque, grand voilier traditionnel, de Louqsor à Assouan ou dans l'autre sens s'impose. On dort à la belle étoile sur le bateau, le skipper pourvoit aux besoins de ses hôtes, se chargeant des achats et de la cuisine. Il faut convenir du prix à l'avance.

Autocars et taxis collectifs

Un excellent réseau d'autocars aux tarifs très abordables relie toutes les grandes villes entre elles et avec Le Caire, plaque tournante de l'Égypte. Il est recommandé d'acheter les billets à l'avance ! En principe, ils sont délivrés deux jours avant à la gare routière ou dans les bureaux de la compagnie des cars. Il existe des cars avec ou sans air conditionné, et deux catégories, normale ou luxe. Certains véhicules de la Upper Égypt Company, ainsi que les *Flying eagles* ou les *Golden arrows* de la compagnie Super Jet, sont très confortables, avec toilettes, vidéo et service de boissons. Comptez un petit supplément pour les cars climatisés et les voyages de nuit.

Vous avez également la possibilité d'emprunter les taxis collectifs, en général des breaks à 7 places, qui circulent parallèlement aux autocars pour des trajets fixes et plus courts, ce qui oblige à en changer souvent. Les stations se trouvent à côté des gares routières correspondantes. Ils partent dès qu'ils sont pleins, mais on peut également louer le taxi pour soi en payant le prix des autres passagers.

En voiture

Le réseau routier égyptien s'est beaucoup amélioré ces dernières années et on a créé beaucoup de nouveaux axes. Seul le Delta possède des autoroutes à quatre voies, mais les grands axes de la vallée du Nil, du Sinaï et des côtes de la mer Rouge, ainsi que les grandes routes de liaison sont maintenant tout à fait carrossables. Les routes secondaires ne sont, souvent encore, que des pistes. Sur celles qui traversent le désert, il faut s'attendre à trouver des dunes de sable. En règle générale, ne vous aventurez jamais à une seule voiture dans le désert et informez-vous avant de partir auprès de l'**Automobile Club of Egypt**, qui vous indiquera notamment les zones interdites : 10 Sh Qasr er-Nil, Le Caire, tél. : 02/ 574 33 55.

En Égypte, on roule à droite et tous les panneaux importants sont rédigés en deux langues. En dehors des agglomérations, la vitesse pour les voitures est limitée à 60 ou 90 km/h, dans les agglo-

mérations, à 30 km/h. On trouve de l'essence sans plomb à toutes les stations, sauf dans le Sinaï. Il existe encore sur les routes des contrôles de police où vous devez présenter vos papiers. Prudence si vous circulez de nuit : véhicules mal éclairés, voitures à cheval, ânes, animaux et piétons rendent les routes très dangereuses.

Si vous êtes en panne, vous trouverez partout aide et assistance. Les ateliers de réparations ne sont pas chers et les Égyptiens sont les rois de l'improvisation. Pour les cas désespérés, **l'ATCE** a instauré à Alexandrie un service-touristes, où l'on parle anglais. Tél. 03/ 548 14 94.

Un conseil : lorsqu'on vous offre de laver votre voiture ou de la surveiller, ne déclinez pas la proposition et surtout honorez-la d'un bon pourboire car c'est ici une véritable activité professionnelle.

Voitures de location et taxis urbains

Vous trouverez des concessionnaires de toutes les sociétés internationales de location de voitures comme Avis, Bita, Budget et Hertz dans tous les grands hôtels et les aéroports. Pour louer une voiture, il faut avoir plus de 21 ans et être titulaire du permis international. Les tarifs sont beaucoup plus bas qu'en Europe ; si vous possédez une carte de crédit, vous n'aurez pas à laisser de caution.

Vous avez encore la possibilité de louer une voiture avec chauffeur à un prix tout à fait acceptable dans la plupart des agences de voyage ou auprès de la compagnie d'Etat *Misr Limousine*, tél. 259 98 13. Les chauffeurs de taxi sont toujours prêts à offrir leurs services pour aller visiter un site ou faire une excursion, même assez loin. Toutefois, il faut absolument convenir du prix avant de partir ; on règle après la course.

Les taxis sont si bon marché qu'on peut les préférer à tout autre moyen de transport. Il est plus simple, quand on est étranger, de prendre un taxi (un peu plus cheri) qui stationne devant les hôtels plutôt qu'un taxi collectif. Les chauffeurs de taxis peuvent rarement rendre la monnaie sur de gros billets.

Les fiacres, très nombreux en Égypte, ne sont pas là que pour les touristes ; il s'agit de véritables "taxis urbains". Les cochers de fiacre proposent également visites et excursions, qui peuvent se révéler très amusantes.

Excursions

On peut réserver des excursions, avec ou sans guide, d'une journée ou de plusieurs jours dans toutes les agences de voyage égyptiennes de quelque importance. L'agence de voyage nationale *Misr Travel*, qui possède un bureau dans toutes les villes d'Égypte présentant un intérêt touristique, dispose même d'un programme fixe d'excursions d'une journée et de visites.

RENSEIGNEMENTS PRATIQUES

Achats

L'Égypte est le paradis des souvenirs avec tout ce que cela comporte. Ici, comme dans tout l'Orient, il faut marchander, un jeu dont la première règle est de prendre le temps. Le reste est une question de subtilité, de bagout et de talent personnel.

Les souvenirs égyptiens classiques sont : les objets de cuivre et de laiton tels que plateaux de cuivre décorés de motifs gravés et d'incrustations, chandeliers, lampes, cafetières, théières et coupes de toutes sortes ; le bois finement travaillé et incrusté de nacre, sous forme de coffrets, de boîtes, d'échiquiers ou d'assiettes décoratives, et parfois aussi de magnifiques grilles *mashrabiya,* tournées et ouvragées avec art. On peut en faire d'élégants cadres de miroir ou des paravents, encore transportables. Il y a bien sûr tous les tapis tissés, aux beaux motifs géométriques, ou les fameuses tapisseries figurant des scènes naïves de la nature ou de la vie quotidienne à la campagne. Fabriqués

traditionnellement à Harraniya et à Kirdasa (près de Gizeh), on les trouve maintenant partout, même dans le Sinaï. Les objets en cuir de toute nature, en chameau ou en buffle : ceintures, sacs, chaussures, poufs, etc... sont très bon marché mais il faut veiller à la qualité du travail, sans oublier, bien sûr, les bijoux d'or et d'argent, à tous les prix. Les anciens motifs égyptiens sont ravissants et ont un caractère assez authentique : scarabées, signes de vie et cartouches royaux sur lesquels on peut faire graver son propre nom en hiéroglyphes.

Les vêtements égyptiens comme la traditionnelle djellaba (*gallâbîya*), cette longue chemise d'homme qui descend jusqu'aux pieds, ont aussi leur charme et on peut s'en faire faire une le jour même. Le tourisme a donné lieu à des créations pleines de fantaisie : sweat et tee-shirts en coton imprimés de hiéroglyphes ou d'autres motifs inspirés de l'Égypte ancienne, vêtements d'été et d'intérieur de style djellaba. Les costumes de danseuse du ventre, aux paillettes brillantes, sont une bonne idée pour se déguiser, les essences et les huiles parfumées, dont les mérites vous sont vantés par de véritables maîtres de cérémonie dans des cavernes pleines de séduction sont un plaisir à ne pas manquer ! Pensez aussi aux épices. Soyez prudents avec les papyrus peints de motifs anciens. On en trouve partout, de toutes les tailles et de toutes les qualités. Dans certains magasins (surtout près des pyramides de Gizeh), on vous montre comment ils étaient fabriqués dans l'Égypte ancienne à partir de la plante du papyrus.

On vous propose partout des "antiquités" vieilles de trois jours. Quelques rares antiquaires du Caire ou de Louqsor possèdent une concession et vendent de temps en temps une pièce authentique au milieu d'imitations de qualité. Mais le commerce et l'exportation d'objets anciens authentiques de plus de 100 ans sont interdits.

Alcool

En Égypte, l'islam est religion d'Etat. De ce fait, la consommation d'alcool est limitée. Les hôtels internationaux, les grands restaurants et quelques magasins titulaires d'une licence vendent des vins égyptiens et la bière du pays.

Bakchichs

Dans les hôtels, même simples, et dans les restaurants, il est d'usage de donner des pouboires d'un montant de 10 à 15%. Mais d'une manière générale, on attendra de vous un bakchich pour le moindre service rendu, et ceci n'est pas seulement vrai pour le personnel hôtelier, les chauffeurs de taxi, les propriétaires de bateau, les cochers et les chameliers, mais aussi pour les gardiens des mosquées, des temples ou des tombeaux, simplement parce qu'ils vous ont montré une jolie photo à faire. Le montant de ces pourboires va de 0,25 à un euro. Les stylos à bille et les briquets de couleur sont aussi très cotés! En revanche, on ne devrait rien donner aux enfants qui mendient.

Le bakchich représente ici une obligation sociale, qu'il convient de respecter quand on le peut. C'est le moyen de rémunérer tous les services rendus, même en dehors du secteur touristique. C'est un système qui donne des possibilités de travail supplémentaires reconnues par la société ou qui permet d'augmenter ses revenus, ce qui est ici une nécessité vitale étant donné l'insuffisance des salaires.

Banques

Les banques des hôtels internationaux du Caire et de l'aéroport sont ouvertes 24 h/ 24. Les autres sont ouvertes du lundi au jeudi de 9h30 à 12h30 et le dimanche de 9h30 à 12h.

Caméras et appareils photos

L'Égypte est le paradis des photographes, mais respectez certaines règles, formelles ou informelles : il est interdit de photographier les installations militaires ou portuaires ainsi que les ponts. Dans les tombeaux anciens, il est également interdit de filmer et de photographier alors que dans les temples et les musées, il est possible de filmer ou de prendre des photos en acquittant le droit demandé, mais sans flash. Les tickets spéciaux s'achètent à l'entrées, sauf pour Thèbes-Ouest (voir fiche pratique Louqsor).

Si l'on désire photographier des personnes, il faut leur en demander l'autorisation. Un geste suffit à supprimer la barrière de la langue. Un petit pourboire est également de circonstances. Ne photographiez pas la pauvreté ni les quartiers misérables, vous ne feriez que blesser la sensibilité des gens qui peuvent parfois réagir violemment.

On peut acheter, au Caire et dans les centres touristiques, des fournitures et du matériel photographiques de bonne qualité mais pour éviter toute surprise, munissez-vous de films en quantité suffisante avant de partir.

Décalage horaire

Le décalage horaire entre l'Égypte et l'Europe est d'une heure. L'heure d'été ayant été introduite en Égypte, cette différence reste constante toute l'année.

Électricité

Le courant utilisé est du 220 V mais il faut un adaptateur pour les prises à deux fiches. En Égypte, une lampe de poche est indispensable. Elle vous servira à l'hôtel en cas de panne de courant, mais surtout pour visiter les temples et les tombeaux, souvent mal éclairés et parfois pas du tout. Si vous utilisez des appareils électroniques, nous vous conseillons d'emporter un régulateur de tension.

Fêtes / Calendrier / Jours fériés

En Égypte, on utilise 3 calendriers différents : un calendrier lunaire islamique, qui commence l'année de l'*Hijra*, date à laquelle Mahomet s'est réfu-

243

gié à Médine, en 622 apr. J.-C. ; le calendrier copte/julien, qui commence en 284 apr. J.-C., l'année du couronnement de l'empereur romain Dioclétien, le bourreau des chrétiens, et le calendrier grégorien officiel.

Les dates des **grandes fêtes musulmanes**, fériées, sont fixées par le calendrier lunaire : à la fin du *ramadân*, le mois de carême, se déroule le *Id al-Fitr* (fête de l'interruption du jeûne) ou *Petit Bairâm*, qui dure 3 jours et donne lieu à des échanges de cadeaux, des repas plantureux et des visites aux parents. 70 jours plus tard, pendant le mois des pèlerins, on célèbre sur 3 jours le *Id al-Adhâ* (fête du sacrifice), ou *Grand Bairâm*, en tuant un agneau, en échangeant des cadeaux et en mangeant bien. Le *Mûled an-Nabi* (anniversaire du Prophète), le 3e mois du calendrier musulman, coïncide dans beaucoup de villes et de villages avec la fête-anniversaire d'un saint local. Des prières et des récitations du Coran faites en commun mais aussi un banquet et une kermesse marquent ces fêtes.

Les **fêtes coptes** sont les mêmes que celles du calendrier chrétien officiel, mais elles ont lieu à d'autres dates, généralement fixes : ainsi, Noël tombe les 6 et 7 janvier, on ne fête Pâques qu'après le 5 avril, début du printemps pour l'Eglise d'Orient, et la Pentecôte le 12 juillet. Le lundi de Pâques copte est en même temps le jour de la fête du Printemps, *Shamm an-Nasîm* (le parfum de la brise printanière) commune aux musulmans et aux coptes. Ce jour-là, tout le monde prépare un savoureux pique-nique et va passer la journée à la campagne.

Les autres **jours fériés officiels** sont : le 1er janvier, le 22 février (Jour de l'Union), le 25 avril (restitution du Sinaï), le 1er mai, le 18 juin (retrait des troupes britanniques), le 23 juillet (Jour de la Révolution), le 6 octobre (Occupation du Sinaï), le 24 octobre (Jour de Suez), le 23 décembre (Jour de la Victoire).

Guides

Dans toutes les grandes villes, on peut louer les services d'un guide en passant par les agences de voyage ou les offices du tourisme égyptiens. On trouve également au Caire, devant le musée Égyptien, des guides possédant une licence valable pour tout le territoire de la ville. Ils parlent en général bien l'anglais, certains également le français et l'italien, l'allemand rarement.

Heures d'ouverture

Le jour légal de fermeture est le vendredi, mais c'est surtout vrai pour les bureaux, les administrations et les banques. La plupart des magasins ouvrent ce jour-là au plus tard à 14h (après la prière du vendredi). En revanche, beaucoup d'hommes d'affaires, les firmes internationales et les chefs d'entreprises coptes, mettent la clé sous la porte le dimanche. C'est aussi le dimanche (et non pas le vendredi) que le bazar est comme mort. Le samedi est un jour hybride qui peut se combiner aussi bien avec le vendredi musulman qu'avec le dimanche chrétien pour faire un week-end.

Du lundi au jeudi, les heures d'ouverture sont relativement homogènes : en hiver, de 9h à 19h (jusqu'à 20h le jeudi), en été de 9h à 13h30 et de 17h à 20h (le lundi et le jeudi jusqu'à 21h). Les magasins d'alimentation peuvent rester ouverts tard dans la soirée.

La plupart des curiosités et des lieux touristiques se visitent depuis le matin tôt jusqu'à 16 ou 17h. Les grands musées sont ouverts en général tous les jours de 9h à 16h, les autres de 9h à 13h. Le vendredi, certains musées (mais pas tous) ferment pendant 2h à partir de 11h15 pour la prière. Pendant le mois du Ramadân, les horaires sont souvent différents. Ainsi le Musée Égyptien du Caire ferme à 15h, celui de Luxor à 15h30, et la plupart des sites touristiques à 17h (les tickets d'entrée sont vendus jusqu'à 15h30). Rbenseignezvous avant d'entreprendre quoi que ce soit pendant cette période.

Informations

Internet fournit une foule d'informations nécessaires à la préparation d'un voyage, certaines extrêmement approfondies. On découvrira ainsi le site officiel de l'Office du Tourisme égyptien sous : www.touregypt.net. On trouvera également des renseignements très détaillés sur le site www.sis.gov.eg. Pour obtenir un bref descriptif des principales villes égyptiennes et de multiples renseignements pratiques, adresses d'hôtels, location de voiture etc..., taper www.tourism.eg-net.net.

Middle East Business Information propose statistiques et articles de fond sur la situation économique du pays : www.ameinfo.com.

Les sites culturels du web sont incontournables pour toutes les "victimes" du virus de l'égyptologie. En anglais, on peut conseiller Guardian's Egypt et Egypt WWW Index qui propose des liens remarquables sur tous les thèmes afférents à la culture et l'histoire égyptiennes : www.ce.eng.usf.edu/pharos.

Enfin, on ne manquera pas de se renseigner en France auprès du **Bureau du Tourisme égyptien** : 90, av. des Champs Élysées, 75 008 Paris, tél. 01 45 62 94 42, fax 01 42 89 34 81. En Égypte, on s'adressera directement aux offices du tourisme locaux (voir adresses des fiches pratiques).

Journaux

Les grands quotidiens égyptiens *Al-Ahrâm et Akhbâr al-Yaum* ne sont publiés qu'en arabe. Mais l'*Égyptian Gazette*, rédigée en anglais, et *Le Progrès Égyptien* en français, paraissent tous les jours au Caire. Les deux journaux résument sur quelques pages les événements politiques, sportifs et culturels de la journée, de même que le *Midddle East Times Égypt*, plus détaillé et apportant beaucoup d'informations. Le magazine mensuel anglais *Egypt To-day* contient des articles intéressants sur l'art et la culture ainsi qu'un calendrier très complet des manifestations et un répertoire d'adresses utiles.

On peut acheter des quotidiens et des magazines de tous les pays dans les grands hôtels mais le choix est peut-être encore plus varié au kiosque à journaux situé sur le Midân Tal'at Harb au Caire.

Nourriture et boissons

Dans les grandes villes et les centres touristiques, les conditions d'hygiène sont très bonnes. Il faut cependant éviter de consommer de la salade verte, des fruits non épluchés, de la mayonnaise ou des crèmes glacées : *boil it, peel it, or forget it!*, la devise des vieux colons britanniques a encore du bon... L'eau du robinet est en général de bonne qualité bien que très fortement chlorée. En prenant de l'eau minérale, en vente en grandes bouteilles partout, on ne court aucun risque.

Pharmacies

On trouve des pharmacies très bien achalandées au Caire et dans toutes les grandes agglomérations. Les laboratoires pharmaceutiques internationaux produisant certains médicaments en Égypte, on y obtient tous les produits usuels et ceci généralement sans ordonnance. Si vous avez besoin d'un médicament précis, il est néanmoins préférable de connaître le nom des produits actifs qui le composent, car les noms des préparations varient d'un pays à l'autre.

Poste

Le plus pratique est de remettre les lettres et les cartes postales à son hôtel. Les magasins qui vendent des cartes postales vendent aussi des timbres. Les boîtes à lettres publiques sont bleues pour les courriers par avion à destination de l'étranger et rouges pour les envois à l'intérieur du territoire. La poste Centrale du Caire, Midân Atabah 15, est ouverte tous les jours de 8h à 20h.

9

Guide pratique

Prix

Le taux de change très favorable consenti aux touristes fait encore de l'Égypte un pays bon marché en général. Cependant, les tarifs d'entrée pour les principaux sites touristiques ont augmenté énormément. Cette mesure est à saluer, car l'argent encaissé doit servir à l'entretien et à la restauration des monuments. Des réductions sont prévues pour les étudiants, sur présentation de la carte internationale. Les Chemins de Fer Nationaux Égyptiens (mais non pas la Compagnie des Wagons-Lits) accordent également des réductions aux étudiants, mais il faut en faire la demande au Caire selon une procédure administrative très compliquée.

Sport

Le sport favori des Égyptiens est le football, et si vous partagez cette passion, offrez-vous le plaisir de voir jouer l'une des deux grandes équipes du Caire – Ahly ou Zamalek – sur un stade.

Beaucoup d'hôtels de luxe ont leurs propres courts de tennis et Le Caire, Alexandrie, Louqsor et les stations balnéaires de la Mer rouge possèdent de beaux parcours de golf. Il existe des possibilités d'équitation au Caire et à Louqsor. Les amateurs d'activités nautiques et de plongée sous-marine trouveront leur bonheur dans les stations balnéaires de la mer Rouge. Les clubs de plongée mettent à votre disposition tout l'équipement nécessaire.

Télécommunications

Le téléphone et le courrier sont gérés par deux organismes différents. Vous trouverez des téléphones à carte nationaux et internationaux dans tous les *Telecommunication Centers* de quelque importance ; dans ces endroits, vous pourrez obtenir une communication internationale ; un service de télégramme et de téléfax est également proposé. Les bureaux principaux, dans le centre du Caire, sont toujours ouverts : Sh. Adly,

Sh. Ramses und Sh. Alfy Bey. De plus, tous les grands hôtels possèdent un réseau de liaisons téléphoniques et télex directes avec le monde entier, mais leurs tarifs sont évidemment plus élevés. Pour téléphoner de France, de Belgique ou de Suisse en Égypte, composez le : 0020 et l'indicatif local sans le "0", puis le numéro de votre correspondant.

En Égypte aussi, le réseau de téléphonie mobile est en pleine évolution. Renseignez-vous avant de partir sur les tarifs pratiqués pour les télécommunications vers l'étranger à partir de votre téléphone portable. Le Caire et quelques autres villes sont dotées aussi de cybercafés.

L'ÉGYPTE EN CHIFFRES

Superficie : 1 002 000 km^2, dont seulement 5 % sont habités ou cultivés.

Population (chiffres donnés en 2003) : 74,8 millions, dont 45 % de population urbaine.

Accroissement annuel : + 1,88 %.

Espérance de vie : 70,4 ans.

Religion : musulmans sunnites, 94 %, chrétiens, essentiellement coptes, 6 %.

Population active : 29 % agriculture, 22 % industrie et 49 % services ; taux de chômage 12 %.

Statut politique : république présidentielle multipartite ; président : Hosni Moubarak (Parti national démocrate) depuis 1981.

Divisions administratives : 26 provinces (gouvernorats).

Source : The World Fact Book 2003.

ADRESSES

Ambassades en Égypte

Ambassade de France : 29, avenue Charles de Gaulle, Gizeh BP 1777, Le Caire ; tél. 02/ 570 39 16, fax 02/ 571 84 78, ou www.diplo.france.org.eg.

Consulat de France : 2 midan Ahmed Orabi - BP 474, Manshieh, Alexandrie :

tél. 03/ 48 75 615 / 48 47 950, fax 03/ 48 75 614.

Ambassade de Belgique, 20 Sh. Kamal ash.Shinnâwî, Garden City, Le Caire tél. 02/ 792 59 66.

Ambassade de Suisse : 10 Sh. ' Abd al-khâliq Sarwat, Le Caire, tél. 02/ 575 82 84.

Club automobile

Automobile et Touring Club d'Égypte (ATCE) : Le Caire, 10 Sh. Qasr an-Nil, tél. 02/ 574 31 76 / 574 33 55 ; Alexandrie, 15 Sh. Salah Salem, tél. 03 / 548 14 94 /95.

Compagnies aériennes

Les bureaux des principales compagnies aériennes se trouvent au centre du Caire, autour du Midan at-Tahrir.

Air France, 2 Md. Tal'at Harb, tél. 02/770 62 62, aéroport : 02/ 417 53 06. **Air Sinai**, Nile Hilton, tél. 02/ 76 09 48. **Egypt Air**, Nile Hilton, tél. 02 / 579 30 49, aéroport 02/635 02 70, 9 Sh. Tal'at Harb, tél. 393 03 81. **Lufthansa**, Zamalik, tél. 02/739 83 39, aéroport 02/ 4176419. **Swissair**, 2 Sh. Qasr an-Nil, tél. 02/3937955.

LEXIQUE

Si l'arabe littéraire est la langue officielle de l'Égypte, utilisée dans les médias et les sermons, la langue usuelle apparaît cependant comme un dialecte arabo-égyptien répandu dans l'ensemble du pays. L'article arabe se dit" al" (en dialecte, prononcé "el" ou " il"). Si le mot qui suit commence par d, n, r, s, z ou t, l'article se transforme en ad, an, ar, as, az et at (ed, en. er. es...).

Prononciation

â ê, î, ô, û sont des voyelles longues accentuées.

h est un phonème qui n'existe pas en français, mais qui rappelle le h aspiré. *kh* équivaut à un r. *z* se prononce s. *sh* correspond au ch français.

gh se dit r.

q est un k guttural, qui ne se prononce généralement pas. Exception : Al-Qâhira (Le Caire).

y correspond au ill, comme dans abeille ou houille.

Une petite conversation

En égyptien, il existe une forme différente selon que l'on s'adresse à une femme ou à un homme. En général, on se tutoie. Mais si on souhaite être particulièrement courtois, on placera un *hadritak* (m) ou *hadritik* (f) devant chaque question.

Certaines tournures et expressions figurant ci-après sont indispensables à une première prise de contact :

Comment t'appelles-tu? *ismak ê? (m) ismikê?(f)*
Je m'appelle . . . . *ismi ...*
D'où viens-tu? . . . . *inta (m)/ inti (f) minên?*
Je viens de . . . . *ana min ...*
France . . . . *faransa*
Belgique . . . . *bilgika*
Suisse. . . . . *swisra*
Es-tu marié/e?. . . *inta mitgawwis (m)? inti mitgawwisa (f)?*
Oui, je suis ... *Na`am* (ou *aiwa*), ana ...
Non, je suis... . . . . . . *la, ana mish ...*
Combien d'enfants as-tu?. . . . . . .
`andak (m)/`andik (f) kam aulâd
J'ai ... . *`andi ...*
une fille . . . . *bint*
un fils . . . . *ibn*
deux filles . . . . *bintên*
deux fils . . . . *ibnên*
Je n'ai pas encore d'enfants . . . . . .
ma`andîsh aulâd (lissa).
Quel âge as-tu? . . . .
`andak (m)/`andik (f) kam sana?
J'ai ... ans . . . . *`andi ... sana.*
Je ne comprends pas . . . .
ana mish fâhim (m),
. . . . *ana mish fahma (f).*
Que veut dire cela en...? . . . .
ê ma`na da bi-l- ...?
arabe . . . . *`arabi*
français . . . . faransawi

anglais . . . . *inglîzi*
Tu parles bien . . . .
     inta kuwayyis fi-l-... (m),
     inti kuwayyisa fi-l-... (f)
Où as-tu appris l'arabe?. . . . .
     ta`allamt (m)/
     ta`allamti al-`arabî fên?
au lycée . . . . *fi-l-madrasa*
à la faculté . . . . *fi-l-gâm`a*
avec des amis . . . . . *ma`a ashâbi*
L'Égypte te plaît?. . . . *Misr gamîla?*
Oui, l'Égypte est très belle!. . . . . .
     aiwa, Misr gamîla awi!

À l'hôtel

Hôtel. . . . . *funduq*
chambre. . . . . *ôda, ghurfa*
avec salle de bain. . . . *bi-hammâm*
avec petit-déjeuner . . . *bi-l-fitâr*
avec demi-pension . *ma`a nuss iqâma*
avec pension complète . . . .
     ma`a iqâma kamla
Combien coûte une chambre?. . . . .
     kam igâr il-ôda
     /il-ghurfa?
par jour . . . . *fi-l-yôm*
par semaine . . . . . . *fi-l-usbû`*
valise. . . . . *shanta, pl. shunat*
Où est le restaurant? . *al-mat`am fên?*

En route

Taxi . . . . *taks*
Voiture . . . . `*arabiyya*
Bus . . . . *bâs*
Métro . . . . *metro*
Train . . . . *qatr*
Avion . . . . *tayyâra*
Gare . . . . *mahatta*
Aéroport . . . . *matâr*
Rue. . . . . . . *shâri`* (abgekürzt Sh.)
Place . . . . . *mîdân* (abgekürzt Md.)
à gauche . . . . `*ash-shimâl*
à droite . . . . `*al-yimîn*
tout droit. . . . . `*ala tûl*
vite . . . . *bi-sur`a, yalla*
lentement. . . . . . . `*ala mahlak (m)*
     /mahlik (f)
Pyramide/s . . . . *haram/ahrâm*
Temple . . . . *ma`bad*
Tombeau . . . . *maqbara*
Musée . . . . *mathaf*

Eglise . . . . *kinîsa*
Mosquée . . . . . . *masgid oder gâmi`*
avec . . . . *bi*
à /vers . . . . *ila/li*
à /dans . . . . *fî*
Où est/sont ...? . . . . *fên ...?*
Quand part le train pour ...?. . . . .
     imta fîh bâs li...?
Un billet, SVP, pour .../
     tazkara li ..., min fadlak (m)
     /min fadlik (f).

Au marché

Marché . . . . *sûq*
Légumes . . . . *khudâr*
Tomates. . . . . *tamâtim*
Concombre. . . . . *khiyâr*
Salade. . . . . *salata*
raisin . . . . `*ainab*
pommes . . . . *tuffâh*
abricots . . . . *mishmish*
Bananes . . . . *môs*
Fraises . . . . *faraula*
dattes . . . . *balâh*
Pain . . . . `*aish*
Beurre . . . . *zibda*
fromage . . . . *gibna*
oeufs. . . . . *bêd*
Yaourt . . . . *zabâdi*
Viande . . . . *lahma*
Poisson . . . . *samak*
Huile . . . . *zêt*
Sel . . . . *malh*
Sucre . . . . *sukkar*
Lait . . . . *laban*
Café . . . . *qahwa*
Thé . . . . *shai*
Un kilo . . . . *wâhid kîlû*
Une livre . . . . *nuss kîlû*
Cent grammes . . . . *mît grâm*
bon/bien . . . . *kuwayyis/tamâm*
cher . . . . *ghali*
Ya-t-il...? . . . . *fîh?*
Non, il n'y a pas de ... . *la, mafîsh*
Combien coûte cela? . . . *bi-kam da?*
Merci, cela suffit . . . .
     shukrân, kifâya kida.

Horaires et jours de la semaine

Heure . . . . *sa`a*
Jour . . . . *nahâr*

Semaine	*usbû`*
Mois	*shahr*
Année	*sana*
Le matin	*fi-s-sabâkh*
en soirée	*bi-l-lêl*
aujourd'hui	*al-yôm*
demain	*bukra*
hier	*ams*
lundi	*yôm l-itnên*
mardi	*yôm at-talât*
mercredi	*yôm al-arba`*
jeudi	*yôm al-khamîs*
vendredi	*yôm al-gum`a*
samedi	*yôm as-sabt*
dimanche	*yôm al-had*
Quelle heure est-il?	*as-sa`a kam?*

Nombres

Les chiffres arabes n'ont pas grand chose à voir avec les chiffres arabes usités dans nos langues. Néanmoins, ils apparaissent également par ordre croissant.

0	٠	*sifr*
1	١	*wâhid*
2	٢	*itnên*
3	٣	*talâta*
4	٤	*arba`a*
5	٥	*khamsa*
6	٦	*sitta*
7	٧	*sab`a*
8	٨	*tamanya*
9	٩	*tis`a*
10	١٠	*`ashara*
11	١١	*hidâshar*
12	١٢	*itnâshar*
13	١٣	*talatâshar*
14	١٤	*arba`tâshar*
15	١٥	*khamastâshar*
16	١٦	*sittâshar*
17	١٧	*sab`atâshar*
18	١٨	*tamantâshar*
19	١٩	*tis`atâshar*
20	٢٠	*`îshrîn*
21	٢١	*wâhid wa-`ishrîn*
30	٣٠	*talatîn*
50	٥٠	*khamsîn*
100	١٠٠	*miyya*
1000	١٠٠٠	*alf*

L'AUTEUR

Eva Ambros : directrice de projet et rédactrice du *Guide Nelles* de l'Égypte, elle a étudié à Munich l'égyptologie, l'arabe classique et les langues de l'Orient chrétien. Elle a exercé pendant 12 ans les fonctions de directrice de voyages d'étude en Égypte. Elle est aujourd'hui auteur indépendant et traductrice à Munich.

CRÉDITS PHOTOGRAPHIQUES

Fischer, Peter 39, 81, 98, 163
JBE (PhotoPress) Couverture
Kunert, Rainer 83
Legde, Benjamin W.G. 10/11, 15, 16, 17, 19, 21, 22, 23, 25, 27, 28, 29, 31, 32, 33, 34, 35, 37g, 37d, 41, 42, 43, 44, 46, 47, 48, 49, 51g, 51d, 52, 53, 58, 61, 62, 63, 66, 67, 68, 74, 77, 85g, 85d, 86, 88, 92, 93, 95, 97, 102, 105, 107, 109, 111, 112, 113g, 113d, 116/117, 118, 122, 125, 126, 129, 133, 135, 137, 140/141, 142, 148, 149, 153, 154, 155, 156, 157, 158, 161, 162, 165, 166, 168, 170, 171, 172, 173g, 173d, 175, 177, 179, 184, 189g, 189d, 195, 197, 199, 201, 202, 204, 211, 213, 218, 220, 221, 222, 223, 225, 226, 227, 229, 231
Mielke, Harald 206, 212
Nelles, Günter 193
Skupy, Jitka 72/73, 100, 108, 191
Spring, Anselm 8/9, 12/13, 18, 55, 56/57, 87, 91, 96, 123, 127, 131, 147, 169, 190, 214, 216/217, 230, 233, 235
Thiele, Klaus 14, 182/183.

A

Abbassides, dynastie 45
Abduh, Muhammed 224
Aboukir, baie 50, 61
Abou-Simbel 199, 203, 220
  Grand temple 203
  Petit temple 204
Abousir 65
  Phare 65
  Temple d'Osiris 65
Abousir, pyramides 107
Abu al Abbas, calife 45
Abu Rodeis 210
Abu-Mina 65
  Baptistère 65
  Chapelle funéraire 65
  Grande basilique d'Arcadius 65
Abydos 25, 132
  Nécropole royale 132
  Temple de Séthi Ier 132
Agami 65
Agibah, baie 66
Ahmosis, roi 26, 221
Aigelika, île 199
Ain Sukhna 207
Akhénaton, roi 27, 37, 130, 144, 151, 160
Akhmim 131
Alexandre le Grand 29, 40, 149
Alexandrie 40, 42, 59
  Baie d'Al-Muntazah 64
  Catacombes de Kôm esh-Shuqâfah 63
  Colonne de Pompée 63
  Corniche 61
  Fort de Qaitbay 62
  Grande bibliothèque 40, 61
  Heptastade 62
  Hôtel Cecil 61
  Hôtel de Palestine 64
  Kôm ed-Dik 63
  Kôm esh-Shuqâfah 63
  Mahmûdîyya, canal de 59
  Mîdân el-Mahattah 61
  Mîdân et-Tahrir 61
  Mîdân Sa'd Zaghlul 61
  Monument au Soldat inconnu 61
  Mosquée d'Abu el-Abbas 62
  Mosquée d'Ibrahim Terbana 62
  Musée des Antiquités greco-romaines 63
  Musée hydrobiologique 62
  Museion 40, 61
  Nécropole d'Anfûshî 62
  Palais de Ras et-Tin 62
  Phare 40, 60, 62

  Plage de Ma'murah 64
  Sérapéum 60
  Statue équestre de Méhémet Ali 62
  Théâtre romain 63
Ali Ibn el Hawa 195
Al-Qâhirah, Le Caire 47
Amada 199, 202
  Temple de Thoutmosis III 202
  Temple rupestre de Ramsès II 202
  Tombeau de Pennout 202
Amba Sama'ân, évêque 194
Amdouat 160, 163, 164
Amenemhat Ier, roi 24
Amenemhat III, roi 123
Aménophis Ier, roi 151, 153, 168
Aménophis III, roi 27, 148, 151, 157
Aménophis IV, roi 27, 144, 146, 154
Amon, dieu, voir Rê 24, 26, 36, 143, 145, 150, 152, 154, 155
Amon-Min, dieu 153
Amr Ibn el-As, guerrier 45
Anoukis, déesse 36
Antoine, saint 43, 207
Anubis, dieu 172
Aqaba, golfe 207, 212
Arabi, colonel 52
Arensnouphis, dieu 200
Arrhidée, Philippe 155
Assiout (Asyut) 119
  Province 130
  Ville 130
Assouan 17, 190
  Carrières de granit 196
  Cimetière fatimide 197
  Corniche 192
  Eléphantine 191, 193
  Grand barrage 17, 226
  Hypogées 195
  Île Kitchener 194
  Jardin botanique 194
  Mausolée de l'Aga-Khan 194
  Monastère de Saint-Siméon 194
  Musée de Nubie 192
  Obélisque inachevé 197
  Qubbat el-Hawa 195
  Rue du souk 192
  Sadd al-âli 198
  Vieux barrage 197, 226
Assyriens 29, 144
Atbarah, fleuve 17
Atoum, dieu 32
Auguste, empereur 202

Avaris 26
Ayn Sillin 124
Ayyubides, sultans 48

B

Ba 34
Babylone 76
Badr el-Gamali, vizir 48
Bahariya, oasis 135
Bahiq 65
Bahr al-Ghazâl 17
Bahr az-Zarâfa 17
Bahr Yussuf (rivière de Joseph) 122
Bahr-al-Jabal 17
Baibars Ier, sultan 49
Bardawil, lac 211
Bawiti 137
Belzoni, Giovanni 165, 219
Beni Hasan 124, 125
  Hypogée de Baqit 126
  Hypogée de Khéti 126
  Tombeau d'Amenemhat 126
  Tombeau de Khnoumhotep 127
Beni Suef 121
Bigga, île 200
Borg el-Arab 65
Bubastites 152
Byzance 45

C

Caire, Le 47, 75
  Bâb el-Azab 95
  Bâb el-Futûh 75, 87, 90
  Bâb el-Gedid 97
  Bâb en-Nasr 87, 90
  Bâb Zuwayala 75, 94
  Beit Suhaymi 91
  Bibliothèque 90
  Café Fishawi 88
  Café Naguib Mahfouz 88
  Cairo Marriot Hotel 82
  Caravansérail d'El-Ghûri 93
  Centre culturel 82
  Citadelle 97
  Église Sainte-Barbara 85
  Église Saint-Georges 84
  Église Ste-Marie (El-Mo'allaga) 84
  Église St-Serge (Abû Serga) 84
  El-Azhar, mosquée 47
  El-Gesirah, île 82
  El-Ghûri Complex 93
  Fort de la Chandelle 83
  Fustât 86
  Galerie municipale 82

Hôtel Hussein 88
Hôtel Sheraton 82
Jardin Andalou 82
Jardin botanique El-Urmân 82
Jardin des pharaons 82
Khân el-Khalili, souk 76, 87
Ligue arabe 79
Mausolée de l'Imam ash-Shâfi'i 99
Mausolée de Méhémet Ali 99
Mausolée du sultan Barqûq 93
Mausolée du sultan El-Ghûri 93
Mausolée du sultan Qalâwûn 92
Medresa du sultan Ashraf Barsbay 93
Medresa du sultan El-Ghûri 93
Medresa du sultan Hassan 95
Midân Ahwad Maher 94
Midân et-Tahrir 79
Midân Hussein 87
Midân Salâh ed-Dîn 95
Mosquée Ar-Rifa'i 96
Mosquée d'Amir-Akhûr 95
mosquée d'el-Azhar 88
Mosquée d'Hussein 88
Mosquée d'Ibn-Tûlûn 87, 96
Mosquée de Amr Ibn el-As 86
Mosquée de Mahmûd Pacha 95
Mosquée de Méhémet Ali 95, 97
Mosquée de Muhammad an Nasir 98
Mosquée de Qâytbây 99
Mosquée du sultan Barqûq 99
Mosquée du sultan Muhammad an-Nâsir. 92
Mosquée el-Aqmâr 91
Mosquée el-Hakim 90
Mosquée el-Mu'ayyad 94
Mugamma 79
Musée copte 84
Musée d'Art islamique 94
Musée d'Art moderne 82
Musée de l'Agriculture 82
musée de l'Armée et de la Police 97
Musée Égyptien 80
Musée Gayer-Anderson 97
Musée Mukhtar 82
Nécropole 98
Nile Hilton 79
Nilomètre 86
Obélisque de Ramsès II 82
Opéra 82
Palais de l'émir Beshtâq 91
Porte des Barbiers 90
Puits de Joseph 98
Quartier copte 83

Sabil-kuttâb d'Abd ar-Rahmân Katkhûda 91
Sh. Mu'izz li-Din-Illah 90
Sh. Muski 88
Sh. Salâh Salem 99
Statue de Sa' el Zaghlûls 82
Synagogue Ben Ezra 85
Tombeaux des califes 99
Tour du Caire 77, 82
Université américaine 79
Université du Caire 83
Vieille ville 83
Vieux quartiers musulmans 86
Cambyse, roi des Perses 29
Camp David, accords de 55
Carter, Howard 162, 221
Catherine, sainte 214
César 40
Chalcédoine, concile 44
Champollion, Jean-François 219, 222
Charles Martel 45
Chechonq Ier, roi 154
Chenute de Sohâg, abbé 43
Claude, empereur 185
Cléopâtre 40
Coloured Canyon 212
Constantin, empereur 42
Coptes 42, 45, 46, 179
Coran (Qur'ân en arabe) 223

D

Dahab 212
Dahar 210
Dahshour
  Pyramide Blanche 121
  Pyramide en brique de Sésostris III 119
  Pyramide Noire 121
  Pyramide rhomboïdale 121
  Pyramide Rouge 121
Dahshour, pyramides 119
Dâkhla, oasis 135, 136
  Temple d'Amon de Deir el-Hagar 137
  Tombeaux romains d'El-Muzawwaga 136
Darâw 190
Deir el-Bahari, cirque 221
Deir el-Bahari, temples 173
  Sanctuaire d'Hathor 175
  Temple à terrasses d'Hatchepsout 174
  Temple funéraire de Mentouhotep II 174
Deir el-Médina
  temple 169

Tombeau d'Inherkhâon 169
Tombeau de Sennedjem 169
Denderah 186
Denderah, temple 134
  Tombeaux de Sheikh Abd el-Gurna 170
Denon, Vivant 219
Désert Arabique 207
Dioclétien, empereur 42
Diodore, écrivain 176, 218
Djebel El-Silsila, mont 189
Djebel Halâl, mont 211
Djebel Katrînâ, mont 214
Djebel Mûsa, mont 211, 214
Djebel Serbal, mont 213
Djéser, roi 22
Dumyât (Damiette) 68

E

Edfou 185, 186
  Temple d'Horus 186
Eilat 211
El Gouna 209
El Mu'tasim, calife 46
El Qurn, montagne 159
El-Alamein 64, 66
  cimetières militaires 66
  musée 66
El-Aziz, calife 47
El-Bahariyya, oasis 137
Eléphantine, île 191
  Chapelle ptolémaïque 194
  Musée 193
  Nilomètre 193
  Temple de Satis 193
El-Hakim, calife 47
El-Haraniya 107
El-Ka'b 186
  Hypogées d'Ahmôsis fils d'Abana et d'Ahmôsis Pennekhbet 186
  Tombeau de Paheri 186
  Tombeau de Renni 186
  Tombeau de Setaou 186
El-Khamil, sultan 48
El-Kharga (Khargeh) 119
El-Lahûn 123
El-Mawhub 137
El-Meks 136
El-Mustansir, calife 48
El-Qâhira, voir le Caire 76
El-Qasr 136
El-Wasta 121
Eos, déesse 179
Ergamène, roi 202
Es Seboua 202
  Temple de Dakka 202

Temple de Ramsès II 202
Temple de Sérapis 202
Esna 185
Temple de Khnoum 185
Euphrate, fleuve 26

F

Farâfra, oasis 135
Désert Blanc 137
Qasr el-Farâfra 137
Farouk, roi 54
Fatimides, dynastie 46, 48, 194
Fayoum, oasis 122
Lac Qarûn 122, 124
Madinet el-Fayyûm 124
Fayoum, province 122
Felouque 185
Fidimin 124
Fouad Ier, vice-roi 53
Frédéric II de Hohenstaufen 48
Fustât 76, 83, 85

G

Gawhar, général fatimide 47
Geb, dieu 32
**Gharbi-Aswân (Assouan-
Ouest)** 196
Girza 121
Giza Beni Suef 119
Gizeh 23, 77, 101
Cimetière de l'est 104
Hypogée de la reine Mérésankh
III 104
Mastaba de Sékhemnéfer 104
Musée du vaisseau de Rê 104
Pyramide de Khéops 103
Pyramide de Khéphren 104
Pyramide de Mykerinos 106
Pyramides des Reines 104
Sphinx 105
Stèle du songe de Thoutmosis
105
Temple de la Vallée 105
Gizeh, province 119
Grande Mer de Sable 137

H

Haroun al-Rachid, calife 45
Hatchepsout, reine 27, 151,
155, 157
Hathor, déesse 30, 36, 134, 172,
186, 211
Hauwara, pyramide 123
Hélène, impératrice 214
Héliopolis 32, 77

Hélouân 230
Heqa-ib, gouverneur 196
Hermopolis 32, 124, 127
Hérodote 16, 20, 103, 218
Hiéroglyphes 222
Hittites 146
Homère 143
Horemheb, roi 152, 154, 161
Horus, dieu 30, 33, 36, 134, 186
Hurghada 209
Centre touristique 210
Dahar 210
Sigala 210
Hyksôs, souverains 26, 143

I

Ibn Tûlûn, Ahmad, gouverneur
46, 76
Ibrahim Pacha 51
Imhotep, architecte 23, 200
Isis, déesse 32, 36, 200
Islam 223
Ismaïl, vice-roi 52
Ismaïlia 69

J

Justinien, empereur 214

K

Ka 34
Kalabsha 199, 201
Kiosque de Kertassi 202
Temple de Mandoulis 201
Temple rupestre de Beit el-Ouali
202
Karnak 24, 144, 149
Contresanctuaire 156
Jardin botanique 156
Lac sacré 157
Musée à ciel ouvert 153
Quais 152
Sanctuaire des barques 155
Sphinx criocéphales 152
Table de Karnak 156
Temple 144, 150
Khâmounas, prince 112
Khârga, oasis 135
Khârga, ville 136
Khéops, roi 23
Khéphren, roi 23
Khnoum, dieu 36, 193
Khonsou, dieu 36, 145, 148
Kôm Aushôm (Karanis) 124
Kôm Ombo 185, 189
Chapelle d'Hathor 190

Temple 189

L

La Mecque 45
Libye 137, 239
Livre de la Terre 161
Livre des Cavernes 161
Livre des Morts 161
Livre des Portes 161
Louqsor 24, 26, 143
Allée de sphinx 146
Mosquée Abou el-Haggag 147
Musée de Louqsor 150
Musée du procédé de
momification 149
Temple de 145

M

Maat 31
Maat, déesse 167, 172
Mahfouz, Naguib 88, 232
Mahomet, prophète 45, 223
Mallawi 128
Mamelouks, dynastie 48, 50
Mamun, calife 46
**Manethon, grand-prêtre
d'Héliopolis** 20
Marc-Antoine 40
Mariette, Auguste 220
Marina 65
Maspéro, Gaston 221
Matrûh 66
Maya Bay 212
Médine 45
Medinet Habu 178
Chapelles funéraires 178
Petit temple 178
Temple funéraire de Ramsès III
178
Méhémet Ali 50, 51, 77, 146,
219
Meidoum, pyramide 121
Memnon, colosses de 179
Memnon, roi 179
Memphis 23, 24, 76, 112
Chambres d'embaumement des
Apis 113
Colosse de Ramsès II 113
Musée à ciel ouvert 113
Sphinx d'albâtre 113
Ménès, roi 20, 112
Mentouhotep II, roi 24, 143, 174
Mer Rouge 207
Mérirê, grand-prêtre 130
Mersa-Alam 210
Min, dieu 179

Minia 119, 124
Mitanni, royaume 26
Monastères du désert 207
  Couvent de Saint-Antoine 207
  Couvent de Saint-Paul 209
Mongols 49
Moubarak, Hosni 19, 55, 224, 230
Mout, déesse 36, 145, 148
Musée Égyptien 221
Mût 136
Mût Tourism Wells 136
Mykerinos, roi 23

N

Na'ama Bay 212
Naj'Hammâdi 134, 230
Napoléon 50, 219
Nasser, Gamal Abdel, président 54, 225, 226, 229
Nectanebo Ier, roi 146, 152, 200
Néfertiti, reine 130
Nehru, Jawahartal 54
Nekhbet, déesse 186
Nelson, amiral 50
Nil 17
Nil, delta 68
Nil, vallée 185
Nout, déesse 32, 35, 36
Nouvelle Vallée, province 136
Nubie 26, 191, 198
Nubiens 191
Nubiens, temples 198
Nuwaybâ 212

O

Octave 41
Omeyyades, dynastie 45
Opet, fête d' 148
Osiris, dieu 25, 32, 35, 37, 134, 172
Ottomans 51
Ouadi es-Sebua 199

P

Pacôme, saint 43
Paul de Thèbes, saint 207
Pépi II, roi 24, 196
Pétosiris, grand-prêtre 128
Philae 199
  Kiosque de Trajan 201
  Porte d'Hadrien 201
  Temple d'Hathor 201
  Temple d'Isis 200
Pinedjem, grand-prêtre 154

Platon 218
Port Fuad 69
Port Safaga 210
Port Saïd 69
Pount, royaume de 26, 175
Psammétique Ier, pharaon 29
Ptah, dieu 37, 133, 157
Ptolémée II, roi 122, 200
Ptolémée III, roi 186
Ptolémée IV, roi 40
Ptolémée VI, roi 189
Ptolémée XII, roi 190, 200
Ptolémées, dynastie 40

Q

Qadech, bataille 146, 154, 177
Qalâ'ûn, sultan 49
Qasr Dush 136
Qasr el-Guheita 136
Qena 119, 133, 135
Qoseyr 210

R

Ra's al-Hikmah 66
Ramose, vizir 173
Ramsès II, pharaon 146, 152, 154, 156, 167, 176, 221
Ramsès III, pharaon 28, 152, 167, 178
Ras Muhammad 212
Ras Nusrani 212
Ras Umm Sid 212
Ras Zafarana 207, 209
Rashid (Rosette) 68
Rê, dieu-soleil 23, 24, 32, 35, 37
Rê-Harakhtès, dieu 204
Rosette, bataille 51
Rosette, pierre de 219

S

Sa'd Zaghlul 53
Sadate, Anouar al- 55, 225
Saint-Antoine, couvent 207
Sainte-Catherine, couvent 213
Saint-Paul, couvent 209
Saladin, sultan 48
Salt, Henry 220
Samarra 46
Saqqarah 106, 220
  Mastaba d'Idout 110
  Mastaba de Kagemni 110
  Mastaba de Mêhou 110
  Mastaba de Mérérouka 110
  Mastaba de Ptahhotep 110
  Mastaba de Ti 110

Nécrople des taureaux Apis 111
Pyramide d'Ounas 109
Pyramide de Téti 110
Pyramide du roi Djéser 107
Sérapeum 111
Tombeaux perses 110
Sarenpout Ier, prince 196
Sassanides, royaume des 45
Satis, déesse 36
Sekhmet, déesse 157
Sélim Ier, sultan 50
Sésostris Ier, roi 124, 153
Seth, dieu 33
Séthi Ier, roi 154, 176
Séthi II, roi 152
Shagarat ad-Durr, sultane 48
Shark Bay 212
Sharm esh-Sheikh 212
Sheikh Abd el-Gurna, tombeaux 170
  Tombeau de Menna 172
  Tombeau de Nakht 172
  Tombeau de Ramose 173
  Tombeau de Rekhmiré 170
  Tombeau de Sennefer 171
Sheshonq Ier, roi 152
Shou, divinité 32
Sidi Abd ar-Rahmân 66
Sigala 210
Sinaï 210
Sinaï, péninsule 54
Sinouhé 25
Siwah, oasis 66
  Aghuermi 67
  Hypogées du Djébel el Mawtah 67
  Shali 67
  Siwah, ville 67
Snéfrou, roi 23
Sobek, dieu 189
Sohag 110, 101
  Couvent Blanc 131
  Couvent Rouge 131
Sokar, dieu 179
Soma Bay 210
Strabon 218
Suez 69
Suez, canal 52, 54, 68
Suez, golfe 207
Syrie 25

T

Taharqa, roi 152, 157
Talmis 202
Tanis 28
Tantâ 68
Tawfiq, vice-roi 52

Tefnout, divinité 32
Tell el-Amarna 124, 128
Thèbes 24, 26, 143, 144, 159, 220
   Colosses de Memnon 179
   Deir el-Bahari 173
   Deir el-Médina 168
   Medinet Habu 178
   Ramesseum 176
   Temple funéraire de Séthi Ier 176
   Vallée des Reines 167
   Vallée des Rois 159
Thot, dieu 32, 37
Thoutmosis Ier, roi 26, 151, 154
Thoutmosis II, roi 27
Thoutmosis III, roi 26, 151, 153, 155, 156, 221
Tibère, empereur 189
Timna 211
Toutânkhamon, roi 28, 155
Tulunides, dynastie 46, 76
Tuna el-Djebel 124, 127, 128

V

Vallée des Reines 167
   Tombeau d'Amon-her-Khepechef 168
   Tombeau de Khâemouaset 168
   Tombeau de Néfertari 167
   Tombeau de Tjiti 167
Vallée des Rois 144, 159
   Le tombeau de Ramsès IX 167
   Tombeau d'Aménophis II 163
   Tombeau d'Horemheb 164
   Tombeau de Mérenptah 165
   Tombeau de Ramsès III 165
   Tombeau de Ramsès VI 166
   Tombeau de Séthi Ier 164, 220
   Tombeau de Thoutmosis III 162
   Tombeau de Toutânkhamon 163, 221
Vespasien, empereur 185

W

Wâdî an Natrûn 66, 67
   Deir Abû-Makar 67
   Deir al-Baramos 67
   Deir Amba Bishoï 67
   Deir es-Suriâni 67
Wâdî Feran 213
Weeks, Kent 162

Y

Young, Thomas 219

Z

Zawiyat el Amwât 124

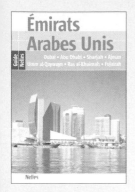

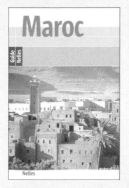

TITRES DISPONIBLES

Afrique du Sud
Australie - Tasmanie
Bali - Lombok
Birmanie *(Myanmar)*
Brésil
Bretagne
Californie – *Las Vegas, Reno,
    Baja California*
Cambodge – Laos
Canada: *Ontario, Québec,
    Provinces atlantiques*
Chine – Hong Kong – Tibet
Chypre
Crète
Croatie: *Côte Adriatique*
Cuba
Écosse
Egypte
Émirats Arabes Unis
Espagne:
    *Pyrénées, Côte atlantique,
    Espagne centrale*
Espagne:
    *Côte méditerranéenne,
    Espagne du sud, Baléares*
Floride

Grandes Antilles -
    Bermudes - Bahamas
Guadeloupe - Martinique -
    Petites Antilles
Grèce: *continentale -
    Péloponnèse*
Hawai'i
Inde du Nord
Inde du Sud
Indonésie: *Sumatra, Java, Bali,
    Lombok, Sulawesi*
Irlande
Israel *avec des excursions
    en Jordanie*
Kenya
Les îles Canaries
Les îles d'Océanie
Malaisie - Singapour - Brunei
Maldives
Maroc
Mexique
Moscou - St-Petersbourg
Myanmar *(Birmanie)*
Népal
New York: *La Ville et l'Etat*
Norvège

Pérou
Philippines
Pologne
Portugal
République tchèque
Rome
Sri Lanka
Syrie - Liban
Thaïlande
Toscane
Turquie
USA: *Côte Est, le Middle Ouest
    et le Sud*
USA: *L'Ouest, les Rocheuses
    et le Texas*
Viêtnam

*Les Guides Nelles sont des livres de référence, bien informés et instructifs.
Toujours à jour, abondamment illustrés et avec des cartes
de première qualité.
256 pages, environ 150 photos couleur et 25 cartes.*

NELLES MAPS

TITRES DISPONIBLES

– EUROPE –

Canary Islands *1:150,000 / 1:180,000*
Crete *1:200,000*
Croatian Coast *1:225,000 / 1:525,000*
Greece *1:750,000*
Greek Islands *1:750,000*
  (Rhódos *1:250,000*)
Ibiza - Formentera *1:80,000*
Madeira *1:60,000*
Portugal - Algarve *1:200,000 / 1:250,000*
Spain:
  Andalusia - Costa del Sol
  1:650,000 / 1:1,250,000
  Costa Brava - Costa Dorada
  1:400,000 / 1:1,250,000
Tuscany *1:250,000*

– ASIA –

Afghanistan *1:1,500,000*
Burma → Myanmar
Bangkok and Greater Bangkok
  1:15,000 / 1:75,000
Cambodia - Angkor *1:500,000*
Central Asia *1:1,750,000*
China:
  North East *1:1,500,000*
  North *1:1,500,000*
  Central *1:1,500,000*
  South *1:1,500,000*
Hong Kong *1:22,500*
Himalaya *1:1,500,000*
India:
  Indian Subcontinent *1:4,500,000*
  North *1:1,500,000*
  North East — Bangladesh
  1:1,500,000

East *1:1,500,000*
West *1:1,500,000*
South *1:1,500,000*
Indonesia:
  Indonesia *1:4,500,000*
  Bali - Lombok *1:180,000*
  Java - Bali *1:650,000*
  Kalimantan *1:1,500,000*
  Papua - Maluku *1:1,500,000*
  Sulawesi *1:1,500,000*
  Sumatra *1:1,500,000*
  Jakarta *1:22,500*
Japan *1:1,500,000*
Korea *1:1,500,000*
Malaysia *1:1,500,000*
West Malaysia *1:650,000*
Manila *1:17,500*
Myanmar (Burma) *1:1,500,000*
Nepal *1:480,000 / 1:1,500,000*
Pakistan *1:1,500,000*
Philippines *1:1,500,000*
Singapore *1:22,500*
Southeast Asia *1:4,500,000*
Sri Lanka *1:450,000*
Taiwan *1:400,000*
Thailand *1:1,500,000*
Vietnam - Laos - Cambodia
  1:1,500,000

– AFRICA –

Egypt *1:2,500,000 / 1:750,000*
Kenya *1:1,100,000*
Tanzania - Rwanda - Burundi
  1:1,500,000
Tunisia *1:750,000*
Uganda *1:700,000*

– AMERICAS –

Argentina:
  North — Uruguay
  1:2,500,000
  South — Uruguay
  1:2,500,000
Bolivia - Paraguay *1:2,500,000*
Brazil:
  South *1:2,500,000*
Caribbean:
  Bermuda - Bahamas -
  Greater Antilles *1:2,500,000*
  Lesser Antilles *1:2,500,000*
Central America *1:1,750,000*
  (Costa Rica *1:900,000*)
Chile - Patagonia *1:2,500,000*
Colombia - Ecuador *1:2,500,000*
Cuba *1:775,000*
Dominican Republic - Haiti *1:600,000*
Mexico *1:2,500,000*
Peru - Ecuador *1:2,500,000*
South America - The Andes
  1:4,500,000
Venezuela - Guyana - Suriname -
  French Guiana *1:2,500,000*

– AUSTRALIA / PACIFIC –

Australia *1:4,500,000*
Hawaiian Islands:
  Hawaiian Islands *1:330,000 / 1:125,000*
  Hawaii, The Big Island *1:330,000 / 1:125,000*
  Honolulu - Oahu *1:35,000 / 1:150,000*
  Kauai *1:150,000 / 1:35,000*
  Maui - Molokai - Lanai *1:150,000 / 1:35,000*
New Zealand *1:1,250,000*
South Pacific Islands *1:13,000,000*

Les cartes Nelles : une cartographie de première classe !
Reliefs, Tables kilométriques, attractions touristiques …
et elles sont mises à jour en permanence !

Nelles Verlag

Égypte

Liste d'hôtels

HÉBERGEMENT

La classification officielle des **hôtels** égyptiens en catégories de une à cinq étoiles ne correspond pas toujours aux normes occidentales, surtout pour les étalissements de moindre standing. La limite entre moyen standing et catégorie luxe se révélant souvent floue, les catégories indiquées sont assez peu fiables. nous avons donc adopté la classification suivante :

😊😊😊 les prix des hôtels de la catégorie luxe (4 et 5 étoiles) se situent entre 90 et 250 $ US pour une chambre double.

😊😊 dans les hôtels de catégorie modérée (3 étoiles), les prix varient énormément selon les régions. En général, on comptera entre 60 et 90 $.

😊 dans les hôtels bon marché (2 étoiles aux pensions soignées), on paiera entre 75 et 180 LE (environ 60 $) pour une chambre double.

On ajoutera au prix de la chambre 10 % de service et 12 % de taxes en moyenne. Si vous n'attachez pas trop d'importance au confort et à l'hygiène, vous trouverez partout de petits hôtels très bon marché. En pleine saison touristique, c'est-à-dire à Pâques et à Noël, réservez votre chambre longtemps à l'avance si vous voyagez à titre individuel .

Le **camping** est encore très peu répandu en Égypte. Il existe certes quelques terrains de camping mais ils ne correspondent pas, pour la plupart, aux normes occidentales.

Les grandes villes possèdent des **auberges de jeunesse** ; pour y loger, il faut être en possession d'une carte de membre de la Fédération internationale des auberges de jeunesse.

2 BASSE-ÉGYPTE

Alexandrie (☎ 03)

On trouve à Alexandrie de nombreux hôtels de toutes catégories. Toutefois, pour la pleine saison (juillet/août), il faudra réserver à temps. Les hôtels de basse catégorie et les pensions sont généralement fermés d'octobre à mai. Côté mer, tous les hôtels donnent sur la corniche, dont le nom est Sh. 26th July le long du port Est, puis Sh. al-Geish entre l'est du port et le parc de Montâza. Pour loger au centre, mais souvent avec vue sur la mer, on optera pour les abords du Mîdân Sa'd Zaghlûl et de la gare Raml.

😊😊😊 **Montazah Sheraton**, Al-Montâza, tél. 5480550, fax 5401331. **Helnan Palestine**, Al-Montâza. tél. 5474033, fax 5473378. **Ramada Renaissance**, 544 Sh. al-Geish, tél. 5490935, fax 5497690. **Sofitel Cecil**, Md. Sa'd Zaghlûl, tél. 4877173, fax 4855655. **Salamlek Hotel**, Montâza Park, tél. 5477999, fax 5464408.

😊😊 **Alexandria Hotel**, 23 Md. an-Nasr, tél. 4837694/-97, fax 4823113. **Delta**, 14 Sh. Champollion, Mazarita, tél. 4829053, fax 4825630. **El-Haram**, 162 Sh. al-Geish, tél. 5464059, fax 5464578. **Maamura Palace**, Al-Ma'mûra, tél. 5473108, fax 5473108. **Mecca**, 44 Sh. al-Geish, tél. 5973925, fax 5969935. **Metropole**, 52 Sh. Sa'd Zaghlûl, tél. 4821466/ 67, fax 4822040. **Plaza**, 394 Sh. al-Geish, tél. 5878714/15, fax 5875399. **San Giovanni**, 205 Sh. al-Geish, tél. 5467774/75, fax 5464408. **Windsor**, 17 Sh. ash-Shuhadâ', Raml, tél. 4808256, fax 4809090.

😊 **Holiday**, 6 Md. 'Orâbî, tél. 801559. **New Capri**, 23 Sh. al-Mîna ash-Sharqîya, Raml, tél. 809310. **Swiss Cottage**, 347 Sh. al-Geish, tél. 5875886, fax 5870455. **Nobel**, 152 Sh. al-Geish, tél. 5464845, fax 5457488. **Sea Star,** 25 Sh. Amîn Fakhrî, Raml, tél. 4832388. **Union**, 164 Sh. 26th July, tél. 4807312. **Youth Hostel** (auberge de jeunesse), 13 Sh. Port Said, Shatbî, tél. 5975459.

Agami (☎ 03)

😊😊 **Agami Palace Hotel**, Bitash Beach, tél. 4330230, fax 4309364. **Hannoville**, Hannoville Beach, tél. 4303138. **Summer Moon**, Bitash Beach, tél. 4330834.

😊 **Costa Blanca**, Hannoville Beach, tél. 4303112. **New Admiral**, Hannoville Beach, tél. 4303038. **Minas**, 'Agamî Beach, tél. 4300150.

Al-'Alamain (☎ 03)

😊😊😊 **ATIC Hotel**, Marina, tél. 4950717, fax 4950718. **Al-'Alamain**, Sîdî 'Abd ar-Rahmân, tél. 4921228, fax 4921232.

😊😊 **Resthouse**, au cimetière militaire britannique, tél. 4302785.

Matrûh (☎ 046)

🟢🟢 **Beach House Hotel**, sur la plage, tél. 4935169, fax 4933319. **Beau Site**, Sh. ash-Shâti', tél. 4934012. **Riviera Palace**, Market Area, tél. 4935195. **Rommel House**, Sh. al-Gala'a, tél. 4935466. **Semiramis**, Sh. al-Corniche, tél. 934091.
🟢 **Arous al-Bahr**, Sh. al-Corniche, tél. 4932419. **Shâti'el-Gharam**, Lido Area, tél. 49 34387. **Reem**, Sh. al-Corniche, tél. 4933605. **Youth Hostel** (auberge de jeunesse), 4 Sh. al-Gala'a, tél. 4932331.

Oasis de Siwah (☎ 046)

🟢🟢 **Siwa Inn**, tél. 4602287. **Siwa Safari Paradise**, Aghurmi Rd., tél. 4602189.
🟢 **Arous el-Waha**, à l'entrée de la localité, tél. 4602100. **Cleopatra**, près d. marché, tél. 460 2148. **Palm Tree**, près marché, tél. 4602048.

Wâdi an Natrûn

🟢🟢 **Wâdî an-Natrûn Resthouse**, Alexandria Desert Rd., km 120. On trouve aussi à se loger dans les pensions proches des monastères.

Ismailia (☎ 064)

🟢🟢 **Mercure Ismailia**, Forsan Island, tél. 338040, fax 338043. **Crocodile Inn**, 179 Sh. Sa'd Zaghlûl, tél. 331666.
🟢 **New Palace**, Mîdân 'Orâbî, tél. 326327.

Port-Saïd (☎ 066)

🟢🟢🟢 **Helnan Port Said**, Sh. al-Corniche, tél. 320890, fax 323762.
🟢🟢 **Holiday**, Sh. al-Gumhûrîya, tél. 220711, fax 220710. **New Regent**, 27 Sh. al-Gumhûrîya, tél. 223802, fax 224891.
🟢 **Abu Simbel**, 15 Sh. al-Gumhûrîya, tél. 221595. **Riviera**, 30 Sh. Ramsîs, tél. 228836.

Suez (☎ 062)

🟢🟢 **Red Sea**, Port Tawfîq, tél. 334302. **Summer Palace**, Port Tawfîq, tél. 224475, fax 321944.

3 LE CAIRE

Le Caire (☎ 02)

Les hôtels sont concentrés à proximité des pyramides de Gizeh, au centre-ville et à Héliopolis, près de l'aéroport. Si vous recherchez le calme, optez pour un des hôtels de standing de Gizeh, en revanche, pour avoir de l'animation, choisissez le centre-ville. Héliopolis est idéal si vous ne faites qu'une escale au Caire.
🟢🟢🟢 **Helnan Shepherd**, Corniche an-Nîl, tél. 3553900, fax 3557284. **Cairo Marriott**, Gazîra Island, tél. 7358888, fax 7356667. **Le Meridien Le Caire**, Rôda Island, tél. 2905055, fax 2918591. **Nile Hilton**, Corniche an-Nîl, tél. 5780444, 5780666, fax 5780475. **Ramses Hilton**, Corniche an-Nîl, tél. 5754999, fax 5757152. **Semiramis**, Corniche an-Nîl, tél. 3557171, fax 3563020. **El-Gezîrah Sheraton**, Gazîra Island, tél. 7373737, fax 7355056.
🟢🟢 **Horus House**, 21 Sh. Ismâ'îl Muhammad, tél. 7353977, fax 7353182. **Om Koltho-om**, 5 Sh. Abû al-Fida, tél. 7368444, fax 7355304. **President**, 22 Sh. Taha Husein, tél. 7356751, fax 7351752. **Victoria**, 66 Sh. al-Gumhûrîya, tél. 5892290, fax 5913008. **Windsor**, 19 Sh. al-Alfî, tél. 5915277, fax 5921621.
🟢 **El Husein**, Md. Husein, beim Khân al-Khalî-lî, tél. 5918664, 5918089. **Green Valley**, 33 Sh. 'Abd al-Khâliq Sarwat, tél. 3936317. **New Hotel**, 21 Sh. Adlî, tél. 3927033, fax 3929555. **Cairo International Youth Hostel** (auberge de jeunesse), El-Manial, 135 Sh. 'Abd al 'Azîz as-Sa'ûd, tél. 3640729, fax 3684107.

Héliopolis

🟢🟢🟢 **Heliopolis Mövenpick**, Cairo International Airport Road, tél. 6370077, fax 4180761. **Swisshotel El Salam**, Sh. 'Abd al-Hamîd Badâwî, tél. 2974000, fax 2976037. **Meridien Heliopolis**, Sh. 'Urûba, tél. 2905055, fax 2918591.

Gizeh (☎ 02)

🟢🟢🟢 **Mena House Oberoi**, Pyramids Rd., tél. 3833222, fax 3837777. **Le Meridien Pyramids**, Alexandria Desert Road, tél. 3838666, fax 3839000. **Jolie Ville Mövenpick,** Alexan-

dria Desert Rd., tél. 3852555, fax 3835006. **Forte Grand Pyramids**, Alexandria Desert Rd., tél. 3830383, fax 3830023. **Oasis Hotel**, Alexandria Desert Rd., tél. 3831777, fax 3830916. **Sofitel Le Sphinx**, Alexandria Desert Rd., tél. 3837444, 3837555, fax 3834930.
🌑🌑 **Pyramids Hotel**, 198 Pyramids Rd., tél. 3835900, fax 3834974.
🌑 **Lido Hotel**, 465 Pyramids Rd., tél. 5730272, fax 5750292.

4 MOYENNE-ÉGYPTE

Beni Suef (☎ 082)

🌑 **Semiramis**, Sh. Safîya Zaghlûl (à la gare), tél. 322092, fax 316017.

Oasis du Fayoum (☎ 084)

🌑🌑🌑 **Auberge du Lac**, Lake Qârûn, tél. 700002, fax 700730.
New Panorama Village, Shakshûk, Lake Qârûn, tél. 701314, fax 701757.
🌑🌑 **Queen**, Madînat al-Fayyûm, 4 Sh. Minshat, tél. 326819.
🌑 **Ein el-Sellin**, 'Ain as-Sillîn (près de Sanhûr), tél. 327471.
Oasis Tourist Village, Shakshûk, Lake Qârûn, tél. 701565.
Youth Hostel (auberge de jeunesse), Madînat al-Fayyûm, Al-Hadîqa Nr. 7, tél. 323682, très simple.

Minia (☎ 086)

🌑🌑🌑 **Mercure Nefertiti & Aton**, Corniche an-Nîl, tél. 341515/16, fax 326467.
🌑 **Lotus**, 1 Sh. Port Said, tél. 364500, fax 364576. **Ibn Khassib**, 5 Sh. Ragib, tél. 324535. **Palace**, Md. Tahrîr, tél. 324071.

Abydos

🌑 **Hotel Abydos**, à côté du temple, tr. simple.

Assiout (☎ 088)

🌑🌑 **Badr Touristic**, Sh. at-Tallâga, tél. 329811/12, fax 322820. **Reem Touristic**, Sh.

an-Nahda, téléphone 311421/22, fax 311424.
🌑 **Akhnaton Touristic**, Sh. Muhammad Tawfîq Khashaba, tél. 337723, fax 331600.
Youth Hostel (auberge de jeunesse), 503 Sh. An-Nimais, al-Walîdîya, tél. 324846.

Naj' Hammâdî (☎ 096)

🌑🌑 **Aluminium Hotel**, sur le terraine de l'Aluminium Company, à 6 km au sud de Naj' Hammâdî, tél./fax 581320.

Qena (☎ 096)

🌑 **New Palace**, Md. al-Mahatta (gare), tél. 322509. **Remarque** : selon les mesures de sécurité actuellement en vigueur, les étrangers n'ont pas le droit de passer la nuit à Qena.

Sohag et Akhmim (☎ 093)

🌑🌑 **Merit Amun**, près du pont du Nil , Akhmîm, tél. 601985.
🌑 **Andalus**, Sh. al-Mahatta (à la gare), Sohâg, tél. 324328. **El-Salam**, Sh. al-Mahatta (à la gare), Sohâg, tél. 333317.
Youth Hostel (auberge de jeunesse), 5 Sh. Port Said, Sohâg.

Al-Bahrîya (☎ 018)

🌑🌑 **Ahmed's Safari Camp**, hors de Bawîtî, sur la route de Sîwa, tél. 802090. **Hot Spring Hotel**, Bawîtî, tél. 802322. **New Oasis**, Bawîtî, tél. 803030.
🌑 **Alpenblick**, Bawîtî, tél. 802184. **El-Beshmo Lodge**, Bawîtî, tél. 802177. **Resthouse Al-Menagem**, Al-Menagem-Mine, à 42 km au nord-est de Bawîtî, en direction du Caire.

Dâkhla (☎ 092)

🌑🌑 **Mebarez**, Mût, sur la route de Farâfra, tél. 821524.
🌑 **Anwar**, au centre de Mût, tél. 821566. **Bedouin Camp**, Ad-Duhûs, au nord de Mût, tél. 8250605. **Dar al-Wafdên**, Mût, tél. 941503. **Gardens Hotel**, Mût, tél. 821577. **Mût Bungalows**, Mût, tél. 941503. **Tourism Wells Resthouse**, à la limite ouest de Mût. **Government Tourist Chalets**, près des sources chaudes

de Mût et Al-Qasr (réservations via l'office de tourisme de Khârga).

Farâfra (☎ 046)

🔴🔴 **El Badawiya Safari & Hotel**, Qasr al-Farafra, réservations depuis Le Caire : (02) 3458524. **New Resthouse**, Qasr al-Farâfra (à la gare routière).

Khârga (☎ 092)

🔴🔴🔴 **The Pioneers Hotel**, Khârga, en quittant Khârga vers Asyût, tél. 927982.

🔴🔴 **El-Kharga Oasis**, Khârga, tél. 901500.

🔴 **El-Wâdî el-Gedîd Tourist Chalets**, Khârga, (à côté de l'office de tourisme), tél. 900728. **Hamadalla**, Khârga, tél. 900638, fax 905017. **Resthouse Al-Nasr Tourism Wells**, à 17 km au sud de Khârga. **Bulaq Resthouse**, Bulaq, à 30 km au sud de Khârga. **Resthouse Baris**, Bârîs, à 80 km au sud de Khârga.

5 LOUQSOR ET THÈBES

Louqsor (☎ 095)

Louqsor possède de nombreux hôtels toutes catégories. Pour la saison pleine, pensez à réserver à temps. La plupart des hôtels sont situés sur la rive Est du Nil. Les établissements de luxe et leurs vastes parcs s'étendent le long du fleuve – de Karnak, à 3 km à l'est du centre-ville, jusqu'à la péninsule idyllique de Crocodile Island, à 8 km à l'ouest de Louqsor. Les hôtels de standing de la Corniche an-Nîl, au centre-ville, ou de ses rues adjacentes, ne sont pas plus mal situés.

Pour échapper aux masses de touristes en acceptant un hébergement plus simple, essayez un des hôtels de Thèbes-Ouest. Les contacts chaleureux avec les Égyptiens vous feront vite oublier les petits manques de confort.

🔴🔴🔴 *Centre-ville :* **Mercure Coralia Luxor**, Corniche an-Nîl, tél. 380944, fax 374912. **Mercure Inn**, 10 Sh. Ma'bad Luxor, tél. 373321, fax 370051. **Novotel Luxor**, Sh. Khâlid Ibn al-Walîd, tél. 580923, fax 380972. **Sofitel Old Winter Palace** and **New Winter Palace**, Corniche an-Nîl, tél. 380422/23, fax 371192. *Périphérie :* **Luxor Hilton**, New Karnak, tél. 374933, fax 376571. **Belladona Resort Club Mediterranée**, Sh. Khâlid Ibn al-Walîd, tél.

380850, fax 380879. **Isis**, Sh. Khâlid Ibn al-Walîd, tél. 372750, fax 372923. **Luxor Sheraton**, Sh. Khâlid Ibn al-Walîd, tél. 374544, fax 374941. **Jolie Ville Mövenpick**, Crocodile Island, tél. 374855, fax 374936.

🔴🔴 *Centre-ville :* **Luxor Hotel**, au temple de Louqsor, tél. 380018, fax 380017. **Mina Palace**, Corniche an-Nîl, tél. 372074. **New Emilio**, Sh. Yûsuf Hasan, tél. 371601, fax 374884. **Philippe**, Sh. Dr. Labîb Habashî, tél. 372284, fax 380050.

🔴 *Centre-ville :* **New Windsor**, Sh. Nefertiti, tél. 374306, fax 373447. **Pyramids**, Sh. Yûsuf Hasan, tél. 373243. **Beau Soleil**, Sh. Salâh ad-Dîn, 372671. **Sphinx**, Sh. Yûsuf Hasan, tél. 372830. **Venus**, Sh. Yûsuf Hasan, tél. 372625.

Karnak (☎ 095)

🔴 **Horus**, Sh. Ma'bad Karnak, tél. 372165. **Nefertiti**, Sh. Ma'bad Karnak, tél. 372386. **Youth Hostel** (auberge de jeunesse), 16 Sh. Ma'bad Karnak, tél. 372139.

Thèbes-Ouest (☎ 095)

🔴 **Abdul Kassem**, près du temple de Séthi Ier, tél. 310319. **Dream Valley**, près de Madînat Hâbû, tél. 310581. **El-Gezira**, près du débarcadère, tél. 310034. **Pharao Hotel**, derrière la direction du service des antiquités près de Madînat Hâbû, tél. 374924. **Hotel Marsam**, derrière les colosses de Memnon, tél. 372403.

6 HAUTE-ÉGYPTE

Assouan (☎ 097)

🔴🔴🔴 **Amun Island**, Club Méditerranée, Amun Island, tél. 313800, fax 317190.

Aswan Oberoi, Elephantine Island, tél. 314666, fax 323485. **Basma Hotel**, Sh. Al-Fanâdîg, tél. 310901, fax 310907. **Isis Island Hotel**, Isis Island, tél. 317400, fax 317405. **Sofitel New Cataract & Old Cataract**, Sh. Abtâl at-Tahrîr, tél. 316000, fax 316011.

Amun Tourist Village, Sahara City (au-delà du barrage), tél. 480439 et 480440.

🔴🔴 **El Amir**, Corniche an-Nîlm tél. 314732. **Kalabsha**, Sh. Abtâl at-Tahrîr, tél. 322999, fax 325974. **Old Isis**, Corniche an-Nîl, tél. 315100, fax 315500.

🔴 **Abu Shelib**, Sh. 'Abbâs Farîd (rue du bazar), tél. 323051. **Cleopatra**, Sh. Sa'd Zaghlûl, tél. 324003, fax 324002. **Hathur**, Corniche an-Nîl, tél. 314580. **Happi**, Sh. Abtâl at-Tahrîr, tél. 314115. **Mena**, Atlas Area, tél. 304388. **Philae**, Corniche an-Nîl, tél. 312089. **Ramses**, Sh. Abtâl at-Tahrîr, tél. 324000. **Youth Hostel** (auberge de jeunesse), Sh. Abtâl at-Tahrîr, tél. 322313.

Edfou (☎ 097)

🔴 **Dar al-Salam**, près du temple d'Edfou. **El-Medina**, à la gare routière. Très simples tous les deux.

Abou-Simbel (☎ 097)

🔴🔴 **Nefertari**, tél. 316402, fax 316404. **Nobaleh Ramses**, tél./fax 311660.

7 MER ROUGE

El-Gouna (☎ 065)

🔴🔴🔴 **Mövenpick Jolie Ville** tél. 544501, fax 544505. **Paradiso Beach**, tél. 547934, fax 547933. **Steigenberger Golf Resort**, tél. 580140, fax 580149.
🔴🔴 **Three Corners Rihana**, tél. 580025, fax 580030.

Hurghada (☎ 065)

🔴🔴🔴 **Grand Resort**, tél. 447646, fax 447649. **Hilton Resort**, tél. 442116, fax 442113. **Mariott Beach Resort**, tél. 446950, fax 446970.
Royal Azur, Makadi Bay, à 30 km au sud de Hurghada, tél. 5903006, fax 590304.
Sonesta Beach Resort, tél. 443664, fax 441665.
🔴🔴 **Giftun Tourist Village**, tél. 442665, fax 442666. **Jasmine Holiday Village**, tél. 446442, fax 446441.
🔴 **Moon Valley**, Sigala, tél. 444088. **New Ramoza**, Sigala, tél. 445065.

Marsa 'Alam (☎ 0195)

🔴🔴🔴 **Kahrama Beach Resort**, à 27 km au nord de Marsa 'Alam, tél. 100261, fax 100259.

Shams Alam Beach Resort, à 45 km au sud, tél. joignable uniquement par satellite : 00871/76/2079490, fax. 2079491.

Port Safaga (☎ 065)

🔴🔴🔴 **Holiday Inn**, tél. 452826. **Menaville Resort**, tél. 4541761, fax 451764. **Sheraton Soma Bay Resort**, Soma Bay, tél. 545845, fax 545885.
🔴🔴 **Shams Safaga**, tél. 451783, fax 451780.
🔴 **Sun Beach**, tél. 252658.

Qoseyr (☎ 065)

🔴🔴🔴 **Flamenco Beach Resort**, tél. 333801, fax 333813. **Mövenpick Sirena Beach**, tél. 332100, fax 332128.
Utopia Beach Club, à 20 km au sud, tél. 333227, fax 334334.
🔴🔴 **Fanadir**, tél. 331114.

Dahab (☎ 069)

🔴🔴🔴 **Novotel Dahab Holiday Village**, tél. 640304, fax 640305. **Helnan Beach Dahab Hotel**, Tourist Center, tél. 640425, fax 640428. **Swiss Inn Golden Beach**, tél. 640471, fax 640470.
🔴🔴 **Ganet Sinai Village**, tél. 640440. **Nubia Village**, tél. 640147.
🔴 **Nesima**, tél. 640320. **New Sphinx**, tél. 640 032.

Couvent Sainte-Catherine

🔴🔴🔴 **Catherine Plaza**, tél. 470228. **St. Catherine Village**, Wâdî ar-Râha, tél. 470324.
🔴🔴 **El-Wadi el-Muqudus**, tél. 470225.

Nuwaibâ (☎ 069)

🔴🔴🔴 **Coral Hilton Resort**, tél. 520320, fax 520027. **Tropicana**, tél. 500056, fax 500022.
🔴🔴 **Helnan Holiday Village**, tél. 500401. **Safari Beach Resort**, à 18 km au nord de Nuwaiba', tél. 500445, fax 500450.
🔴 **Basata Camp**, Ra's Burka, tél. 500481. **El Waha Village**, tél. 500420.
Sallyland, à 26 km au nord de Nuwaiba', tél. 530380.